范以锦 著

南方报业战略

解密中国一流报业传媒集团

南方日报——高度决定影响力

南方周末——记录时代进程

南方都市报——办中国最好的报纸

21 世纪经济报道——新闻创造价值

南方农村报——新农村推动力

新京报——负责报道一切

城市画报——新生活的引领者

mangazine 名牌——开创精英时代

南方人物周刊——记录我们的命运

21 世纪商业评论——商业思想家

南方日报出版社——知识成就人生

南方网——指点南方 网罗天下

南方日报出版社
NANFANGDAILYPRESS

图书在版编目（CIP）数据

南方报业战略：解密中国一流报业传媒集团/ 范以锦著.—广州：南方日报出版社，2005
ISBN 7-80652-474-6

Ⅰ.南…　Ⅱ.范…　Ⅲ.报社—企业集团—经济发展战略—研究—广州市　Ⅳ.G219.246.51

中国版本图书馆 CIP 数据核字（2005）第 117548 号

南方报业战略：解密中国一流报业传媒集团　　范以锦 著

出版发行：南方日报出版社
地　　址：广州市广州大道中 289 号
电　　话：(020) 87373998-8502
经　　销：全国新华书店
印　　刷：佛山市浩文彩色印刷有限公司
开　　本：787mm×1092mm　1/16
印　　张：28.25
字　　数：460 千字
印　　数：10 000-15 000 册
版　　次：2006 年 4 月第 1 版第 2 次印刷
定　　价：56.00 元

投稿热线：(020) 87373998-8503　**读者热线**：(020) 87373998-8502

网址：http://www.nanfangdaily.com.cn/press　http://www.southcn.com/ebook

发现印装质量问题，影响阅读，请与承印厂联系调换。

目录

目录 MULU

目录 MULU

目录 MULU

序

邵华泽

提起南方报业的业绩，报界可以说是有口皆碑。这是南方报人长期奋斗的成果。作为报业集团的领军人，范以锦以多年的实践、发展为基础，近些年来带领这支能征善战的南方报业团队，倡导并实施媒体多品牌战略，取得了很大的成功。

认识范以锦好些年了。2001年以来，他担任中国记协副主席，见面多了，交谈也更深了，他的一些打算和工作中的甘苦，也常同我聊聊，给我一个很深的印象是他一直是个低调的人，难得长篇大论，公开张扬。举个例子为证，1999年，时任总编辑之职的范以锦凭多年积累的政治经验和新闻工作经验，对媒体舆论导向方面的现象进行归纳、总结，提出了把握好舆论导向应注意的20种情况，具有较强的指导性和操作性。2000年2月，江泽民同志到广东视察，在一次座谈会上，时任南方日报社社长李孟昱代表社委会作党建工作汇报，谈到这一情况时，江泽民同志对范以锦总结归纳的"20条"给予了充分肯定，并要求把这20条的文字材料送给他。但是，范氏"20条"从来没有公开发表过。

作为南方报业旗舰的南方日报，坚持了正确的舆论导向，把党的路线、方针、政策同广东改革开放的实际紧密结合起来，又颇具地方特色，赢得了读者的信赖，其发行量和广告额创造了连续19年居全国省委机关报之首的纪录。其旗下的《南方周末》、《南方都市报》、《21世纪经济报道》、《新京报》等，呈现在读者面前的是一个个精美产品和一幕幕精彩演出，好评如潮，社会效益和经济效益俱佳，影响遍及全国。在范以锦这厚厚的一册书中，我们看到了"南方"字号的美味是怎样烹制出来的，看到了南方报业成长与扩张中的"内幕"，更看到了一位报业集团领军人，媒体多品牌战略的设计者、倡导者、实施者的思考，里面包含着许多精彩的报业运作新理念，是闭门造不出的报业"真经"。顺着这本书稿的脉络，顺着南方报业一路风雨走来的蓝天热土，我们可以了解到南方报业实施媒体多品牌战略的脉络、过程和成功经验，感受到南方报业独特的报业文化、人文理想，触摸到南方报业充满新意的办报思路。

2002年10月，范以锦应深圳高新技术交易会邀请，发表题为"国际化背景下的媒体多品牌战略"的主题演讲。这算是媒体多品牌发展战略理念第一次"浮出水面"。他说，实施媒体多品牌战略从三个方面转变观念，强化综合竞争力：一是从单一的新闻竞争转到塑造媒体品牌的竞争上来；二是从单一品牌的竞争转到媒体多品牌的竞争上来；三是从单纯的媒体品牌产品竞争转到品牌理念所延伸到的各个领域的竞争上来。在南方报业运营的过程中，范以锦又提出国内报业市场竞争的三个层次：一种是打价格战、只求数量不求质量的低层次竞争；再者就是以规模、结构、效益为主的中层次竞争；第三种就是以资本、人才、品牌为主的高层次战略竞争。南方报业已经赢得了中层次竞争并逐步提升到高层次的竞争上来。2003 年，范以锦又提出了“报系结构”的概念，首先是培育出品牌报纸，以品牌报纸为龙头成立报系；在形成品牌和报系的过程中，用优质品牌为龙头的报系来孵化新的子报。这无疑是报业运营和品牌战略的又一发展。如今，南方报业传媒集团的多品牌战略已经进入了一个全面提升、全方位提速的报系运营阶段。对中国报业发展有着超前眼光的范以锦，没有就此停步，仍在不断地思考，不断地探索。2005 年 5 月出席南方传媒高峰论坛时，他再一次阐发他对媒体多品牌战略的最新论述：品牌媒体创新力量。什么是南方报业的核心竞争力？具体来说，什么是培育优质品牌的创新能力、什么是把优质品牌推上市场的能力？这些都是报业同行和从事文化产业经营的人士所希望了解的。《南方报业战略》一书破解了这一话题，值得一读。

中国报业随着国家改革开放的进程，以矫健的步伐一路走来，呈现出一片繁荣的景象。2004 年我国有 20 家报纸荣登世界日报发行量前100名排行榜，同日本并驾齐驱（美国、印度紧随其后），并以9350万份的日销量位居世界第一。中国报业为建设中国特色的社会主义作出了巨大贡献，也为世界所瞩目。大发展就是因为大手笔，大发展中凝聚着中国报人的心血，积累了丰富的新鲜经验，这是中国报人的宝贵财富。我们期盼着有更多报纸宣传和报业经营方面的精品力作出版，以交流经验、启发思考，促进中国报业新的更高层次上的发展。

（作者为中华全国新闻工作者协会主席）

前言

品牌媒体创新力量

2005年5月18日，在华南理工大学举行的“南方传媒高峰论坛”上，主持人要我用一句话来表述南方报业的理念，我的回答是：“品牌媒体创新力量。”

《南方报业战略》一书，相当大的篇幅讲到品牌战略，可以说品牌战略是报业战略的重要组成部分。作为报业的经营者，我们希望将媒体培育成为品牌媒体，为此必须有创新精神和创新能力，精神和能力凝就的创新力量，使南方报业充满生机和活力，确保了报业战略的实施。

如果站在中国报业发展的角度来思考，“品牌媒体创新力量”其外延更开阔，其内涵更深刻。

“品牌媒体创新力量”可分为三个层次来认识和表述：媒体层次、报业层次和社会层次。

首先是媒体自身的层次，这一层次可表述为：品牌，媒体创新力量。对媒体来说，品牌是一个媒体比其他同类媒体品质优异的核心体现，培育和创造媒体品牌的过程，就是不断创新的过程。而将某个媒体培育成品牌媒体之后，媒体自身就有了较强的创新力量，就能够在激烈的竞争中立于不败之地。

第二个层次，报业的层次，可以用“品牌媒体创新力量”完整的一句话来表述。具体来说，就是作为一个报业集团，在创造和培育品牌媒体的过程中，会积累和形成一种综合的品牌媒体的创新力量，并延伸辐射到报业的方方面面。当集团拥有了一批媒体品牌之后，这种以媒体为中心的创新力量就会整合成为整个报业的创新力量，将媒体品牌提升为报业品牌。

第三个层次，社会的层次，可表述为“品牌媒体，创新力量”。也就是说，中国报业形成一批有广泛影响力的品牌媒体，不仅能从容应对外来传媒势力的挑战，巩固党的舆论阵地，而且她们在责任和价值上产生的共鸣，将会迸发出一股推动社会进步的强有力的创新力量。

中国报业集团组建近10年，从初创到发展，外在环境和内在机制有了很大变化，成绩令人瞩目，新旧矛盾交织引发的共性问题也显而易见。正如有的专家指出的，有些报业集团“集团”演为“集权”，统多分少，活力欠佳，“集团化”成为“机关化”，机构重叠效率低；有的集团只是形式上的凑合，“集而不团”，没有质的提升。上述种种集团运作管理中的问题，放在大的环境背景中来看，在南方报业都多多少少难以避免。如果说其中有些问题在南方报业解决得比较早或者比较好，这是因为我们身处改革开放先行一步的广东，较早地意识到市场的力量，因而尽量少些人为的掣肘，面对市场的心态较为平和与务实。正是在市场的作用下，南方报业已培育出了品牌媒体，并形成了品牌媒体群，逐步完成从媒体品牌到报业品牌的提升。

南方报业在社会上形成了一定的影响力，得益于我们对

“品牌媒体创新力量”的深刻认识，得益于我们实施多品牌战略的正确决策，以及在具体战术中的有效执行。

在品牌媒体起步阶段，要集中人力、物力、财力培育出品牌龙头产品。比如，南方报业首个品牌龙头产品就是《南方日报》，利用南方日报的人才资源、新闻资源、技术设备和资金等创办了《南方周末》、《南方都市报》。经过不断创新，这两个媒体分别成为全国周末报类、都市报类的领跑者，也成为中国报业市场中最有影响力、最有生命力的品牌产品之一。

基于对龙头媒体产品品牌的传播辐射功能的认识，我们以优质品牌产品为龙头，成立报系。目前，南方报业已有南方周末报系、南方都市报报系、21世纪报系。每个报系以龙头品牌媒体为孵化器，以优质品牌的核心价值为遗传基因，采取“龙生龙，凤生凤”的优生优育办法，带动优质子报子刊的发展。各子报分门别类占领市场，形成强劲的南方报业的品牌效应。

我们尽管有了一定的发展基础，但仍然感到巨大的压力。当今媒体的竞争已不再是一般性的战术操作层面的竞争，而是战略层面的高层次的竞争。回顾过去，我们经历了从新闻产品时效和特色的竞争，到媒体采编广告发行联动的竞争；从单个媒体广告收入的竞争，到多个媒体报业综合效益的竞争。直面现在，外有国际传媒巨头虎视眈眈，内有广电媒体的快速发展和网络媒体的攻城略地，报业竞争已经进入了新的时代。这是多个品牌媒体资源共享协同扩张、报业产业价值链一体化和产品与产业整合的品牌报业竞争时代，我们除了必须面对报业内部的竞争，还要面对报业传媒与非报业传媒之间、报业企业与其他企业之间多层次、多角度、多领域的竞争。这种立体化的竞争更激烈、更精彩，也更能提升报业能力和水平。

竞争的过程需要大量的资金，竞争的成败关键在于人才。“品牌媒体创新力量”既包涵着人才机制的创新，也包涵着人才开发而形成的创新力量。品牌战略、跨区域经营战略，贯穿其中的是人才战略。优秀人才的聚集和良好的人才竞争机制，支撑着南方报业的核心竞争力。创造和维护南方报业持久竞争优势的这种核心竞争力就是——品牌媒体创新力量！具体体现为：培育优质品牌媒体的创新能力和把优质品牌媒体群推向市场并获得最大价值的持续创新能力。

在大力推进文化产业体制改革的今天，在众多的报业集团中，我们应该如何重新审视外部环境和内部资源？如何进行制度创新？如何进行组织再造？如何进行优势重构？如何做到“集约”而不是“集权”？如何做强做大做持久？

南方报业有这个志向，来探索和回答这些问题。能不能做得到，能做到什么程度，已经做了哪些准备和铺垫？我期待这本书的推出，能给国内报界同行一个启发。

第一部分

做强做大做持久

基业长青的成长战略

STRATEGY OF NANFANG MEDIA GROUP

战略，是审时度势、运筹帷幄、决胜千里；
战略，是适应变革、确定方向、创造价值；
战略，是建立愿景、明确使命、制订目标。

战略是实现战略意志的过程：
使命——目标——战略——行动；
战略是目标坚定的应变的过程：
环境分析——制定战略——战略实施——战略控制；
战略是赢得持续竞争优势的过程：
竞争环境——发展资源能力——变革与创新——创造持续竞争优势。

南方报业战略，是南方报人对现有环境和政策的分析和积极响应，是南方报人对自身使命和目标的描绘和明确表达，是南方报人打造中国最有生命力传媒集团的共识和行动指南。

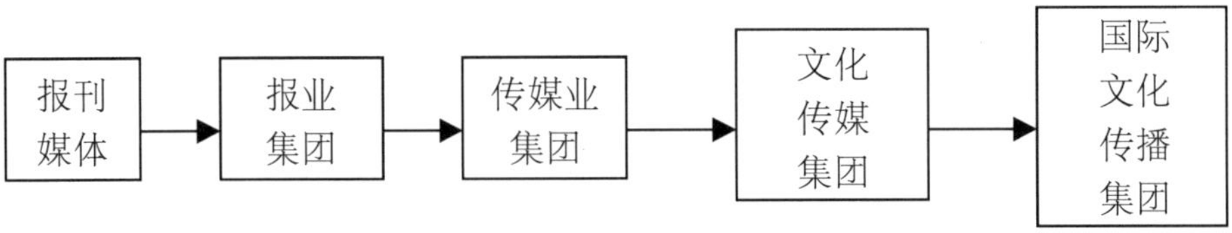

中国经济的开放和发展，决定着媒体的开放和发展。在这里我将回顾 南方报业的过去，评价南方报业的现在，展望南方报业的将来；分析南方报业的核心能力和强势资源，探究南方报业创造持续竞争优势的基础和原因；阐述南方报业跨地域经营和跨地域办报的成长战略，作为集团层次的横向一体化的战略制定和战略实施。

第一章
从强到大再到持久的报业成长

一　打造中国最有生命力的传媒集团

如何使自己所从事的事业做强做大做持久，可能是所有传媒集团的高层管理者们共同关心的问题。为了达到这个目标，传媒集团的管理者不仅要应对经营问题，更要着力考虑战略问题。在报业市场竞争越来越白热化，同时整个行业面临改革与发展宝贵机遇的今天，集团发展战略越来越成为至关重要的问题。

战略是什么？

根据我在长期管理实践中的理解，战略就是一个组织长期、整体的目标和策略。战略决定了我们的发展方向和路径，以及我们的活动领域和规则，它也在很大程度上决定了我们所能取得的成就。如同一支扬帆启航的庞大船队，只有保持正确的航向才不会随波逐流，才可能战胜惊涛骇浪而顺利到达预定目标。对于一个拥有多家子报（刊）、横跨多个业务领域的报业传媒集团而言，制定战略、实施战略和执行战略对集团的健康运行和长期发展是十分关键的。如果没有正确的战略作为保障，盲目求索，想要谋求集团事业全面、健康发展只能是缘木求鱼，即使个别子报成功，也只是偶然和侥幸。只有坚持正确的发展战略，才能有效地整合利用内部资源，在争夺激烈的报业市场上获得竞争优势，走上一条前景光明而又顺畅的发展之路。

中国报业传媒集团的战略管理，经历了一个从无到有逐步探索的过程，南方报业也是如此。在原有的体制下，没有明确的战略管理理念。在南方日报长期发展的过程中，无论是对将来发展道路的思考，还是具体策略的制定，基本上靠的是过去的经验和主观感觉。好在我们有一套良好的社委会议事制度，集体决策，南方报业的各项事业才会在曲折中不断前进。其间有失误，也有成功；

有教训，也有经验。南方报业的战略，尤其是我们的多品牌发展战略，是几代人在长期的办报实践中不断总结探索而创立的。随着南方报业的多品牌发展战略逐渐形成，南方报业的战略管理也逐步明晰，并日益成为集团管理的核心内容之一。

随着报业市场上竞争格局的不断演进，报业的竞争已经由最初的产品竞争、市场竞争，逐步演进到品牌竞争、资本

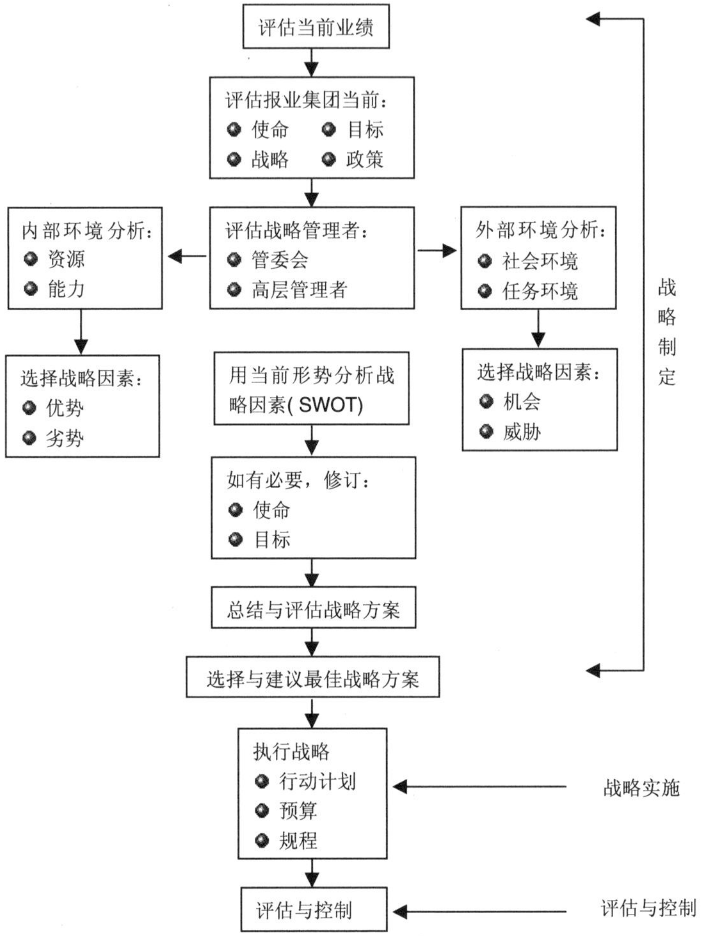

报业战略决策过程示意图

只有坚持正确的发展战略，才能有效地整合利用内部资源，在争夺激烈的报业市场上获得竞争优势，走上一条前景光明而又顺畅的发展之路。

竞争和战略竞争。对于报业集团来说，战略涉及的是集团的长期目标和大的决策，致力于为集团提供业务活动的方向和框架，因此，战略管理成功与否对报业集团的长期发展起着至关重要的关键作用。回顾上个世纪80年代后期到90年代中期，不少文化企业对扩张发展路径等战略问题认识模糊，把改革开放先行一步赚到的第一桶金投入到非相关领域内，结果在进入的领域几乎全军覆没，所投入的资金几乎血本无归。这其中固然有经营管理不善、对具体负责人监管不力、对市场缺乏经验等原因，但根本原因在于选择了错误的发展路径，盲目进行多元化扩张，教训十分深刻。南方报业所实施的多品牌发展战略之所以取得成功，一个重要原因在于，这是一种基于市场规律和自身能力的正确的战略选择，符合报业的发展规律。战略的成功，是南方报业顺利发展的前提和保证。

正因为如此，伴随着南方报业多品牌发展战略的成功制定并实施，我们于2003年正式成立了战略运营部。我作为集团第一把手，兼任战略运营部主任。战略运营部在集团社委会领导下负责制订战略规划，调研集团各部门的运营状况，会同有关部门评估集团及下属各单位的资金运用、经营业绩等，为社委会进行决策提供事前的论证和依据。成立战略运营部，进一步完善了集团的战略决策机制，有力促进了南方报业的多品牌发展战略的落实和提升。战略运营部的成立，标志着南方报业的战略管理已经初步成型，并开始为集团事业发展做出贡献。

战略管理的五大任务

企业战略管理的核心任务和最终目的是适应外部环境的不断变化，有效整合企业内部资源，培养强大的核心竞争能力，获取持续的竞争优势，在市场竞争中取得长期的优势地位。制定战略的具体方法是通过对目标市场的宏观环境、行业结构和竞争态势的分析预测，以及对企业自身资源与能力的客观把握，找到外部环境与自身核心竞争力的最佳匹配，在此基础上确定企业的发展方向和战略目标，并以此来指导和协调整个组织的行动。对于南方报业传媒集团这样一个在党的省委机关报基础上组建并发展起来的传媒集团来说，进行战略管理，就是要从以下五个方面去完成开拓性的管理任务：

一、制定集团的战略愿景。战略管理首先要解决的问题在于，我们报业传媒集团的发展方向是什么。制定集团的战略愿景，就是要回答这样几个问题：我们要把集团建设成为一个什么样的组织？我们的使命是什么？我们未来的业务组合包括哪几个业务领域？我们在未来的传媒市场竞争中究竟要占据什么样的位置？制定战略愿景的目的在于通过对传媒集团的现状以及所处环境的谨慎研究和科学判断，确定传媒集团的长期发展方向。可以说，战略愿景给我们提供了传媒集团事业发展的蓝图。一个在集团范围内被广泛接受和认可的战略愿景，有助于取得集团内部精神追求上的认同及战略目标上的共识，形成共同的价值观，把集团内部不同的业务单位团结在一起，使集团内客观存在的不同群体认识到彼此的共同利益，并自觉地使自己的行为与集团的整体利益不相违背。对于南方报业传媒集团来说，我们未来所能够达到的成就，在很大程度上取决于我们有什么样的战略愿景。我们的目光有多远，决定了我们的事业能够走多远。然而，真正有价值的战略愿景不是靠热情制定出的宏大设想，更不是凭想象画出的空中楼阁，而是根据自身所拥有的核心能力和未来环境的发展趋势所形成的战略蓝图。要制定正确的战略愿景，有赖于对集团自身能力的深刻了解，对未来政治、经济、文化、技术等发展变化的正确把握。

对于报业集团来说，战略涉及的是集团的长期目标和大的决策，致力于为集团提供业务活动的方向和框架，因此，战略管理成功与否对报业集团的长期发展起着至关重要的关键作用。

二、建立集团的目标体系。将集团的战略愿景转换成明确具体的业务发展目标，从而为集团的发展方向和发展速度提供可参照的标准。明晰的战略目标，为衡量和评价各个业务单位的组织绩效提供相对客观的坐标。集团下属各单位的远景规划、人才战略、重大资本运作等，都服从于集团的总体目标，共同营造集团的总体优势。对于报业传媒集团来说，我们具有新闻宣传和产业发展双重的战略任务，因此我们的目标体系应该涵盖政治和经济两大类指标，包括集团的社会

制定集团的战略愿景，就是要回答这样几个问题：我们要把集团建设成为一个什么样的组织？我们的使命是什么？我们未来的业务组合包括哪几个业务领域？我们在未来的传媒市场竞争中究竟要占据什么样的位置？

影响力、对党的新闻宣传工作任务的完成情况、对新闻乃至文化产品的创造和传播能力，以及集团的经营规模、经济实力、盈利能力和扩张能力。这些目标中，有的是量化的标准，有的是定性的评估。积极进取的目标体系所带来的激励和挑战，能够使传媒集团在未来发展中变得更加富有活力和创造力，能够激励集团各级管理者和员工更迫切地提升工作业绩，促使集团在办报实践中更加明确目的，更加集中精力。如何建立科学合理、真正能够对集团各项事业起到拉动和促进作用的目标体系，是集团战略管理所面临的重要课题，需要我们在实践中逐步探索。

三、**制定集团的发展战略**。如果说，战略愿景和战略目标决定了集团发展方向，那么制定集团的发展战略，则是为了确定集团发展的具体路径。一个成长中的企业，既可以采取成本领先的竞争策略，通过扩大规模、降低成本而获得竞争优势，如格兰仕生产的微波炉；也可以通过产品差异化确立优势的市场地位，如宝马汽车；还可以把其竞争优势建立在独特而强大的组织能力上，如海尔。可以说，成功的企业在发展策略上各有千秋。对于南方报业传媒集团来说，实现做强做大做持久的目标，究竟要采取什么样的发展策略？我们持久的竞争优势究竟应该建立在什么样的基础之上？我们产品、产业和品牌扩张的路径是什么？这些问题构成了制定发展战略的主要内容。报业集团的扩张发展有多种途径，既有向印刷、物流等报业经营的上下游进行纵向一体化扩张，也有包括跨地域经营在内的不断培育或并购新报纸的横向一体化扩张，还有基于在长期办报实践中所形成的核心能力的相关多元化扩张，即进入期刊、出版、信息和文化传播等相关的业务领域，同时，还包括在互联网等新技术、新媒体迅猛发展的条件下，进入新的传媒领域。所有这一切，都取决于我们是否能够抓住机遇，不断创新，因势利导、顺势而为地制定集团的发展战略。

四、高效地实施集团战略。集团战略要真正成为报业传媒集团发展的纲领和行动的指南，关键在于强有力的执行。要提高战略执行能力，首先在于在保持旗下业务单位活力的前提下加强集团的控制力，理顺组织架构和决策执行流程，保证内部沟通协作的顺畅高效。在集团的战略管理实践中，加强集团对下属各个业务部门和各子报子刊的控制能力、高效实施集团战略的方法与手段正在一步步地探索和完善。我们认为，要加强集团的控制力，应通过建立科学合理的管理体制、培育健康强势的企业文化以及实施以人为本的人才战略这三种相辅相成的手段，构建利益共同体。在管理体制方面，集团拥有投资收益权和财务委派权，不能由子报自己投资自己收益，只有这样才能控制财权和充分利用财源、集中财力进行战略投资。集团拥有重大事项的决策权，正是因为这样，我们才能从集团的发展战略出发，对每一张子报进行差异化的精确定位，使集团内办的报刊之间顺利实施战略协同。在重大决策权集中的同时，采编经营的日常决策权又灵活地下放到二级核算部门。这种集团与子报子刊之间既集权有力又分权合理的制度安排，有效保障了集团战略的实施。在企业文化方面，要明确集团与下属子报刊各成员都是一家人，注重集团强势的主文化与子报刊丰富多彩的亚文化之间的和谐共生，使各成员看到发展前景，各成员能自觉为集团谋利益，为集团的发展做出贡献。现代化的人才战略是集团整体战略的伙伴，是高效实施集团战略的一个有力保障。我们在做好传统的组织人事工作的同时，引进现代化的人力资源管理，并着手进行以知识管理和文化变革为特点的人力资源开发工作，这已经成为南方报业事业发展中的亮点之一。

五、评估并调整集团战略。通过客观评价报业传媒集团及旗下业务单元的经营业绩，评估集团战略的实施情况。在参照预先制定的战略愿景和目标体系对集团战略进行评估的同时，根据实际的业务发展情况、变化的竞争环境、新产生的发展机遇和挑战，对集团的战略愿景、发展路径、目标体系和战略执行进行必要的调整。这些构成了报业传媒集团战略管理的重要方面，也是保障集团战略正确实施，保持集团战略的正确性和灵活性的关键所在。对南方报业传媒集团而言，最大的特色在于创新，最强的能力在于创新。我们根据外部环境的不断变化，在成功实施多品牌发展战略的过程中，

对于南方报业传媒集团来说，实现做强做大做持久的目标，究竟要采取什么样的发展策略？我们持久的竞争优势究竟应该建立在什么样的基础之上？我们产品、产业和品牌扩张的路径是什么？这些问题构成了制定发展战略的主要内容。

不断丰富、发展和调整多品牌战略，在更高层次上进一步提升多品牌战略。例如，我们用战略的眼光将集团培育的各媒体品牌进行整合，共享品牌资源，发挥媒体品牌的战略协同优势，使报业结构更加合理，并逐渐找到了多品牌向广度、深度延伸的路子；在实施多品牌发展战略的过程中，我们提出了“报系”的构想并付诸实施，以优质品牌报纸为龙头成立报系，在报系内部进一步整合资源，用“龙生龙，凤生凤”的优生优育办法集群式地带动子报子刊的发展。在报业传媒集团体制改革不断深化、报业市场竞争日趋激烈的形势下，可以预见，南方报业未来的战略还将随着外部环境和内部资源的演变而不断调整，不断创新。

南方报业的战略目标与发展路径

做强做大是每一个具有责任感和进取心的企业的奋斗目标，也是制定企业发展战略的出发点。最近传媒市场的一系列现象表明，我们今天面对的竞争已不再是普通媒体一般性的战术操作层面的竞争，而是战略层面的高层次的整体竞争。通过对南方报业所处环境的发展趋势以及自身资源与能力的考察分析，我们逐渐对南方报业传媒集团的未来发展战略有了一个清晰的认识。作为一个以**“传播中华文化、承载民族记忆”**为使命的报业传媒集团，南方报业的战略愿景是成为一家跨媒体的大型国际文化传媒集团。我们要从报业做到整个传媒领域，再由传媒业扩展到文化产业，实现理性有序的成长。

这种战略愿景是基于集团使命与新闻宣传事业的要求做出的，也是基于市场机遇和集团核心竞争力而制定的。在中国与世界联系越来越紧密、不同文化与意识形态国家之间竞争越来越激烈的现实背景下，一些国际传媒集团已开始通过多种渠道与形式渗入我国新闻信息市场，我国传媒面临国际化的新闻与文化的竞争。为了适应新闻全球化的形势，扩大中国的文化影响，维护国家舆论安全，中国现有的报业传媒集团就必须进一步发展壮大，通过建立拥有多种传媒工具的新闻集团，形成新的发展平台，参与国际新闻信息领域的激烈竞争。作为中国**“报刊结构最合理、读者覆盖最全面、综合运营能力最强”**的品牌报业集团，我们最终的使命就是要传播中华文化、承载民族记忆，要用实力、特色和感情来抵御西方文化的冲击，在更高的层次巩固和壮大我们的舆论阵地，维护国家的文化主权，进而弘扬中华文化，促进中华文化与国际文化的共同繁荣。因此，打造跨媒体的大型国际文化传媒集团，既是南方报业应该肩负的责任，也是环境给我们创造的机遇。南方报业在坚定不移地实施媒体多品牌战略的实践中，逐步培育起了自身独特的优势资源，建立起了优质的媒体品牌，具备了较强大的新闻信息产品的生产能力，同时由于我们所拥有的非新闻类报刊以及报纸非新闻版面的成功运作，也使我们具备了文化产品的生产能力。更重要的是，我们的品牌价值在国际化竞争的背景下正在逐步体现出来。所有这一切，使我们初步具备了打造跨媒体的大型国际文化传媒集团的条件和能力。

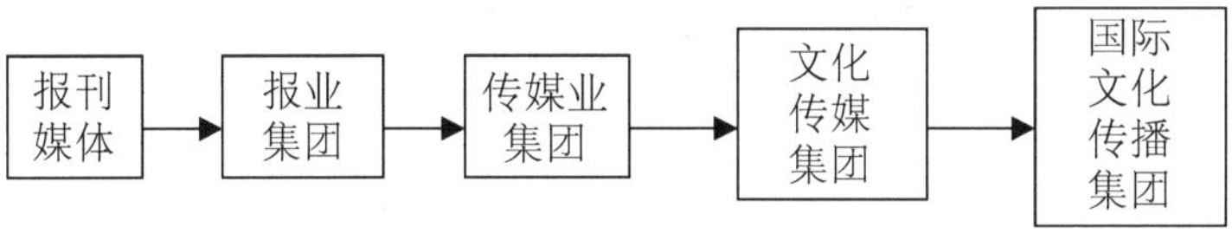

南方报业品牌发展的路径应该是：媒体品牌—报业品牌—传媒业品牌—文化传媒业品牌—国际文化传播业品牌。

近期目标：推进从媒体品牌到报业品牌的提升，赢得报业竞争，找准跨媒体和兼容其他文化领域的切入点进行积极的探索。

中期战略：将南方报业建设成为跨媒体的传媒集团并逐步过渡到跨其他文化领域的文化传媒集团。

长远战略：把南方报业最终发展成为国际文化传播集团。

通过创新，培育优质品牌媒体并把优质品牌媒体推向市场赢得持续竞争，是南方报业集团当前的核心竞争力。因此，我们首先要立足先做强再进一步做大，成为中国报刊业最有实力的集团和第一强势品牌。把握2008年北京奥运会传媒竞争的机遇，我们要赢得中国报刊传媒业竞争；同时加快现有

我们最终的使命就是要传播中华文化、承载民族记忆，要用实力、特色和感情来抵御西方文化的冲击，在更高的层次巩固和壮大我们的舆论阵地，维护国家的文化主权，进而弘扬中华文化，促进中华文化与国际文化的共同繁荣。

出版和互联网传媒业发展，不失时机地向广电、影视及其他新的传播领域扩张，打造国内最具活力和成长性的传媒产业集团，实现从报业到整个传媒产业的飞跃。到那个阶段，"南方报业"只是一个子品牌，而"南方传媒"是一个主品牌。从媒体品牌到报业品牌到传媒业品牌再到文化传媒业品牌几个阶段，是互相渗透的，不能割裂开来。我们在打造报业品牌的同时，也要考虑传媒业品牌和文化传媒业品牌的培育和延伸：从报业到传媒业体现在跨媒体跨区域，我们有出版社、有南方网，南方网首创网上杂志，南方都市报跨出合作办网站的步伐，这些都是跨媒体、跨文化的良好开端；我们在北京与光明日报报业集团合办《新京报》，也有了跨区域的尝试。所以，我们在提升报业品牌的同时，可以着手考虑打造传媒业品牌和文化传媒业品牌的发展战略。在立足中国内地市场的同时，有步骤地向港澳台地区及东南亚华人社区扩张，积极参与国际竞争。当前，最有条件的是向港澳台地区扩张。21世纪报系成立不久，就在港澳地区发展业务，进展顺利；南都报系的对外拓展亦正在实施中；南周报系也把在海外拓展业务列入视野，现正在论证中。"南方传媒"形成规模赢得区域传媒产业竞争后，我们的目标是把她建设成为跨传媒、娱乐、信息、体育、旅游多个产业的"南方国际文化传播集团"，真正赢得国际竞争。我们相信，再经过几代南方报人的努力，这一长远战略目标一定能够实现。

远景目标令我们豪情万丈！但要真正实现这一战略目标，对于南方报业来说，要以务实的作风，咬住目前有能力干好的事情不放。当前最重要的是如何赢得国内报业竞争，成为中国报刊传媒业的第一强势集团。报业竞争首先是媒体的竞争，也就是具有差异化优势的品牌媒体的竞争。报业集团作为多个品牌媒体的母体，不但要为各媒体提供新闻技术、采编广告发行联动及品牌创新能力的支持，同时还要有整合每个品牌媒体产品的协同能力、母合能力。报业竞争还表现为产业竞争，集团需要有完整支撑品牌媒体运营的产业价值链的创新能力。一个报业集团，只有同时保持和创造产品、产业和品牌方面的持久竞争优势，才能赢得与其他报业集团的竞争，才能基业长青。因此，目前我们要脚踏实地地集中在报刊传媒业的范围中，进行产品、产业和品牌三个维度的发展和扩张，实现整体立体化的增长。

（1）产品方面：实施报刊系列品牌媒体的横向一体化扩张。我们要围绕打造品牌媒体，对现有的产品结构进行优化和经营地域的扩张。

我们的《南方日报》、《南方都市报》、《南方周末》、《21世纪经济报道》和《新京报》都在全国同类细分市场中占有品牌和市场的优势，产品方面的第一步是提升这几个媒体的品牌统治地位和盈利水平。同时，继续增强老品牌《南方农村报》的活力，扩大其影响力，把她办成推进南方地区农村和农业现代化的首席媒体。

产品方面的第二步，是把报纸媒体品牌的成功经验延伸辐射到期刊媒体的制作和运营上。《名牌》杂志、《南方人物周刊》和《21世纪商业评论》，都有着品牌媒体的良好品质，我们要创新机制增强其盈利能力。集团还要进一步帮助已冲出困境的《城市画报》提升其自身的创新能力，使之成为都市青春时尚杂志的一面旗帜。在《南方》杂志并入集团后，我们要发挥其原有的独特优势，充实其采编和广告、发行力量，把它培

向外宾介绍南方报业的发展战略。

育成为又一个有实力的媒体。

产品方面的第三步，是进一步实施产品开发战略，针对集团法制类、娱乐类、汽车类、地产类、妇幼保健类等媒体产品空白的现状，在条件成熟时通过兼并、合办、转办等方式填补空白，并在优化和调整中消灭亏损媒体。与此同时，继续在北京、上海和深圳这三个广告量最大的城市进行多形式的跨地域扩张。《新京报》在北京盈利后，我们将组织精兵良将等待最佳时机，谋求集团产品在上海、深圳落地。此外，在各报系内部对新闻信息资源整合的基础上，加大全集团新闻信息资源的整合力度，探索利用现有新闻信息资源生产加工增值传媒产品（DM杂志及文摘等）的市场潜力。三到五年之内，南方报业广告营业额超亿元的品牌媒体要增加一到两家。

（2）产业方面：要围绕如何增强集团媒体产品竞争优势，打造一个支撑品牌媒体市场运营的产业价值链，并适时适度地向价值链上下游延伸。

一是报刊信息业：从新闻采编系统创新入手，推动集团新闻信息技术革命。把集团信息中心建设成为国内外重要新闻和图片信息中枢、集团新闻信息资源共享的信息库和竞争对手运行状况的监控中心。进一步整合集团现有的新闻资源，在适当的条件下，组建统筹集团所有新闻信息加工的超级平台，实现集团信息产品的增值，成为国内最具实力的新闻信息加工商和提供商。为了打造一个集团资源整体规划的共享平台，我们要把计划中的新闻办公大楼建设成为“南方新闻数码中心”，提高集团各报系协同作战能力和整体竞争优势。这个“南方新闻数码中心”，以后还将在国内外媒体或机构使用我们的新闻资源时，通过提供技术支持和增值服务为集团创造效益。

二是报刊印刷业：2006年完成南方报业（佛山）传媒基地一期工程，把它建成一个适应媒体产品扩张和品质差异化竞争需求的印务基地。整合协调佛山、广州的印力，为各报系各媒体在珠江三角洲及半径150公里范围内的发行，提供富有弹性的印力保障。在此基础上，加快形成集团北京和省内东西两翼印点的战略布局；根据《南方日报》、《南方周末》、《21世纪经济报道》和《新京报》适应北京市场竞争的需要，在条件成熟时启动北京印点的建设；探索发展商务印刷服务集团业务的最佳途径。

三是报刊发行业：发挥集团的优势，启动报刊“亭店”工程，可考虑在珠三角地区建立一批报刊亭和特约零售点的报刊销售网络，牢牢掌握市场渠道的主动权。同时，进一步增强发行与采编、广告的联动，通过提升发行的专业服务能力，提升各媒体的市场竞争力、提高各媒体的经济效益。在完善发行网络的同时，利用已经建立的发行渠道，建设现代化的物流配送服务业，为南方报业的读者提供一体化的多元服务。

四是报刊广告业：在不影响各报刊独立操作的前提下，集团要加强与各个广告主大客户和代理商公司大客户的联系，加强与各子报刊的协调，制订共同的营销政策，强化协同策划，以更大的版面规模赢得价格优势、获得更大的投放总量。在与广告商合作的同时，利用集团的资源优势，逐步增强广告策划与创作的能力。

（3）品牌方面：继续提升现有媒体的品牌价值，将品牌媒体的核心价值延伸到媒体运营的产业链上。

在实现媒体品牌向报业品牌提升的基础上，我们要总结南都报系“华语传媒”系列奖项评选、21世纪报系“经济峰会”和汽车及房产会展等品牌营销活动的经验，拓展“南方报业”的品牌价值。定期举办“南方报业”国际传媒论坛、“南方报业”经济（商业）论坛，发布“南方（报业）”经济（或消费、质量）指数、上市公司的公司治理指数等等，把“南方报业”强大的品牌价值，直接转化为媒体的竞争优势、报业的竞争优势和集团的经济效益。

在做好报业产品、产业和品牌三个维度扩张的同时，我们还要注意抓好出版和互联网媒体的发展，为集团向整个传媒产业和文化产业延伸打开切入端口。整合南方网和南方报业网，用专业的新闻技术开拓网络市场，创办品牌网络媒体。利用网络和移动通信技术，为集团报刊产品打造与读者沟通的平台，提升品牌媒体的竞争优势。

二　战略的制定依据：外部环境分析

南方报业传媒集团的战略，不是凭空生出来的。战略是立足于集团的现状而对未来的展望。制定集团的战略，必须对集团内外诸多因素进行慎重研究，在此基础上进行正确的判断，才能保证集团战略适应未来发展的要求，对集团的事业发挥明智的指导作用和积极的促进作用。我们制定南方报业传媒集团发展战略的依据来自两个方面，一是对外部环境的分析判断，二是对自身能力和资源的审视把握。

报业传媒宏观环境分析

报业传媒集团的变迁与发展离不开外部环境所提供的条件。回顾改革开放以来中国报业的发展历程，每一次大的发展和跨越，都是与改革开放的历史进程相伴生的，报业集团发展的每一个成就，无不是外部发展环境，尤其是改革开放大环境的产物。在中国加入WTO后的今天，随着社会经济进一步加速发展，文化体制改革面临进一步深化，同时报业竞争也面临空前激烈的局面。外部环境给报业传媒集团带来发展机会的同时，也孕育着严峻的威胁。外部环境的变化具有公开性、复杂性和时效性的特征。制定集团战略的主要目的之一就是通过确定或调整战略方向而把外部的市场变化机会转化为现实的事业发展机遇，同时迎接外部环境变化带来的挑战，规避因环境因素改变而给集团带来的风险，因此报业传媒集团对环境变化的敏感性构成了集团制定战略的关键要求。我们应该对于政治、经济、社会、文化等宏观环境的变化趋势以及影响行业内部的各种竞争因素保持高度的敏感，在对于目前现状保持清醒认识的基础上，对未来发展变化的趋势作出正确的判断，并以此作为制定报业传媒集团未来发展战略的外部依据。

国际竞争推动中国传媒集团成长。伴随着中国加入WTO以后改革开放进程的逐步加快，中国报业面临的环境也发生了很大变化。就宏观环境而言，虽然WTO的有关条款中没有直接涉及中国报业市场的开放时间表，但中国报业改革提速、竞争加剧却是一个不争的事实。加速改革是为应对后WTO时代国际资本抢滩中国市场而准备，也是为了即将面临的国际传媒竞争而准备。当前的国际政治格局正在发生变化，国家之间的竞争也正在超越经济、军事实力的竞赛，而日益重视意识形态和文化等“软力量”的比拼，传媒和文化已经成为一种特殊的征服工具。中国报业传媒作为国家意识形态的重要领域，是构成国家竞争“软力量”的重要组成部分，也承载着弘扬中华文化，抵御国外意识形态侵袭，维护国家战略利益的重任。国内的传媒集团近年来虽然有了长足的发展，但与国外巨无霸式的超级传媒集团相比，无论是在经营规模、经济实力还是在世界范围的影响力方面，都不可同日而语。国际传媒集团通过利用跨国购并、重组，资本迅速扩张，形成了一个个超级传媒巨人，进而凭借品牌和资本优势，利用先进的组织方式和传播手段来覆盖受众、主导市场。目前中国的传媒集团，主要是通过自身的内部积累发展，规模和实力不到国际传媒集团的一个零头；很少跨媒体经营，更少跨地域经营，离真正走向世界、参与国际文化竞争还有相当大的距离。国际竞争的需要必将推动我们的发展：进一步深化国内传媒行业的文化体制改革，逐步引入市场机制，加快传媒

制定集团战略的主要目的之一就是通过确定或调整战略方向而把外部的市场变化机会转化为现实的事业发展机遇，同时迎接外部环境变化带来的挑战，规避因环境因素改变而给集团带来的风险，因此报业传媒集团对环境变化的敏感性构成了集团制定战略的关键要求。

业产业化的步伐，鼓励国内传媒集团发展，培育有能力参与国际竞争的大型传媒产业集团，将成为党和国家的一项重要的政策选择。

国家文化体制改革促进报业发展。从2003年起，中国加快了报业新一轮文化体制改革的步伐。落实到报业集团的层面，改革的目的是在确保党对新闻宣传和文化事业绝对控制的前提下，通过实施报纸采编和经营业务的分离，理顺报业集团的内部管理体制和治理结构，探索建立保证正确导向、富有经营活力的企业运行机制，优化报业传媒的资源配置。按照专业分工和规模经营要求，运用资本运营的手段，提高报业传媒的产业集中度，培养一批品牌优势明显、经营结构合理、综合能力强的大型报业传媒集团，进而增强报业传媒集团的自我发展能力、抗御风险能力和参与国际传媒角逐的综合竞争力，在新的历史条件下发挥报业传媒集团在新闻宣传中的作用，为提高我国的综合国力和国际竞争力做出应有的贡献。回顾近两年来报业集团文化体制改革的状况，我们认识到，中国新闻事业的改革正在进入一个新阶段，这一轮的文化体制改革正在取得实质性的进展。国家关于文化产业的政策正在逐步完善，大大加快了报业集团的产业化进程，促进了报业的市场化程度，为报业集团的发展创造了条件，也为南方报业传媒集团未来的发展提供了机遇。新一轮文化体制改革，既是行业规则范畴的变动，也是市场准则范畴的变动，同时又是企业组织范畴的变动。可以预见，未来报业传媒在跨媒体、跨地域经营，充分利用资本市场、开辟多元化的融资渠道，以及开展资本运营、建立公司化治理结构等方面，将会面临更宽松的发展空间。

广东省建设文化大省加速南方报业做强做大。南方报业所在的广东省，是中国经济大省和改革开放大省，是推动中国经济发展的强力引擎之一。改革开放以来，广东的社会经济经过20多年的高速发展，已经进入空前繁荣的时期。目前广东省人均GDP达3000美元，初步达到小康水平。在新时期，中共广东省委提出了建设文化大省的发展目标，为广东文化产业的发展提供了广阔的空间。作为省重点扶持的七大文化产业集团之一，南方报业传媒集团面临着良好的发展机遇。能否充分利用规则变化带来的机遇，认清形势，大胆探索，充分发挥先发优势，在传媒市场的整合洗牌中先行一步，同时避免政策和市场风险，成为决定报业集团在未来五到十年，甚至更长的时期内发展的关键性因素之一。

从经济、社会和技术等方面来说，未来五到十年，对于报业传媒集团来说也是一个机遇与挑战并存的关键时期。

经济，是报业发展的基础。报业的运营，尤其是报业的广告运营受宏观经济的影响非常大。中国经济在经历了改革开放20年高速发展后，正在逐步进入平稳发展的阶段，这意味着对于包括报业在内的传媒行业来说，有了一个保障读者市场和广告市场平稳发展的前提。一方面，随着未来经济中企业理性行为模式的逐步建立，企业对广告的投放也将日趋理性，不计成本随意投放广告的现象将会越来越少，这给报业传媒集团的广告营销提出了更高的要求。另一方面，未来中国的资本市场将日益规范，这为传媒集团的资本运营提供了更好的条件。随着中国在国际经济中所扮演的角色越来越重要，中国经济与外部的联系也越来越广泛。外国资本将更加便利地进入中国经济生活中，同时民营经济在国民经济中所占的地位也将越来越重要，民营经济所获准入的领域也将逐步扩大。几乎可以肯定，未来一个时期内，传媒市场上的竞争者将会日益多元化，同时我们的战略合作者的名单中也将越来越多地出现国际资本和民营资本的名字。

社会和文化，是报业发展的重要动力。随着中国社会分层的逐步加剧，社会各阶层的经济差距日益明显，不同人群之间世界观、消费能力与偏好、关注热点以及审美趣味的差别也将越来越明显。另外，群体社会心理也面临前所未有的变化。同以往崇拜权威的传统中国民众心理形成鲜明反差，新一代的人群善于独立思考、表达自己的意见，同时，多元化的意见领袖和新兴的崇拜群体又不断涌现，在另一个层面上形成消费与文化的时尚潮流。与此相适应，以市场细分为特征的分众化传媒在媒体竞争中将更容易获得竞争优势。以往一张报纸打天下，用无差异策略覆盖整个市场的经营模式将会日渐式微，只有那些采取差异化竞争策略去满足特定目标市场消费需求的传媒，才能最终赢得市场。

新技术，将给报业带来新的机遇和挑战。随着信息传播技术的日益突飞猛进的发展，人们的沟通方式、消费方式乃至生活方式正在发生史无前例的改变，这种变化也将直接影响到传统媒体尤其是传统纸质传媒未来的生存和发展。新技术的发展和应用给报业集团未来环境带来的变数，应该引起我们充分的重视。

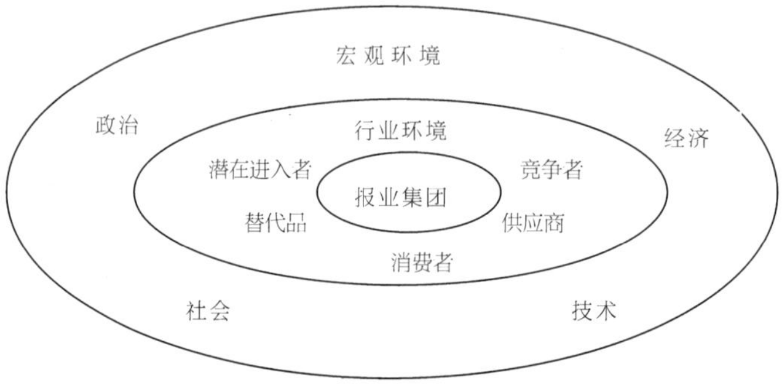

报业集团环境分析

报业传媒行业环境分析

改革开放以来，中国报业经历了一个突飞猛进的发展阶段，经过20多年来的发展，尤其是近十年来的市场化转型，我国报业已经初步呈现了日益多元化的发展趋势，报业的市场竞争也在日趋激烈。在以往的报业改革发展实践中，我国报业的经营主体基本上完成了从粗放式经营到集约式经营的转化，涌现出了像南方日报报业集团、上海文新集团这样的多家大型报业集团，近年来报业集团的规模在不断扩大，经营领域也日益扩展，从单纯的报业发展到出版、信息、发行等相关领域。根据世界报业协会的研究报告表明，我国已经成为世界最大的报纸消费国，截止到2004年，报纸日销量达到9350万份。当然，这只是报纸消费的绝对数量，如果考虑到人均消费的报纸量，则我国仍然与日美等发达国家存在很大的差距。

国内报业传媒竞争。在中国内地市场上，报业曾经被称为“最后一个暴利行业”，由于国家对意识形态领域的严格控制，报业市场的开放程度不高，发展初期的市场垄断程度相对较高，行业的平均利润率也较高。随着报业集团的相继建立和扩张，报业市场上的竞争日趋激烈，行业利润也相应摊薄。经过多年快速发展之后，目前我国的报业正处在一个相对稳定的阶段，报纸经济总量基本处于稳定状态，报纸的发行和广告等增长则缓慢下来。从世界范围来看，报纸媒体的日益萎缩已经成为一种普遍的趋势。在英美等发达国家，随着互联网等新兴媒体的出现，报纸的生存环境日益艰难，资本市场的投资者已经开始抛售报业股票。中国台湾和香港等地报业也有类似的情况。中国内地的情况有所不同，发达国家和地区的报纸已经充分发展，内地的报纸无论是从人均消费量，还是报纸广告在经济总量中的比重来看，仍然有很大的发展空间。但即使如此，我们对报业未来所面临的潜在危机也应具备应有的防范。应当看到，在中国报业总体发展的前提下，由于报业市场潜在竞争者增加以及报纸替代品的强劲挑战，报业市场上的平均利润将会下降，报业竞争的优胜劣汰将以更加残酷的方式呈现出来，报业市场的洗牌速度将不断加快。只有那些真正具有强大核心竞争能力的报业集团才有可能在竞争中生存，并得到发展。

在中国报业总体发展的前提下，由于报业市场潜在竞争者增加以及报纸替代品的强劲挑战，报业市场上的平均利润将会下降，报业竞争的优胜劣汰将以更加残酷的方式呈现出来，报业市场的洗牌速度将不断加快。

本地报纸行业内部竞争。南方报业大本营所在的广州，报业市场竞争激烈，在未来一个时期内有日益加剧的趋势。与国内其他地域相比，广州的报业发展起步较早、发展充分，无论是报业内部的采编、发行、广告、印刷等运营管理水平，还是报业市场竞争的策略与手段，都达到了一个相对较高的水平。在广州报业市场上，南方报业、羊城晚报和广州日报三家报业集团可以说是各具实力，三家报业集团在竞争中发展，形成了国内报业市场上少有的共同繁荣的报业生态环境。从经济学角度分析广州的报业市场，不难发现具有较典型的差异化寡头垄断市场的特征。所谓的差异化寡头垄断市场是指少数几个垄断者控制一项产品生产和销售的绝大部分市场，同时各个垄断者所提供的产品是有差别的。差异化垄断者之间的决策互相影响，因而任何一个竞争者在作决策时都必须考虑竞争对手的反应，所以在差异化寡头垄断市场上，竞争的手段是多样的，但价格相对稳定。有人说，广州的报业市场相对比较理性，竞争者之间很少打价格战，这与广州报业的差异化寡头垄断市场特征有很大关系，在这个市场上，任何一家试图通过价格战来战胜对手的话，不可避免地会面临对手的价格报复，最终会使自己蒙受损失。所以在报业市场的竞争中，我们越来越主动地遵循产业规律，越来越有意识地以市场需求为导向，越来越注重自身核心竞争能力的培养。如今的广州报业市场，早已超越了以规模、成本、价格为手段的产品层面的竞争，而到了以整合营销为手段的品牌竞争的层次，并且正向着凭借品牌、资本、文化、人才等综合实力进行的战略竞争的更高层次发展。对南方报业来说，由于实行多品牌战略，我们既有主打本地市场的《南方都市报》，又有主打全省市场的《南方日报》、《南方农村报》，还有主打全国市场的《南方周末》、《21世纪经济报道》等报纸，我们既有在市场上早已成功的品牌报纸，更有像《城市画报》、《名牌》、《南方人物周刊》、《21世纪商业评论》这样日益走向成功的品牌杂志，南方报业传媒集团已经开始超越本地、超越报纸，在更广泛的领域内赢得市场竞争。

潜在进入者和进入壁垒。长期以来，中国报业的良好的发展态势和高额的垄断利润对不少外部投资者来说都是一个不小的诱惑，但中国报业市场的进入壁垒较高，一方面，因报纸的意识形态属性较强，现行的行业管理体制对报纸刊号控制非常严格，对外资和民营资本进入这个领域也有限制；另一方面，运作报纸所需要的新闻采编等专业性的组织知识和组织技能较高，以及报纸读者存在较强的品牌偏好和客户忠诚，也构成了阻挡新竞争者加入的障碍。随着我国加入WTO，对外开放的进程逐步加快，以及对国内民营经济逐步放松行业准入的管制，外资和民营资本正在挖空心思进入报业这个高于社会平均利润率的行业。目前正在进行的文化体制改革，确定了采编与经营分开的传媒发展体制，这不仅给传媒企业做大做强提供了机遇，也给外资和民营资本带来了涉足国内传媒业的机会。由于把发行、广告等经营业务从传媒采编中分离出来，成立相对独立的经营公司，报纸经营的进入门槛进一步降低，外资、民营等外部资本有可能更加便利地通过这个平台而进入传媒业，进而加剧原本已经非常激烈的传媒市场竞争。不仅如此，在将来，对于那些意识形态不强的报刊，不排除社会资本通过融资和资本运营的方式直接加入市场竞争的可能。对于一个市场来说，如果市场上的利润高于社会平均利润率，必然会吸引外部潜在的竞争者加入，从而使原有市场的竞争加剧，最终摊薄行业利润。这是早已被经济学证明了的规律，对此我们应有充分的心理准备。

如今的广州报业市场，早已超越了以规模、成本、价格为手段的产品层面的竞争，而到了以整合营销为手段的品牌竞争的层次，并且正向着凭借品牌、资本、文化、人才等综合实力进行的战略竞争的更高层次发展。

原材料供应商和内容供应商。南方报业传媒集团作为生产和销售纸质媒体市场主体，新闻纸供应商是我们的上游厂商。众所周知，绝大多数报纸发行亏钱、靠广告赚钱，纸张供应的价格直接影响着纸质传媒的利润。特别是随着本地报业竞争中厚报时代的来临，纸张成本在发行成本中所占的比重越来越大，新闻纸张的价格日益压迫报业集团的利润空间。造纸的纸浆来自木材，作为日渐稀缺的自然资源，纸浆价格必将随着时间而上涨，因此纸张价格也呈攀升趋势。纸张价格上升，在很大程度上制约着报纸扩版、增加发行量获取广告增量的增长方式。虽然纸价时升时降，但在可以预见的将来，上升是趋势，报纸的发行成本也将随之进一步增大。

消费者和代理商。对报业传媒集团来说，存在两个消费者群体，一是报刊的读者，二是广告客户。报纸以其市场定位和产品属性来吸引不同的读者群体和广告客户，而读者群体与广告客户也反过来影响报纸的新闻关注和价值取向。随着传媒市场上文化产品越来越丰富，报业市场从卖方市场迅速转变成为买方市场，读者和广告客户对报纸的影响能力也

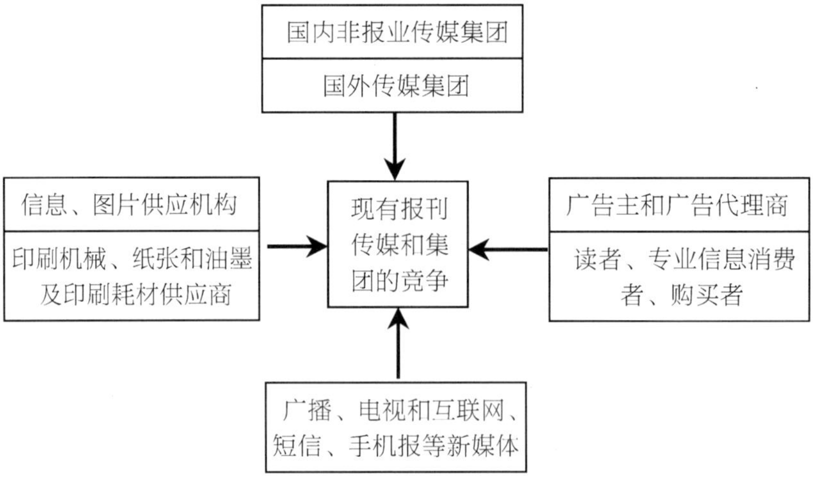

报业竞争示意图

愈加明显。目前市场上不同种类的报纸五花八门，作为报纸替代品的其他新闻媒体日益丰富多样，读者的选择范围日益扩大，读者的趣味也日益多元，报纸为了吸引读者可谓使尽浑身解数，但业务上升的空间越来越狭窄。从广告客户方面来讲，对于报纸的讨价还价能力也在提高。有的大型发行代理商根据当期报纸的新闻内容决定订购数量，当他们认为报纸的新闻内容中有“猛料”的时候，就加大零售订购量，反之则减小零售数量；有的大型广告商也根据当期报纸的内容来决定广告投放。发行商和广告商作为报纸产品的下游代理商，他们对于报业的影响力分量加重，使得某些报业传媒集团出于防止行业空间被压缩的动机而向产业下游进行纵向一体化扩张。

替代威胁和替代品。报纸等纸制媒体的替代品是广播电视等其他传媒。广播电视等媒体出现后，报纸传媒就受到了强劲的挑战，但长期以来由于广播电视和报纸作为不同的传播方式各有千秋，广播和电视以时效性和现场感见长，而报纸作为平面媒体以深度和见解见长，因此作为竞争行业，各方能够“和平共存”。目前随着互联网和现代通讯等信息技术的飞速发展，传统媒体的生存和发展面临从未有过的变数。一方面，新的信息技术应用有助于提升纸质媒体的新闻品质，另一方面，随着互联网和3G移动通信技术的日益成熟和应用，这些新的沟通与传播方式正在越来越深刻地影响和改变人们获取信息的方式，甚至影响和改变人们的生活方式。网络新闻乃至手机报纸等新媒体的兴起与发展，给传统的报刊带来了前所未有的严峻挑战，甚至有可能大大缩短报纸等传统媒体的生命周期。竞争理论告诉我们，当一种商品的替代品的价格很低，顾客认为使用替代品更加便捷或具有更好的服务，以及顾客从消费目前商品到消费替代品的转换成本较低的时候，替代品的威胁就会十分强大。而互联网和移动通信作为传统媒体的替代品，已经初步显现了强大的威胁。进入2005年，多数报纸无论是发行量还是广告额都出现了下滑的趋势。这种下滑趋势一方面与经济周期正常的波动有关，随着国家经济调控力度的加大，企业尤其是房地产业的广告投放量缩减，构成了报纸广告波动的原因；另一方面，互联网等新兴媒体的蓬勃发展，抢走了一部分广告客源，也是其中不容忽视的原因之一，这为报纸行业敲响了警钟，反映出报纸等传统平面媒体面临互联网等新媒体的强劲挑战。我们无法预知这些新媒体将会在多大程度上影响传统媒体的生存与发展，甚至是否会最终取代传统的传媒形态。对于一个对环境变化保持高度敏感的传媒集团来说，以创新的思维和开放的心态迎接变革，未雨绸缪地应对挑战，是我们应具备的基本素质之一，也是我们制定未来战略的基本出发点。

竞争理论告诉我们，当一种商品的替代品的价格很低，顾客认为使用替代品更加便捷或具有更好的服务，以及顾客从消费目前商品到消费替代品的转换成本较低的时候，替代品的威胁就会十分强大。而互联网和移动通信作为传统媒体的替代品，已经初步显现了强大的威胁。

综合考察南方报业传媒集团所处外部环境的现状及发展趋势，我们既看到了未来发展的机会，也感到了影响集团发展速度和发展方向的客观威胁。对南方报业传媒集团来说，对市场机会的正确把握，以及对环境风险的敏锐规避，是选择发展方向和发展路径的重要问题。

三　战略的制定依据：内部资源和能力分析

集团是否拥有或能够获得有效执行战略所需的资源和能力，是影响集团制定战略的核心因素，也是集团战略获得成功的关键，因此集团战略应该以其强势资源和核心竞争力为基础。对于南方报业传媒集团，我们的未来发展战略同样是建立在企业所拥有的资源与能力之上的。2004年我参加北京一个会议时接受《新京报》的采访，也谈到这个话题。对于核心竞争力，我的理解是："开发培育优质报纸品牌的能力和运用独特的营销手段把产品推向市场的能力，这种能力不断积累并可以由一个成熟的团队共同承载。"

核心竞争力也叫核心能力，它是有价值的、稀缺的、难以模仿的、不可替代的知识和技能的组合，是在资源、能力和制度的某些方面占有的独特优势，或者有机结合而形成的某种独特优势。报刊媒体和报业集团的核心竞争力，是其在资源、能力和制度方面的优势，以及它们之间相互结合形成的独特优势，我认为应该结合报业产业的特点把它放在发展周期中进行分析。

传媒竞争的升级和报业增长模式

报纸作为新闻信息的载体，从进入市场就存在不同层次的竞争。我认为，传媒的竞争可以分为新闻产品竞争、媒体运营竞争和报业产业竞争三个阶段。

传媒竞争的升级。首先，是信息本身和信息加工的竞争，也就是新闻产品竞争。新闻产品竞争包括时效竞争、新闻报道的稿件内容、新闻稿件的加工编辑、制作（栏目设置和版面处理）等。支撑新闻产品和表现形式（采访和写稿）竞争的是善于提升新闻产品竞争力的名记者、名编辑，以及两者相结合的名专栏。

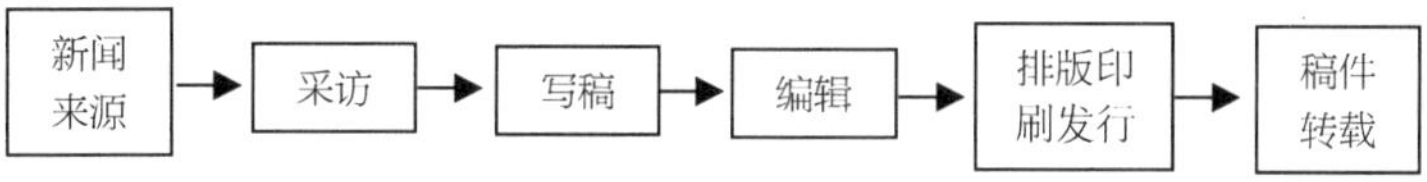

在20世纪80年代，一篇新闻报道、一个标题、一个专栏可以名满天下。新闻产品的竞争在这个年代是根据新闻事件的发生而产生的，是完全技术性的。到了90年代，出现了新闻策划的竞争，新闻产品从事件报道转向策划报道。根据宣传或读者的需求进行产品的全流程设计，从内容选择、表现方式、加工和制作上加以优化和技术处理。这时，更能够把握新闻新产品生产整个流程每个细节的高级技术人员，成为新闻策划产品竞争的支撑力量。

进入到20世纪90年代中后期，读者对新闻信息的需求产生了相当大的差异。市场细分为都市类、财经类、IT类报刊提供了专业的、良好的生存空间，报业竞争从原来的新闻产品竞争进入到了细分市场的媒体竞争。媒体竞争的根本目的，已经从稿件的影响力变成广告的竞争。为了获得广告，媒体首先找到广告主需要影响的人群，再明确这个人群对新闻信息内容、加工、制作上的偏好，做出差异化的媒体产品，并通过各种有效的发行渠道达到广告客户需要的覆盖效果。在这个媒体竞争时代，除了原有的新闻产品层次的采访、编辑、排版制作、印刷发行等的技术竞争，对广告与读者细分市场关系的把握，细分市场读者的新闻关注点、阅读习惯和发行的有效性，变成媒体竞争的支撑。在这个时代，所谓的采编与发行、广告的联动能力，成为媒体竞争获得广告的核心力量。品牌媒体具有更强的新闻产品竞争的技术能力和媒体竞争的

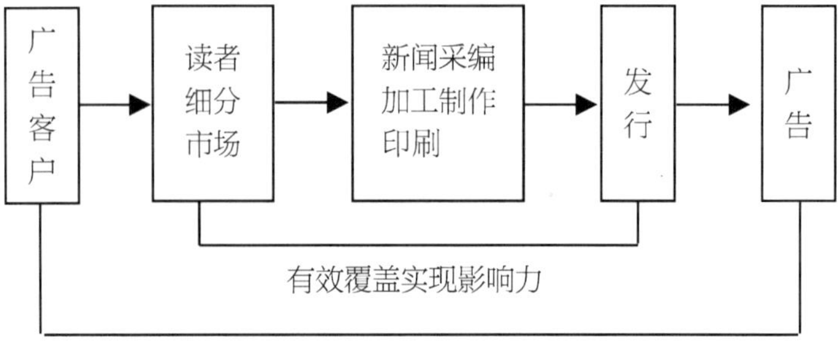

满足广告客户需求获得广告投放

联动能力，能凭借品牌地位以更低的成本获得更强的差异化优势。

报业集团从1996年出现到现在发展了近十年，全国现在有39家报业集团。最近的一系列现象表明，报业集团的竞争正逐步发展成为以报刊媒体竞争为中心的整体竞争。报业集团的竞争，表现为三个方面：媒体竞争（包括每个媒体本身和媒体与媒体之间），为每个媒体的运行支撑体的产业竞争，由媒体品牌提升而来并整合产品和产业关系的品牌竞争。报业集团竞争的目标从单个媒体的广告收入上升到集团整体的盈利能力和价值最大化。在报业产业竞争时代，首先是媒体的竞争，也就是具有差异化优势的品牌媒体的竞争。报业集团作为多个品牌媒体的母体，除了为媒体本身提供新闻产品的技术能力、新闻采编与广告发行的联动能力和媒体品牌的创新能力外，要有整合每个品牌媒体产品的协同能力；同时，报业竞争还表现为产业竞争，集团需要有完整支撑品牌媒体运营的产业价值链的创新能力。媒体之间的协同和产业链的一体化，都是要整合成本领先优势，以保证媒体的差异化优势。

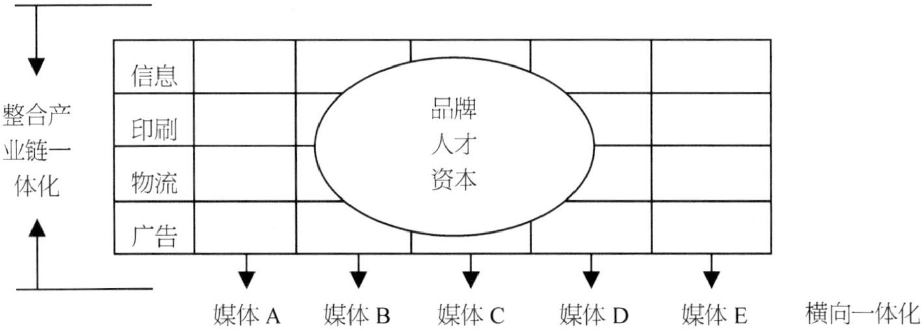

因此，整合成本领先下的差异下优势，实际上就是品牌报业的优势。一个报业集团只有通过保持和创造全方位的持久竞争优势，才能比其他报业集团获得更高的回报。

传媒和报业增长模式的演变。我们看到，报刊媒体的竞争是不断升级的，这是媒体和媒体、集团和集团之间的差异化竞争引起的。那么，从媒体自身和报业集团内部看，又是哪一个决定着它们的成长和发展呢？答案很简单：根据外部竞争的需要，不断地由单一媒体到多个媒体到报业集团到产业化运营。

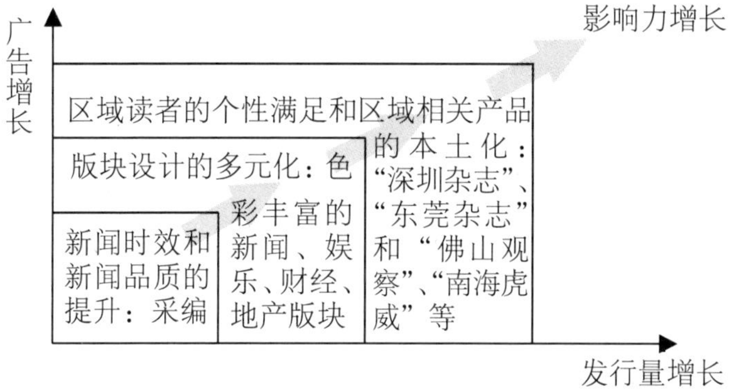

图 1　单媒体增长模式：发行量→广告量

报业集团的竞争，表现为三个方面：媒体竞争（包括每个媒体本身和媒体与媒体之间），为每个媒体的运行支撑体的产业竞争，由媒体品牌提升而来并整合产品和产业关系的品牌竞争。

单一的媒体，是发行量、影响力和广告收入的几组关系。我在这里把它分为三个维度：发行、广告和影响力。除了极个别靠发行就能赚钱的报纸外，目前走市场的报纸基本上都是这样一种盈利模式：发行量产生影响力，影响力吸引了广告投放。发行量上升带来影响力的上升，进而带来广告收入的增长（如图 1）。这是现在的情况，以前可能不是这样，以后也不可能全是这样。

多个媒体的报业集团，如果没有其他资源和能力加以整合和提升，其广告发行的增长往往是简单的相加（如图 2）。当然，如果有两个相类似的报刊媒体集中到了一起，同质化的竞争就简单相加了，可能会因为竞争而其中一个或两个都减少，也有可能产生共赢同时增加。

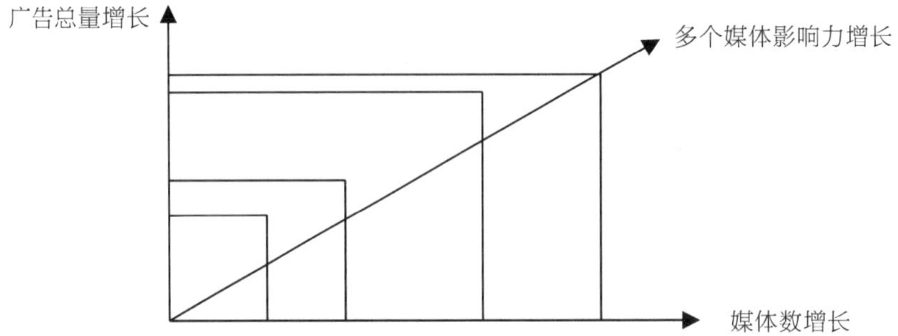

图 2　多个媒体的报系增长模式：媒体数（发行总量）→广告总量

报业集团肯定不能是多个媒体的简单相加，或者是内耗。报业集团除了拥有多个媒体外，还有一个相对完整的产业体系。如果把一个报业集团当作一个企业，我们会发现，它有一个产业价值链，这个价值链支持实现各个媒体和报业集团的价值。价值链的延伸，可以带来整个集团产业的增长。所以，报业集团的增长是产品、品牌和产业的全面增长。

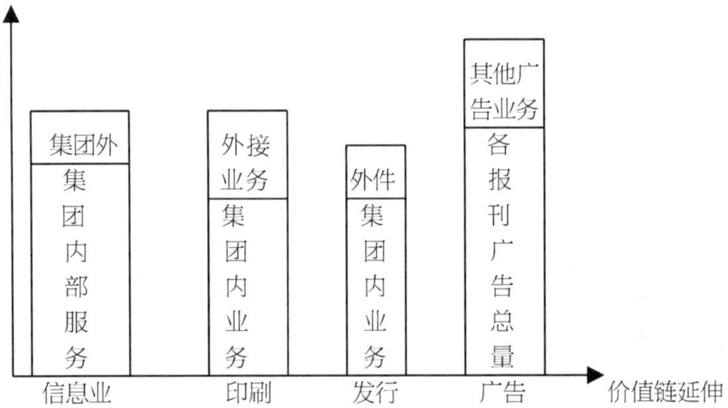

图 3　报业产业价值链的增长模式

（1）向上下游延伸：上游纸张、油墨和下游报刊亭、读者俱乐部延伸增长；
（2）集团内报刊媒体的增加带来的业务增长；
（3）外接业务增加带来的增长。

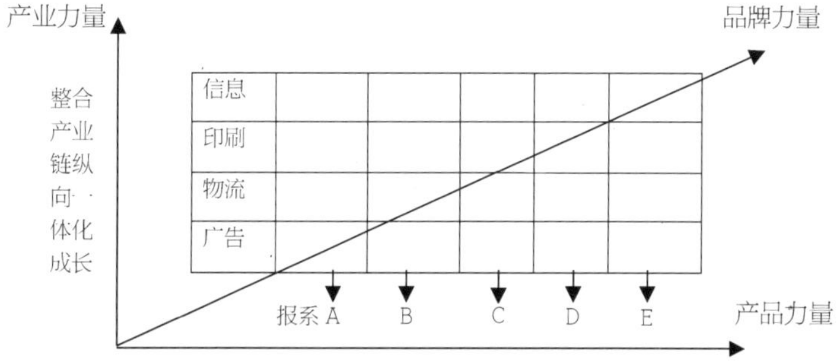

图4　报业传媒集团的增长模式：(产品+产业+品牌)价值最大化

不同发展时期核心竞争力分析

正如前面所说，从新闻竞争到媒体竞争再到报业竞争，是报刊传媒竞争不断升级的必然路径。不同阶段、不同层次的竞争，肯定有不同的核心竞争力，即不同的资源、能力和制度优势的组合。

（一）新闻产品竞争阶段的核心竞争力

在新闻产品竞争阶段的前期，主要是新闻事件、新闻报道本身和新闻稿件处理的竞争。做新闻出身、以新闻为职业的人，都非常关注“独家新闻”。在报纸的选择不多、报纸的面孔相似的上世纪80年代，“独家新闻”是赢得读者关注的最重要工具，支撑“独家新闻”跃然纸上的是一种资源和能力的优势：独家信息资源的获取优势和对“独家新闻”材料的判断经验的能力优势。在整个80年代，我们一直能够拥有优势的信息资源，因为我们有非常良好的通讯员和地方记者网络。地方的新闻秘书，最主要就是为南方日报社服务，所以我们几十年来一直非常重视新闻秘书和通讯员的工作。同时，南方日报社的采编队伍也比较强大，有很好的连续性，所以对新闻的知识和经验能够很好地积累和传递，也就形成了在广东地区相对强势的新闻能力。完善的地方记者和通讯员网络、丰富的新闻经验，就是我们80年代的核心竞争力。当然，这个核心竞争力中的新闻经验和能力，还应该包括编辑能力，如标题制作和版面处理技巧等等，总之，是外部资源加上内部经验和技巧形成的优势。

在新闻产品竞争阶段的后期即上世纪90年代，报纸越来越多了，“独家新闻”也越来越难做了，同一事件引起多个报纸、多种媒体的关注。报纸对新闻的经营和处理，不但要与其他报纸不同，还要让读者读到电视上看不到、广播里听不到的东西，新闻策划成了竞争的焦点。读者更关注的，是对新闻事件的表现风格和通过报道表现的独特的观点和视野。这个时候的核心竞争力是在前期外部资源和内部经验优势基础上的提升。要做好新闻策划、要使用综合的版面处理手法、要能够阐述独到的见解，需要良好的新闻能力和相关的专业知识。这个时候的核心竞争力开始体现在一群人身上，一群新闻采编功底好、有策划水平、有独到见解，能够把握新闻事件的判断、新闻采编细节和排版付型制作的人，这群人能够产生新闻激情、完成新闻策划并形成特别有竞争力的新闻产品。因此，这个时候的核心竞争力是一个高素质的、能够完成“经典制作”的新闻策划团队，多种知识和能力综合形成的团队资源优势。90年代的《南方日报》拥有这种核心竞争力，《南方周末》也长期拥有这种核心竞争力。

（二）媒体竞争阶段的核心竞争力

媒体层次的竞争，首先是媒体影响力的竞争。支撑媒体影响力的是新闻产品，一种特殊的资源，不同时期竞争的着力点应有所不同。我担任总编辑的时候，根据当时的情况，曾经提出《南方日报》要经营好典型报道、深度报道、批评报道三大拳头产品，强化机关报的权威性。对于其他报纸的竞争，机关报的差异化优势最重要的就是其权威性，这是机关报独有，而且是其他报纸难以模仿、不可替代的。典型报道体现着《南方日报》的主动功能，深度报道体现着我们的档次和水平，批评报道体现着我们的战斗性。这三类产品，彰显着《南方日报》的大报风范。三大拳头产品就是《南方日报》这个媒体的核心产品，它是我们独特的产品资源优势；而设计、制作和经营好这三大拳头产品的能力，也是我们独特的能力优势。因此，从影响力层次上，三大拳头产品就是当时靠权威性赢得竞争的《南方日报》的核心竞争力。在我们获得的中国新闻奖作品中，三大拳头产品就占了大多数。

南方报业获得中国新闻奖的部分作品

届次（年度）	体裁	题目	作者	获奖等级
第三届（1992）	通讯	竞价，揭开你含羞的面纱	陈志　李贺	二等奖
第六届（1995）	消息	“天河”设骗局乱招委培生	曹轲　韩浩	二等奖
第七届（1996）	消息	雷州市渔民出海遇难　水产局领导见死不救	韩浩	二等奖
第八届（1997）	系列报道	雷州水利局官职大批发	曹轲　文正平	二等奖
第八届（1997）	消息	转得快　好世界	刘红兵	一等奖
第十二届（2002）	系列报道	易新群系列报道	陈广腾　张海燕 李荣坤　卢忠光	二等奖
第十四届（2004）	消息	非典型肺炎病原是衣原体?	段功伟	一等奖

从创造经济效益的角度，我们可以分析一下《南方都市报》和《21世纪经济报道》。《南方都市报》的核心竞争力是一种能力加制度的优势。首先，它具有非常好的市场的分析判断和把握能力。在这方面的能力基础上，改变了原来从采编到发行广告的流程和机制。在坚持正确的舆论导向的前提下，重视媒体产品经营的市场导向，从广告客户关注的人群入手，制作这个人群关注的产品报刊（版块），通过强大的发行把报刊（版块）准确覆盖到细分市场，形成影响力并获得广告投放。我认为，从经营的角度来看，这种突破原有思维而形成的，舆论导向与市场导向相结合的采编思维、媒体运作能力和联动机制的综合优势，就是《南方都市报》的核心竞争力。

我担任总编辑的时候，根据当时的情况，曾经提出《南方日报》要经营好典型报道、深度报道、批评报道三大拳头产品，强化机关报的权威性。

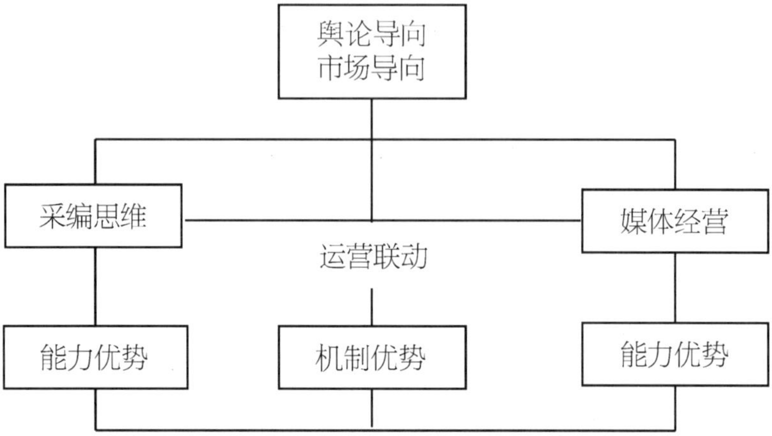

南方都市报核心竞争力

《21世纪经济报道》和《南方都市报》还有所不同，它除了有很好的作者资源、很深厚的新闻能力和很新的经营公司的制度设计外，作为财经媒体，它的强势在于它的品牌营销能力。财经类媒体和都市类报纸不一样，都市类报纸的影响力很容易从读者的购买和阅读行为中统计分析出来。财经类报纸只有这组数据还不够，财经类报纸的消费者（读者和广告客户）需要增值服务。《21世纪经济报道》基本上每个季度都有专题的论坛活动，我参加过一些，做得非

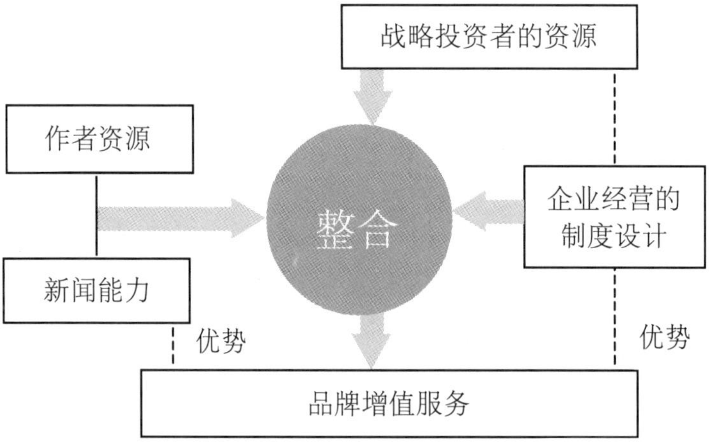

21世纪经济报道核心竞争力

常成功，邀请了制订和把握政策的官员和国内外知名学者以及大企业的CEO来分析市场、探讨趋势、共谋发展。它给消费者提供了进一步沟通和互动的平台，一种增值的服务。为什么有的财经媒体的活动叫好不叫座，为什么有的财经媒体内容做好了广告却上不来？我想，正是在高品质内容支持下的强大品牌营销增值服务，使《21世纪经济报道》能够不断战胜对手，成为中国最优秀的财经媒体。这种品牌增值服务，就是《21世纪经济报道》的核心竞争力。

（三）报业竞争阶段的核心竞争力

在报业集团、报业传媒集团的报业竞争阶段，一个集团的核心竞争力应该是一个系统。它包括创造卓越新闻产品的核心竞争力，运营能力强盈利良好的媒体核心竞争力等等，还包括集团层次的品牌资源、人才资源等资源优势，集团的媒体创新能力、产业一体化能力、资源整合能力和风险规避能力等能力优势，以及党委领导与法人治理结构、采编与经营“分而不断、联而不乱”的制度优势等等。

从报业增长的演进中我们已经看到，报业集团的成长发展在于媒体产品能力，由媒体品牌整合提升而来的集团品牌能力和具有价值链一体化的产业能力。从集团的角度来考察，我们的核心业务是媒体（作为一个产品）的运营。我们认为，办媒体一定要创品牌，有了良好的媒体品牌才有读者的忠诚度，才能够有强大的公信力和影响力。强大的品牌是读者和广告客户心目中良好品质的保证。所以创办具有品牌影响的媒体，把已有一定品牌影响力的媒体群推向不同的细分市场，并不断提升它的品牌价值，使媒体赢得竞争，达到集团价值的最大化的优势，就是南方报业的核心竞争力，我简称它为“品牌媒体创新力量”。从理论上说，集团的核心竞争力肯定是一种融合的力量。在《竞争论》里，著名学者迈克尔·波特

创办具有品牌影响的媒体，把已有一定品牌影响力的媒体群推向不同的细分市场，并不断提升它的品牌价值，使媒体赢得竞争，达到集团价值的最大化的优势，就是南方报业的核心竞争力，我简称它为“品牌媒体创新力量”。

就指出，具有竞争力的企业可能认为成功是来自某一特定个人的能力或关键资源，其实竞争力的来源是包含多种功能而且融合彼此的力量。报业集团的核心竞争力，是整合了多种优势的一种力量，是一个优势组合。

报刊产品是一种特殊的产品，报业集团的核心竞争力可能是某种资源、能力和制度方面的优势，但更应该是多种优势彼此融合的有机组合。不管是从产品、品牌还是产业的角度看，我们都可以把资源能力和制度的优势整合到“创新力量”之中。我们办的媒体都是有强大品牌影响力的媒体，创新力量是对新办媒体品牌的创造，也是对已有品牌的增值。南方报业的品牌整合提升自属下各个媒体子品牌，“南方报业”本身就是品牌媒体的创新力量。再看看产业方面，产业方面的流程再造是创新，产业价值链延伸也是创新，同时，产业方面的创新，从根本上是为媒体运营创新创造有利环境，为了进一步提升具有品牌影响力的媒体的市场竞争力。此外，我们对体制的创新，比如我们现在集团、报社和集团公司的架构，也是更好地运营品牌媒体的一种创新。因此，南方报业的核心竞争力（组合），就是“品牌媒体创新力量”。

附录：报业传媒集团的战略选择

从制定和实施战略的主体来看，报业传媒集团的战略包括三个层次：集团战略、经营战略和职能战略。

集团层次战略也叫做总体战略，它决定和揭示企业的目的和目标，提出实现目的的重大方针与计划，确定企业应该从事的经营业务，明确企业的经济类型与人文组织类型，以及决定企业应对员工、顾客和社会做出的经济与非经济的贡献。集团层次战略的任务主要包括：确定报业传媒集团总的发展方向和发展路径，制定集团未来的业务组合，针对不同业务单元选择重点发展领域，在集团范围内配置资源以及进行集团进入或退出某些业务领域的决策等。集团战略关注的重点在于报业传媒集团的业务种类和范围、不同业务比例以及对资源的需求、不同业务间的相互协同关系等问题。

经营层次战略即通常所说的竞争战略，主要是报业传媒集团旗下各个品牌媒体在各自细分市场上所采取的战略。报业传媒集团经营战略的目的在于针对具体的媒体产品，运用正确的办报和经营手段，实现媒体影响力和市场占有率的最大化。从获得竞争优势的基本手段来划分，报业传媒集团基本的行业竞争战略有三种类型：成本领先战略、差异化战略和专一化战略。

职能层次战略，是指为保障集团总体战略的顺利实施而制定的针对各个职能的战略，主要包括市场营销战略、财务战略、资本战略、人力资源战略等。职能战略的主要作用是在职能领域内合理利用企业资源，保障支持集团战略和经营层次竞争战略的顺利实现。

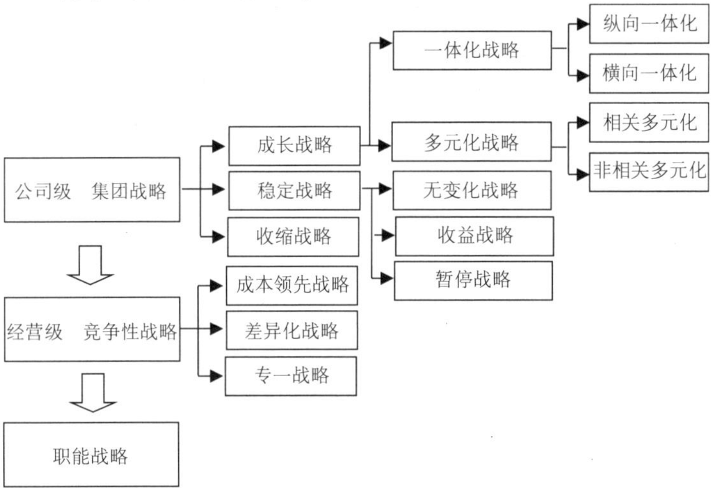

战略理论层次图

我们在这里所讨论的南方报业战略，主要讲的是南方报业的总体战略，也就是作为集团层次的战略。经营战略和职

创办具有品牌影响的媒体，把已有一定品牌影响力的媒体群推向不同的细分市场，并不断提升它的品牌价值使媒体赢得竞争，达到集团价值的最大化的优势，就是南方报业的核心竞争力，我简称它为“品牌媒体创新力量”。

能战略都是从属于集团总体战略、为总体战略服务的。只有确定了南方报业的总体战略目标、战略方向和战略发展路径，在此基础上才能够更有效地制定经营层次的竞争战略和职能层次的战略。

报业传媒集团的总体战略主要包括成长战略、稳定战略和收缩战略三种基本类型。

成长战略是指报业传媒集团扩大原有经营领域的规模或向新的经营领域开拓的战略，其核心是利用竞争优势谋求报业传媒集团的发展与壮大。

稳定战略是指大体保持现有的经营范围和规模的战略，其资源分配和经营状况将基本保持在目前的状态和水平上。主要包括：无变化战略、收益战略和暂停战略。

收缩战略是指从目前的战略经营领域和经营规模基础上收缩和撤退，且偏离战略起点较大的一种经营战略。

打造中国最有生命力的传媒集团是南方报业的总体战略方向。这是基于目前中国改革开放以及政治经济发展的大势而制定的，是为适应中国报业的竞争环境而制定的，也是基于南方报业多品牌发展的能力与资源而制定的。南方报业目前和今后所采取的总体战略是扩张与成长的战略。当然，除了成长战略还有稳定战略、收缩战略，譬如目前对《南方体育》实行的就是收缩战略。根据对中国传媒产业的理解和判断，我们认为，总体来说，成长是主旋律，成长战略应是传媒集团共同的战略选择。

成长战略主要包括：一体化战略、多元化战略。

一体化战略，又分为纵向一体化和横向一体化。

纵向一体化，包括后向一体化和前向一体化。前向一体化指企业控制其原属客户公司的生产经营活动，例如广告和物流配送等增值服务领域；后向一体化指报业传媒集团介入原供应商的生产活动，例如纸张及其他原材料和半成品的延伸等领域。纵向一体化在中国报业集团的发展演变过程中早已有之。报纸自办发行，就是一种典型的前向一体化。目前一些报纸开始尝试介入造纸等原材料生产经营领域，就是属于后向一体化。如果我们把眼光放得更高远，立足于报业传媒而不是仅仅立足于报纸等单个媒体，我们对纵向一体化的思路就会更加开阔。

横向一体化，指企业现有生产活动的扩展并由此导致现有产品市场份额的扩大。横向一体化可以从三个方向进行：（1）扩大原有产品的生产和销售；（2）向与原产品有关的功能或技术方向扩展；（3）向与上述两个方向有关的新的市场或新的客户类别扩展。南方报业通过“龙生龙，凤生凤”滚动发展模式，不断推出新的报纸，可以看作是横向一体化的战略实践；我们跨地域合作办《新京报》，也是一种横向一体化。

多元化战略。一体化战略属于同一产业价值链内部的相关行动。跳出同一价值链，进入其他产业，就有了多元化战略。多元化战略是企业通过跨产业甚至跨产业群而从事多个相关或不相关产品、服务的发展战略，包括相关多元化：指在原有行业基础上，进入新的但与原业务在市场、客户、产品或技术等相关的行业；非相关多元化：指进入新的与企业现有技术、产品或市场毫无关系的新行业。

长期以来，我国报业集团进行相关或非相关多元化的现象大量存在。如进入杂志、信息等领域的相关多元化，进入房地产、旅游酒店乃至金融等领域的非相关多元化，有的报业集团是两种多元化同时存在，我们姑且把它称作“混合多元化”。

报业集团采取多元化战略应慎之又慎。多元化经营战略在表面上分散经营风险的掩盖下，不自觉地将风险集中于市场、技术、财务和管理四个层次上，这些过于集中的风险对多元化经营战略而言便是陷阱。多元化失败的例子非常多，上世纪80年代后期到90年代中期，诸多报社涉足不同行业大都惨败而归。究其原因，在于报业集团的核心资源与核心能力是集中于采编，不同程度地存在经营力量薄弱的问题，即使有的善于经营，也未必熟悉其他行业的经营。偏离自己的核心资源与能力盲目进行多元化很难获得成功。报业集团要实施多元化战略，应当围绕自身的核心能力展开，同时要考虑多方面的影响因素：战略资产、协同作用、多元化时机的选择，现有市场的成熟度、充分的资金、人才支撑等等。

对于一般的竞争战略而言，可选择的战略有成本领先战略、差异化战略和专一战略。

成本领先战略，或者说低成本战略，是指在提供与竞争对手相似的产品或服务时，通过在办报和经营管理各个环节上最大限度地降低成本费用，在整体运营成本明显低于行业平均水平的情况下，使自己产品的价格低于市场上其他竞争对手，从而赢得更高的市场占有率或更高的利润，成为行业中的成本领先者。成本领先战略的前提是产品同质，因此多数情况下不适合报纸的竞争。国内某些城市在报刊媒体竞争中把报纸零售价格搞得很低，有的把广告价格搞得很低，这是恶性竞争而不是低成本战略。

差异化战略，是指产品或服务区别于竞争对手的产品或服务，创造出与众不同的产品；并通过差异树立起一个有效的壁垒使竞争对手一段时间内难以突破。对报刊媒体而言，差异化可以区分为报纸内容的差异化、版式和结构的差异化。报纸内容的差异化体现在每个报纸的细分市场、针对的读者，如《南方都市报》的结构就有很强的差异化，每天的版块组合多达十几种。差异化战略的运用，需要报业集团和报刊媒体拥有某些竞争者所不具备的技术或资源。如报业集团及其媒体能为消费者提供较高的品牌价值，报业集团的媒体产品质量更高更能吸引读者等等。实际上，报刊媒体在媒体运营的某一环节上实行差异化，并辅以相应的增值活动，就可能在众多竞争对手中脱颖而出，特别是当竞争对手难以模仿这一差异时，效果更为突出。

专一战略，又称为集中战略，是指将经营范围集中在某一特定的顾客群、某产品系列的一个细分市场或某一特定的地区市场。这些目标市场的潜在需求量足以使媒体盈利，媒体自身也具有为这一市场服务的能力。在受众市场逐渐细分化的过程中，媒体应当结合自身资源和能力，找准特定的顾客群或目标市场，与其和众多竞争者在整体市场上拼杀，不如将目标瞄准某一特殊的细分市场，通过满足这一市场的需求获得竞争优势。专一化战略适合规模比较小、资源相对少的报刊，比如《名牌》杂志就提出了精众发行，集中主攻某一特定的读者市场。

第二章
战略实施与三大报系目标

一　战略实施与核心竞争力培育

有效的战略实施是保证南方报业传媒集团达到战略目标的必要条件。决定能否成功实施战略的因素来自两个方面，一是集团层面，二是业务单位（各报系、各媒体）层面。集团层面在战略管理中的主要任务在于：根据对传媒市场尤其是报业市场上的竞争状况、发展趋势以及自身资源的研究判断，为整个集团和下属业务单位制定发展战略，并监督战略的实施；基于市场导向设计和管理一个高绩效的战略业务组合，并建立相关业务单元的协同关系；评估各业务单位的绩效和发展前景，在各个业务单元之间分配资源。

集团战略实施的三大重要工作

成功贯彻实施集团发展战略，实现集团的战略目标，要求我们在以下几个方面做好工作：

一、**以开放的姿态坚持开拓创新**。创新是南方报业保持活力、获得持续竞争优势的关键所在，也是实现集团战略目标的关键所在。

要大胆探索在文化体制改革的背景和框架下领导体制和管理模式的创新。目前紧迫的任务是按照南方报业传媒集团新的组织结构完善管理体制，理顺党委会、管委会、社委会、董事会和经理层的关系，建立党委领导与法人治理结构相结合的领导体制。

要大胆探索在新媒体崛起的态势下业务领域的创新。今后一个时期内，以互联网和移动通信为载体的新的媒体形态将会有长足的发展。对于这个态势，集团应保持高度的敏感。要组织专门的机构，研究实施新媒体拓展工作，抢占新技术的制高点，在适当的时机果断进入新的传媒领域，克服因传统媒体受到新媒体冲击而造成利润下降的不利因素，培育集团事业新的增长点，在新领域和新条件下进一步实现集团的战略扩张。

要大胆探索在报业改革不断深化条件下资本运营模式的创新。资本运营是报业传媒集团面临的极具挑战性的新课题，在媒体竞争日趋激烈，外部资本步步渗透的新形势下，以往依靠内部积累资金，独自投资，滚动发展的投融资方式已经难于满足加速发展的需要。充分研究并充分利用资本运营这个手段，为集团提供扩张发展的新模式，帮助集团实现超常规的发展，快速实现战略目标，成为当务之急。靠本集团现有的积累，不能满足急剧扩张和市场竞争的需要；过高的资产负债率,又会给集团的健康发展带来相当的风险和压力。总结21世纪报系等资本运营的经验，我们要加快引进合适的战略投资者。

引进战略投资者可以为产品和产业发展提供充足的资金，我们将在更高的起点上启动新的品牌媒体，占领市场，获得更大的利益；引进有远见的战略投资者，将更有力地推动运行机制的创新，加快集团建立现代企业制度；引进有实力的战略投资者，将进一步增强我们的风险化解能力、国际合作能力，推动集团扩张发展。在引进战略投资者、建立现代企业制度的基础上，我们要积极探索集团整体上市的途径，鼓励集团所属优质资产在国内或海外上市。

投资也是资本运营的一个重要方面。投资是运用集团资本占领媒体市场、获取资本增值的主要手段，我们要研究在现行政策及未来政策变动情况下集团对外投资的创新模式，运用参股、兼并、收购等多种形式，在业务扩张的同时，确保国有资产的保值、增值。

要组织专门的机构，研究实施新媒体拓展工作，抢占新技术的制高点，在适当的时机果断进入新的传媒领域，克服因传统媒体受到新媒体冲击而造成利润下降的不利因素，培育集团事业新的增长点，在新领域和新条件下进一步实现集团的战略扩张。

二、整合资源实现战略协同。报业传媒集团在确定长期目标、发展方向和资源配置的战略管理过程中，所拥有的技能、资源在集团内部通过沟通和交流的方式凝聚成核心竞争力，核心竞争力在各个业务单位之间转移和共享，从而获得集团整体业绩的提升，这就是战略协同。战略协同效应之所以产生，从根本上来说，来自集团内部各业务单元之间对所拥有资源的关联和共享，这种关联和共享使集团在其业务活动中保持协调，从而获得成本、品牌、竞争等方面的优势。同时，协同效应的产生还来自办报和经营方面的关键技能和管理能力等资源在集团不同业务领域的有效移植。对一个拥有不同的子报子刊，在不同细分市场参与竞争的报业传媒集团来讲，发挥各个业务单元之间的协同优势，实现 1 + 1 > 2 的协同优势，是顺利实现战略目标的有力保障。

实现战略协同的主要途径是有效地整合集团资源。资源整合的目的在于盘活资源，做到人尽其才、物尽其用，消除内耗，降低竞争成本。可以说，整合就是增值，整合就是协同，整合就出生产力。资源整合包括报业结构整合、品牌整合、物质资源整合与人力资源整合。为了充分整合利用资源，2003年南方报业相继成立了“21世纪报系”、“南方周末报系”和“南方都市报报系”。报系内部由于共享资源更广泛、品牌集群效应更加突出、企业亚文化相对一致，使战略协同实现起来更加便利。为了整合资源，集团还要加强对下属业务单位的控制能力，确切地说，包括三个方面：一是财务控制力，指集团通过制定和落实财务指标、建立财务控制体系、强化投资与融资管理等财务手段，对下属经营单位财务行为实施控制的能力；二是经营控制力，指集团对下属业务单位的经营决策、经营行为和经营绩效的有效监控能力；三是人力资源控制力，指对集团范围内的人力资源，特别是核心管理人员、核心采编人员与核心经营人员的使用和调配能力。

应当看到，报业传媒集团中存在影响战略协同优势发挥的因素。首先，对待战略管理的认识和态度有偏差，由于各个战略业务单位之间存在不尽一致的利益，一些子报的管理者倾向于从本部门利益出发，站在本部门的角度而不是站在集团整体利益的角度考虑问题；其次，由于集团在下属各个业务单位之间配置资源时不可能完全按照市场化的方式来进行，集团内部不同部门之间的讨价还价，妨碍内部资源分配，进而影响战略协同效应的发挥；第三，成功的战略实施依赖于集团管理层从各个业务单元得到信息的及时和准确程度，以及集团对信息进行评估的客观程度，由于集团内部存在信息不对称，使集团难以进行恰当的判断。第四，集团对下属业务单元的控制如果不够强有力，会制约战略协同发挥作用。报业集团是否能够实施既定的发展战略，并分享到战略协同带来的利益，在很大程度上取决于是否能够有效克服上述这些不利因素。

三、**完善风险控制机制**。南方报业传媒集团是在一个每时每刻都变化着的动态环境中开展其业务的，从国家的产业政策到行业的发展趋势，从宏观经济的运行状况到报业市场的竞争格局，从社会的新闻热点到读者的阅读兴趣，从科学技术的持续创新到新媒体的不断涌现，都处于不断发展变化当中。集团的绝大多数采编与经营活动都属于不确定性活动，都或多或少地存在着各种各样的风险。风险往往是与收益相伴相生的。无论什么事情，往往有收益就有风险。另一方面，报纸具有商品和宣传品的双重属性，南方报业传媒集团同时扮演着宣传和新闻产业的双重角色。集团在国家社会经济中所承载的重要职能决定了报业运营必须防范和控制各种风险，必须在加快发展与控制风险之间进行合理的权衡和取舍。同一般的企业相比，南方报业传媒集团对待风险的态度应当是更加稳健、更加谨慎的。

对于南方报业传媒集团来说，在实施多品牌媒体发展战略的过程中，要着力防范四类风险：一是办报过程中的政治风险，二是媒体经营中的市场风险，三是投融资活动中的财务风险，四是内部管理中的用人风险。为此要严把政治关，有效防范政治风险；要根据现代企业制度的原则，探索建立既有利于报业集团发展，又有利于控制风险的治理结构；要建立科学的决策机制，完善对业务单位的监督管理；要建立健全报业集团风险预警机制，加强对风险因素的监控，提前应

对于南方报业传媒集团来说，在实施多品牌媒体发展战略的过程中，要着力防范四类风险。一是办报过程中的政治风险，二是媒体经营中的市场风险，三是投融资活动中的财务风险，四是内部管理中的用人风险。

对，尽可能地减小各类风险发生的几率，并最大限度地控制和减少风险带来的损失，保障集团顺利实施发展战略。

报业传媒集团的核心竞争力培育

进一步培育核心竞争力是实施集团战略的有效途径。根据我们向广东省文改办提出的方案，集团于2005年7月18日正式更名为“南方报业传媒集团”。南方报业已经不只是“报业集团”而是“报业传媒集团”，传媒业的领域要远远大于单纯的报业。发展以“南方报业”为主品牌的传媒集团，到底需要培育什么样的核心竞争力呢？

核心竞争力是一个相对的概念，南方报业的核心竞争力“品牌媒体创新力量”，也是相对于其他报业集团而言的。我想，作为报业集团，我们做的是有品牌影响力的报刊媒体，而作为传媒集团，我们也要做具有强大品牌影响力的媒体，对于核心能力的界定是不会改变的。但是传媒业毕竟不仅仅是报业，我们要用更广阔的产业视野来审视我们在整个传媒业中的核心竞争力培育。

首先，要很好地维护和提升现有的核心竞争力。我们现有的核心竞争力，最主要的是培育媒体品牌并把它推向市场赢得竞争的能力。维护现有的核心竞争力，关键是要不断创新，通过打造媒体的品质提升品牌价值。报业的竞争还体现在媒体产业以及配套产业上，我们要着重解决报刊印刷能力的不足，保证媒体能够以更好的时效和更高质量的版面组合抢占市场。我们现有的核心竞争力，还体现在“南方报业”这一集团品牌的优势上。提升集团品牌的影响力，提升集团品牌的价值，不但可以提高集团和集团现有媒体产品在读者和广告客户中的品质认同和忠诚度，还可以使集团其他的新办媒体产品在消费者当中获得预期的品牌认知。集团品牌知名度、美誉度的上升，也有利于我们吸纳和储备更多优秀人才，保证集团核心竞争力的维护、延续和提升。

第二，要坚持正确的成长方向，下决心放弃那些与核心竞争力关联不大的业务。我们是做报纸起家的，我们的核心竞争力应该可以沿着新闻、报刊媒体、报业和传媒业这个方向延伸、培育、发展。也就是说，做新闻、做报纸、做媒体是我们的强项，我们比别人更有把握做好它。在这个产业方向以外的业务，不是我们的核心竞争力可以支撑的，我们不大可能比别人做得更好，对那些业务我们不能过多投入。有一些做不好的要主动放弃，有技巧地主动放弃。把有限的资源和能力集中在相对优势的业务上，才能在实际操作和运行过程中强化我们的核心竞争力。

第三，要开发核心技术，培育新的核心竞争力。依靠我们现有的核心竞争力，能够很好地运营一些具有品牌影响力的媒体。2003年我提出了报系的概念，从内部管理层次上整合资源，让报系内几个媒体形成战略上的协同，这毕竟只是局部的资源整合。我们要独立或合作开发新的新闻信息资源管理系统，一个可以整合全集团的新闻信息资源管理系统。我想，这种技术可以从集团的角度对所有新闻信息资源进行整合并实施多次开发和利用，在现有资源基础上创造出新的价值。这种整合开发利用信息资源的能力和技术，将有效地充实和提升我们的核心竞争力，使我们在面对新的竞争时能够拥有更多的内容差异化优势，同时有利于产生新的核心产品，赢得新的竞争。

第四，抓住机遇，积极培育跨媒体的优势，形成传媒集团新的核心竞争力。除报业外，在条件成熟时我们要以适当的方式进入广播影视，大力发展自己的网络媒体、移动媒体等新媒体。就目前来说，我们如果进入广播影视要自己办一个台、拍一部片，既没有这样的能力又没有这样的政策。但我们要发现并培育自己的跨媒体优势，这种优势具体而言就是准确把握向新媒体切入的独特能力。我们新闻的深度、时评观点，我们报业的特长，如何与广电、网络、移动媒体相结合，又如何利用电子媒体等新媒体提升报刊媒体的竞争力，这些都是值得我们花功夫研究的重要课题。

第五，通过外部联合，获得发展所急需的优势资源，进一步提升核心竞争力。南方报业做品牌媒体有办法，但资金并不十分充裕，在建立现代企业制度方面也还做得不是特别完善。所以，我提出要考虑引进战略投资者，通过外部的联合提升集团的核心竞争力。另外，回顾南方报业过去多年的坎坎坷坷，我总是觉得我们的风险规避能力还十分不足。要提升风险规避能力需要一些资源，一些对地方媒体特别是市场化程度比较高的地方媒体而言非常稀缺的宝贵资源，包括与各方面的沟通渠道等等。

核心竞争力，是持久竞争优势的基础，持久的竞争优势使我们可以获得超额的回报，并在市场竞争中占尽先机。我们分析南方报业的核心竞争力，培育南方报业的核心竞争力，其目的在于把南方报业打造成为中国最具生命力的传媒集团。但我们要看到，核心竞争力只是持久竞争优势的基础，有了核心竞争力不一定就拥有持久的竞争优势，不一定就能够全面赢得竞争。随着时间的推移和新技术的运用、新媒体的兴起，我们原有的核心竞争力有可能失效，有可能在新的竞争过程中减弱或丧失原有的优势。另外，如果我们集团内部各报系、各部门各公司之间沟通不畅或者缺乏足够的协调，也会使我们的核心竞争力在运行过程中缺失。有时候，过去的成功往往使决策者放松对竞争变化的分析和判断，妨碍新的核心竞争力形成，这就是所谓的“核心竞争力刚性”。比如，扩版和发行对广告贡献是优势，但随着纸张等成本的不断上升，它也可能成为“刚性”。

战略管理并不只是集团高层领导的事情，而是集团层面和业务层面共同的责任。业务层面对集团战略管理的主要贡献在于：将集团的战略愿景和战略规划转换成本业务单位的具体行动，制定并实施本业务单位的战略计划；将资源有效地转化成竞争优势，对集团核心竞争力的建立和巩固做出贡献；根据集团的统一安排，在特定的竞争策略中与其他业务单位密切配合。

南方报业三大报系在这些方面都有自己的思考。为此，我专门和南方周末的执行总编辑向熹、南方都市报的执行总编辑庄慎之、21世纪报系执行总编辑沈颢和21世纪经济报道主编刘洲伟作了对话，根据集团战略的整体要求，进一步明确三大报系的战略计划和成长目标。

二　南方周末报系：培育全球最有影响力的华文报纸

——与南方周末执行总编辑向熹的对话

《南方周末》发展了20多年，经历了很多变革、很多危机。它挺过来了，现在在调整中稳健发展。2004年4月我在接受经济观察报记者的专访时就提到：《南方周末》确实面临着一场考验，但是周末能办到这个程度已经很不容易了。目前在中国的周末类报纸中，你不看《南方周末》能不能找到一个比它更好的周末报呢？也不容易找到。毕竟它的团队精神和文化底蕴还在，它的深度、它的高度还在，它还是比别人有独到的地方。

向熹代表南方周末编委会给集团交了一份报告，讲了周末的一些想法。他们提出“周末事业基础不牢与报纸转型发展的矛盾、新闻拳头产品不足与综合品质提高之间的矛盾、人才机制落后与人才新需求之间的矛盾、管理机制落后与企业规模发展之间的矛盾以及经营徘徊、突破乏力与影响力、潜在资源巨大之间的矛盾”等困扰南方周末的五大矛盾，并谈及解决的思路。2005年6月28日集团召开的职工代表大会上，我提出了集团的发展战略，随后也和几个报系的执行总编辑

周末事业基础不牢与报纸转型发展的矛盾、新闻拳头产品不足与综合品质提高之间的矛盾、人才机制落后与人才新需求之间的矛盾、管理机制落后与企业规模发展之间的矛盾以及经营徘徊、突破乏力与影响力、潜在资源巨大之间的矛盾等五大矛盾。

与向熹探讨南方周末转型。

相继作了深谈，探讨新的发展思路。集团提出的成长战略，需要每一个媒体的竞争战略的支撑。

领军人物要清楚竞争态势、制定战略、把握方向

向熹：2005年，是南方周末新一届领导班子在新一轮竞争上岗中上任的第一年。细梳周末的问题和机遇，我们认为，南方周末目前所处的大小环境虽还存在诸多困难，但形势已较前数年有明显改善，呈现出一个较好的势头。在这种态势面前，要推动南方周末进入一个新的发展阶段，进入一个良性循环，编委会需要以创造性的思路与劲头，抓住重点，认真扎实地做好每一项工作。基于这样的思考，我们确定了从报纸转型到战略转型的思路，今年的核心工作是解决五大矛盾，以冲破发展的瓶颈。解决就是突破，突破就有新局面，请集团给予进一步的指导和大力支持。

范以锦：南方周末的新发展首先要实施转型，集团相信周末的班子能够在推进转型中求得发展。有的人听到南方周末要转型，就认为是倒退。其实南方周末确实是面临衰退的问题，我们从不回避。正因为出现衰退现象，发生困难，我们才提出转型。这不是倒退，而是进步。作为中国周末类报纸的第一品牌，周末过去20多年有过几次转型，每一次都可以从容地在探索中一步步推进，那是因为市场的领先优势弥补了我们探索调整的成本。时至今日的媒体竞争，特别是全国性周报市场的竞争，已经不容许我们支付过大的探索调整成本，包括时间成本。

我们首先要有竞争态势分析，全国的周报、时政类周报都有哪些，谁对我们压力最大？都市类报纸、互联网怎样蚕食我们的市场，什么是他们肯定取代我们的，什么是不可取代的？整个周报市场的机会和挑战是些什么？南方周末具体要如何把握机会、应对挑战？我们的核心竞争力和竞争优势在哪里？在赢得竞争的基础上我们将开始新的发展，在这个新的成长周期，我们的成长路径和价值实现模式可能是怎样的？报系不仅仅是“尖刀”，报系是报业集团的支柱和利润中心。一个报系或者一个品牌媒体的领军人物，要多点思考这些问题。

我们的核心竞争力和竞争优势在哪里？在赢得竞争的基础上我们将开始新的发展，在这个新的成长周期我们的成长路径和价值实现模式可能是怎样的？

向熹：社长谈得很深刻。南方周末在1999年提出“报纸转型”的概念，这6年的发展中，经历了2/3个“W”的轨迹，从影响力和经营状况来看，出现了两个高点，一个是2000年，一个是2003年；出现了两个低点，一个是2001年底至2002年4月，一个是2004年中到现在。目前要做的工作，就是要从这一个低点往上走，迎接下一个高点，完成整个“W”。

在这个过程中，我们非常清楚地看到，站得高、看得远、理念清晰、市场把握准确时，就是南方周末发展的好时期，反之，一定会陷入低潮。

办《南方周末》，是在解一道“三元方程”，这三个“元”：是否符合政策环境、是否符合市场需求、是否符合新闻人的理想且对得起大历史。可能有一些报纸解出两个“元”，就能活得很好，有的特殊媒体，解出一个“元”也能活得很好。而南方周末这道题，必须同时解出三个“元”，才得正解。

下一个高点的实现，必须是报纸转型目标的实现，同时，我们现在比任何时候都清楚，光是产品的革新，还不足以赢得最终的成功，必须从管理、经营机制，甚至体制上，进行全面创新，这就是所谓的“战略转型”。

经济发展和市场成熟要求办报理念更新

向熹：周末的生存与发展，不但取决于操作层面的微观因素，同时也取决于包括政治资源、指导思想在内的宏观因素。周末事业的发展需要这两方面的基础。就微观而言，题材、操作、立场等对媒体的生存与影响力的形成相当重要：“题材”是先天性的决定因素，“操作”与“立场”是后天性的决定因素，而“题材”的核心是“线索”。若“线索”来源不畅、种类不丰富，将严重制约报道空间，进而影响媒体发展。而从宏观而言，政治环境、办报指导思想等因素对周末生存发展的影响在相当程度上又来得更为深刻、深远。

南方周末已踏入22个年头，考察其各方面的历史变化对于今后发展方向的考虑与选择具有独特的参考作用。从新闻线索来源和报道内容看，在以文化娱乐为特征的时期，线索主要靠作者；在以舆论监督为特征的时期，线索主要来源于读者来信来电，同时同行在当地不能发的新闻也是重要的线索来源。这种状况与周末得天独厚的地域环境有关，同时这又注定周末的先天不足：在改革开放的热土上获得较为宽松的办报地域氛围，但与中央各部委、各省市缺乏天然的体制联系。这种生存条件促使周末进行新闻改革的探索，取得很大的成果。但是，中国社会存在“体制外”、“体制内”的分野，这已是中国社会的一个现实。一方面我们希望这种心态只是一个阶段性的存在，另一方面，身处这个时期，做一份报纸，必须处理好两者的关系。否则，就会进入一个恶性循环。

随着形势的推移，客观上很多“猛料”类的线索用不上，互联网的发达及各地都市报的兴起，使得独家线索越来越少，而真正各地都发不了的题材，南方周末也同样用不了。于是从别的媒体上观察到的二手线索成为付诸新闻操作的主要线索来源，这既缺乏一手的社会线索，也缺乏来自中央部委办和各省市的权威信息，这种状况使得《南方周末》面对其他媒体的优势越来越小。而在这个优势缩小的过程中,《南方周末》却在进行着时政新闻的培育，进行着从“斗士”向“智者”的转型，进行着将核心竞争力从“新、锐”到“视野、见识、情怀”的调整，进行着影响主流人群、推动中国进步的努力。很显然，在这样的转型过程中，这已经不是优势缩小的问题，而根本就是劣势。

因此，南方周末绝不让自己被打上“体制外”的标签，它有超越性，它属于所有关心中国发展的读者，它见证了，也将继续见证一段中国历史上艰难而伟大的时期，它将扮演这一时期思潮及大事件的记录者、观察者和时代进程的参与者。这是一个严肃媒体的本分。

范以锦:《南方周末》是伴随着中国改革开放一起成长的一份报纸，一定要将其经营好，保护好。要从国情出发，要与维护党和国家的一系列决策相适应。周末是广东改革开放的新思维、新成果的反映，是南方报人奉献给全国读者的文化大餐。我们要看到，改革开放初期广东先行一步的尝试能够得到中央和兄弟省市的支持，那是因为全国有部分地区的体制还没有完全放开、市场还没有发育成熟，我们广东大胆的尝试是在推动体制的创新和市场机制的建立。《南方周末》正是在这样的环境中发展起来的，我们一纸风行高歌猛进，实际上也是在履行着推动体制创新、推动社会进步的功能。

随着经济的发展、体制的完善、市场的成熟，先行一步的广东在很多新兴领域已经和兄弟省市站到了同一个起跑线上；而作为广东新思维在全国反映的《南方周末》，也和很多专业报、都市报以及周刊、周报站到了同一个起跑线上。这个时候我们再以体制外的线索、内容乃至理念去报道、点评、监督已经发展成熟的体制内的对象，肯定不可能再赢得过去某一特定时期的喝彩和支持！用习惯性的方法和理念去反映已经成熟发展的社会，是非常被动的。我们要为过去的辉煌而骄傲，但我们决不可能被习惯性的方法和理念所束缚。过去中国的改革需要批评现实来推动创新发展，现在我们的社会需要什么？需要《南方周末》这样的品牌媒体做什么？有一些东西现在报出来，会引起社会震荡的，我们不能报。我们要顺应历史的潮流，理念上的与时俱进非常重要！

要在游戏规则内把国内外重大事件做得更好

向熹：周末生存发展的状态用一句话来概括就是：在市场上获得广泛影响的同时，却屡屡出现危机，并遭遇边缘化的危险。只有坚持既走市场又把握好政策这两点，周末的生存与发展才有比较牢固的基础。反之，不仅可能会毁掉周末为改善环境所做出的艰苦努力和良好势头，也会对周末长期的生存发展、推进战略目标造成严重的乃至毁灭性的影响。

走入新世纪，《南方周末》的转型从自发到自觉，从探索到有思路有计划地展开。

范以锦：总结南方周末的历史经验教训，我感觉是要办得更为稳健一点，要根据新的情况，提出新的发展目标。中国办报的基本规矩必须遵守。我们办报要注意新闻规律，也要注意国情。如果不注意国情，盲目地乱冲乱撞，那么是无法生存的；同时，如果不讲新闻规律，该报道的不及时报道，该告诉老百姓的不告诉老百姓，不能做到“三贴近”，那么报纸也同样会走向死亡。

《南方周末》应该干什么呢？我认为，对国计民生有重大影响的党和政府的重大决策要关注；发生在国内外的重大政治事件、社会事件，一定要关注；

奇特的社会现象，也要关注。《南方周末》是高品位的报纸，是对推动社会进步有高度责任感的主流媒体，理所当然要关注。

向熹：新闻竞争越来越激烈，《南方周末》作为一份全国性的周报，处于两个不利中：一个不利是以周为刊期，在日报类报纸、互联网蓬勃发展的现实之下，很少有经历数日仍然有独家操作可能性的题材；另一个不利是《南方周末》没有一个覆盖根据地，在全国发行量巨大，而在各地的发行量有相当部分处于地方性媒体之下，因而在广告的竞争中先天就存在劣势。

在此形势之下，客观上要求《南方周末》要全面提高品质，拿出区隔性的、领先性的新闻拳头产品，而且要求期期新，永远不同、永远领先，才能保住市场。就《南方周末》而言，经历过文化报道优势、舆论监督报道优势、时政报道优势之后，特别是异地监督成为壁垒的情况下，应如何培养《南方周末》有特色的拳头产品，继续保持优势，我们随时随地都在考虑这些问题。

南方周末

东北咋能没有二人转？

苏共亡党十年祭

2 宪法司法化第一案

7 就近上名校该捐多少钱

8 贪官成火责末日

9 独家分析海王故事

13 抽水马桶与南水北调

14 儿童自闭症：你的孩子只是与众不同

17 看！九丹这女人

范以锦：这几年网上骂《南方周末》的挺多，好像是观众对体育运动员的期望一样，没有拿到冠军就骂！但是，如果是运动员的父母，谁又舍得骂呢？周末是我们的，无论如何现阶段一定要依据国情在游戏规则的范围内运行，有几点我们是可以做的：第一，《南方周末》要有超前的意识。有一些问题，它会比别人看得更尖锐一些，更长远一点。如在中国报业上来说,《南方周末》比较早就开始高举批判伪科学的旗帜。如反对“法轮功”,《南方周末》是较早把“法轮功”定为邪教的。为了国家和人民的利益，她总是想得更长远一些。第二，做同样的题材，大家都做,《南方周末》具有独特的视点和独到的表现手法。这个独特的视点,不是另类,不是唱反调,只是涉及点、切入点、表述方法与众不同而已。第三,《南方周末》有一批素质比较高的记者，有自己独特的高度和深度。

有这三方面独特的优势，按照中国的国情，按照中国的办报规矩去做是可以做得很好的。这在实践中我们也有例可循，例如，十六大还没有开,《南方周末》就说“中国共产党已经从革命党向执政党转变”，虽然是有风险，但符合党的十六大精神，有超前意识，有高度有深度；还有如《苏共亡党十年祭》，站在一定的高度上，分析了苏共灭亡的原因，这是我们党和国家关注的主流新闻，也是老百姓感兴趣的新闻。

有人说《南方周末》的特点就是敢讲话，我认为不能这么简单去概括。要经营《南方周末》持久的影响力，也不是靠一两件轰动事件能做好的，要把主流的新闻做好，社会上出现一些热点问题，我们要做引导，国内外的一些重大事件，要在游戏规则内，把它做得更好。要与时俱进，按照新的历史时期新情况做出特色的新闻，比如说过去的《南方周末》登了许多的案件，但现在中国的报纸，哪家不登案件？如果《南方周末》现在还是重点登案件，你登得过人家日报吗？此外，报纸老是登一些揭露性的东西，也是有其局限性的，也是行不通的。

找到我们的突破口让南方周末激情回归

向熹：为适应转型的需要和形势的发展,《南方周末》需要以积极、真实、全面反映中国社会转型图景为目标，我觉得有如下几个方面：

其一，以“中国的视野、中国的声音”，积极发展国际题材的报道。这包含两个方向：一是以中国人眼光看待国际性事件，将世界的事情拉近，帮助中国读者清晰地、贴近地了解世界性大事；二是在世界性大事面前发出中国的声音，借中国近年发展的如虹气势，将《南方周末》培养成一份具有国际影响的世界性大报。

其二，宏观性、趋势性报道尤其是热点首报。《南方周末》的价值不仅在于报道，更在于发现，所以发现独家新闻、发现别人所没有看见的趋势、方向、潜流是周末做新闻的首务。《南方周末》的社会、时政、经济、文化都需要发现独家新闻，而且要有意识地加深对国情的认识，发现最有价值的新闻。在此基础上，进一步将其按新闻手段进行操作，培育其为热点，让其他媒体跟进，形成合唱。

其三，操作好策划性的报道。要善于从党和政府的中心工作与读者关心的问题上、从读者的角度做文章，努力达到双赢乃至多赢。《南方周末》有一些特殊时期的报道，如三个长假以前都是以“填空”的方式进行操作，今后要按照读者的需要来考虑，将其做好看，做出品牌来，进而创造经营收益。再如，“3·15”等特殊时期的报纸，也要做新闻专题，通过策划实现效益。

其四，经营好人物报道。人物报道以其人物性格的多层次性、丰富的故事性、与读者的同质性和异质性等，在读者当中有广泛的市场。应将其作为周末的一个重头内容经营好，特别是要深入挖掘反映体现社会主义精神文明主流价值的人物题材。

其五，每月热点的逐步培养与报纸新期待。除年末特刊之外，形成多个报纸亮点，初步想法是，每月形成一个热点。例如，每年一月，要集中精力打造一篇“一月评论”，梳理展示《南方周末》对中国发展的一些认识，同时，借年度采编人员的采编假，鼓励调研，或专题组织，形成一组“一月报告”，以新闻实证的方式，报道国家若干趋势。

范以锦：经济领域的探索，始终引领着文化产业的进步。让我们认真回顾一下广东省委省政府在“先行一步”的“窗口”优势日渐缩小时，推出了一些什么样的思路，或者可以

无论如何现阶段一定要依据国情在游戏规则的范围内运行，有几点我们是可以做的：第一，《南方周末》要有超前的意识。第二，做同样的题材，大家都做，《南方周末》具有独特的视点和独到的表现手法。第三，《南方周末》有一批素质比较高的记者，有自己独特的高度和深度。

给我们《南方周末》的转型发展更多的启示。我们在大力推动粤港澳的CEPA合作，我们试图成为“9+2”泛珠三角与东盟经济的桥梁和纽带，广东在大力推进深圳的高新技术产业、广州的汽车制造业……显然，广东还在强化部分的或区域的领先优势。广东从过去政策优势的处处领先，到今天市场驱动的局部不可替代，就是我们转型发展的一个思路：过去《南方周末》独领中国报刊媒体潮流，现在细分市场的竞争要求我们考虑在某些领域、某些区域实现不可替代。

每一个产品、每一个企业都有其发展的生命周期，《南方周末》也不例外。从初创到成长，进而成熟，迈上巅峰，然后是出现衰退现象；在衰退的过程中有的彻底退出市场，有的因为强大的再生能力开始了新的发展周期。《南方周末》就是要在新的市场竞争中寻找并确定新的不可替代的优势，开始我们新的发展周期。了解并正视现实我们就不会失落，有了突破口和新的目标我们就能激情回归。

《南方周末》的品牌影响和核心价值

向熹：这几年《南方周末》尽管碰到困难，但其品牌的影响力仍在，品牌的内涵还在不断丰富。经过几代人的努力，我觉得《南方周末》这份报纸品牌有三层含义：其一，这是一份以记录13亿人口的大国转型历程的严肃大报；其二，这是一份以追求新闻人职业荣光而上下求索的严肃大报；其三，这是一份以中国知识分子千年不易的先忧后乐情怀为内在动力的严肃大报。

一段时间以来，我们对这样的品牌内涵讲得不够，或有顾虑，不去讲。我个人认为，这些内涵是可以讲，应该讲的。历史总是保存真善美，摒弃假丑恶，这些都是真善美的范畴，如果它们忤逆了什么，那么只能是被忤逆者存在问题。而且，我们的民族之所以在近百年的历史中能够走过风雨走到今天，正是民族精英群体能够葆有这样的精魂。

范以锦：《南方周末》的品牌影响强大，不单单是看她在海内外有很大影响，实际上她是改革开放后一大批知识分子精神生活的一部分，是一种方式、一份寄托。现在30岁到50多岁的读书人，很多都曾经是她的读者，受她的影响，特别是40多、50岁左右的成熟的知识分子，对《南方周末》有着非常深厚的感情。

《南方周末》应该是积极、和谐、向善的，概括得很好。回顾过去20多年的发展，我总觉得还有一点值得总结：和其他媒体比较，《南方周末》显得特别睿智。睿智是英明而有远见，或者说是卓越明智而有远见。《南方周末》是一份卓越的报纸，是一份有思想、有灵魂、有远见的报纸。睿智要求我们以最佳的方式、最佳的时机表达我们的远见；睿智也要求我们更有远见地增强读者的活力，把读者的平均年龄降低10岁甚至更多。

整合报系资源获取协同效应加快发展

《南方周末》的品牌影响强大，不单单是看她在海内外有很大影响，实际上她是改革开放后一大批知识分子精神生活的一部分，是一种方式、一份寄托。

向熹： 2002年底，周末编委会提出“两报两刊”的思路，欲通过媒体品种增加的方式用三到五年的时间争取将总经营额大幅度扩大。这个思路今天来看仍然是正确的。《名牌》和《南方人物周刊》的创办与发展确已部分实现了当时的预期。不过，报系的发展与南方周末的发展之间有联系也有区别，报系的发展仍然不能代替南方周末自身的发展。那么《南方周末》自身发展应是什么形态的呢？一方面，要求经营机制要有历史性的突破，充分运用管理杠杆，正确应对变化的市场，在战略和战术方面都要有所调整和创新；同时目标的实现又依赖经营团队激情的回归，团队的成熟和团队的能力提高。需对现有广告产品（32版的广告版面）进行细致分析，以市场调研的数据确立《南方周末》新闻产品各版块的定位与设置，对现有客户和潜在客户进行需求分析，有针对性地确定特性和卖点，然后按步骤实施新的品牌宣传方式，并按各版块锁定的主要读者及其特色采用不同的宣传、不同销售政策和卖给目标所指的广告客户。另外，有针对性地设计广告套装，以特别的方法吸纳利润丰厚的跨国企业、垄断企业的广告，更优质地服务客户，抢吃“甘蔗最甜的部分”。

第二方面是针对目前地域性广告发达，《南方周末》在一些地域有较强优势的现实，有意识地开发一些地域专属产品，求得地域广告增量；针对一些领域有较大广告增量的现实，有计划地开发一些领域专属产品，求得行业广告增量；针对一些时段是广告集中的时间，而《南方周末》本身容量有限的现实，有准备地设计一些时间专属产品，求得时间区间上的广告增量。

范以锦：新的发展需要更多更新的资源，可以看得出来，周末的班子为她的发展思考了很多，也在实际操作中付出了很多心血。这里首先要强调报系整体的观念，报系内部要形成资源调配的机制，《名牌》、《南方人物周刊》的资源要与周末共享。周末的新闻系统应该是整体的资源系统，线索、采编互动、资料检索到采编合成，再到发行、广告等等要整合起来，根据媒体价值实现的每一个环节进行价值链分析，实现媒体价值的最大化。第二个要强调的是我们是一个报业集团，是能够支持各报系各子报创新发展的母体。周末的发展需要的资源首先要从集团和集团内部考虑，比如21世纪报系虽然脱胎于南方周末独立运行，但细分市场各有侧重；21世纪报系和南方周末在北京、上海的资源就可以交流互通。对于集团外部的资源，要通过有效的手段获取并推动发展。

在获取资源的同时要考虑保护资源！《南方周末》的影响力很大，很多人都很关注。但是我们现在把很多内容都放到了网上，我们原创的作品成了一些网站提高点击率赚钱的重要内容。高端网民和我们《南方周末》的读者有一部分是重合的，在一些发行相对不是特别快捷的地方，一部分读者可能转到了网上阅读。以后要考虑集团新闻信息资源的控制，在一个时间段内只能给网站提供标题、提要，用他们的浏览功能来刺激购买阅读，原创的内容第一时间要买报纸才能看到，或者在网上付费阅读。这样，我们被互联网替代的威胁才有可能降低一点；当然，我们自己拥有强大的新闻网站才是硬道理！

成为世界最有影响力的华文报纸

向熹：在《南方周末》求得世界报道突破的同时，将考虑以有效的手段在全球范围内扩大影响，做成世界影响力最大的华文报纸、中国报纸。首先可启动海外分印与发行，考虑在北美、欧洲、澳洲建设分印点，在当地华人社区形成影响。海外分印与发行，可按出让版权形式、与当地主流报刊捆绑或以广告版面经营权抵消印刷发行成本的方式进行。主旨是扩大覆盖、扩大影响，但低成本甚至零成本。

范以锦：集团的发展目标是要成为国际文化传播集团，要面向国际的传媒竞争。我想，这里有集团与集团的竞争，肯定也有媒体与媒体的竞争。现在人家的电视台已经进来了，我们的报纸一定要想办法走出去。

《南方周末》拥有“中国视野、中国声音”的基础，具备一些成为世界一流华文报纸的先天因素。我们要认真研究世界知名百年大报的成长历程，要研究他们生存发展的经济和文化环境，要研究它们读者需求的变化，要研究它们成长发展的内在规律，在不断变化的今天不要简单模仿、重复别人的老路。百年大报能够基业常青，肯定有它们独特的盈利模式；我们走出去要特别明确实力、特色和与华人读者的感情，这是我们长期生存、发展、盈利的基础。另外，我们一定要脚踏实地地走好每一步，不能为走出去而在国外搭花架子。国内赚钱到国外花、撑门面不是我们的初衷，不盈利就没有生命力，就得不到海外同行的尊重；也得不到海外华人的支持，甚至会伤害他们的感情。

《南方周末》拥有“中国视野、中国声音”的基础，具备一些成为世界一流华文报纸的先天因素。

三　南方都市报报系：办中国最有生命力的报纸

——与南方都市报执行总编辑庄慎之的对话

1995年《南方都市报》筹办的时候，我是领导小组组长，当时就对他们提出了“建一流的队伍、办一流的报纸、创一流的效益”的办报要求。因为有这样一种渊源，因为有对多年老部下老同事的赏识和感情，产生了我的《南方都市报》情结：总是把它当作是自己的小孩那样，希望它茁壮成长。在我看来，《南方都市报》是南方报业面对市场主动出击的产品，它饱含着南方报人对报业竞争的自信把握和对细分市场的独到理解;《南方都市报》是全面覆盖珠江三角洲的大型综合类日报，它体现着南方报人对党的新闻事业的责任和追求;《南方都市报》是中国影响力最大的都市类报纸，是在完全竞争的广州、珠江三角洲报业市场中成长的报纸。

有人说因为南都是南方报业集团的利润中心，所以集团总是帮这些人扛着。这看法太过肤浅。我想：中国目前完全在市场中摸爬滚打出来、能够从容面对持久竞争的报纸并不多，《南方都市报》可能是其中比较全面的一个，为什么我们不让它好好成长呢？如果《南都》这类市场成长力强的报纸都夭折了，我们以后拿什么和国际传媒集团竞争？我提出要办中国最有生命力的传媒集团，这种生命力的永续需要媒体和媒体品牌的支撑。我非常希望，《南方都市报》能把握好方向，成为中国最有生命力的报纸，不但有“最好”品质的生命力，有市场竞争战胜对手的生命力，还有包括导向管理在内的管理能力、运营机制和抵御风险等方方面面的持久生命力。

产品和市场运作都是第一流的

范以锦：我曾经说过，经历了风风雨雨，我们变得更加红红火火，《南方都市报》作为一个都市类报纸，是办得相当成功的。这主要是你们都非常努力，是因为“南都”有一个很有生命力、战斗力的创新团队，一个经得起市场力量和非市场力量锤炼团队。如今，不管是报纸的形态、对新闻的经营，还是对一些重大事件所表达的意见，都让人感觉到这张报纸在走向成熟。这不是衰老，而是影响更大主流人群、产生更深传播效果的成长。根据市场、目标读者的需求制作产品、经营产品，是南都的特色，在这方面引领全国都市类报纸的潮流。

我曾经说过，经历了风风雨雨，我们变得更加红红火火，《南方都市报》作为一个都市类报纸，是办得相当成功的。

与庄慎之谈到南都愿景，会心一笑。

庄慎之：集团社委会（管委会）一直都关注着南都的成长，您对南都一直倾注了大量的心血。南方都市报从创刊到创办日报至今已有十年了，它以一种榕树式的扩张方式从广州向外延伸，密集覆盖了小珠三角的城市群。我们现在的布局可以用一个“2 + 5”来形容，广州跟深圳，这是我们两个立足点，我们在东莞、佛山、珠海、中山、惠州这五个城市，也都成为一个扎根在当地很有影响力的一个媒体。现在日均发行量已经达到100多万，广告经营额目前是排在全国的第三。可以说，南方都市报不负集团所托，实现了“建一流的队伍、办一流的报纸、创一流的效益”的办报要求。而现在，南都需要考虑的，确实就是您所提出的“办成中国最有生命力的报纸”这一全新的要求。这与南都“办中国最好的报纸”的目标正是互为表里的。

我是这样来理解的，那就是“信念不灭，政治不倒，经济不停，发展不止”，丧失了对“最好”的追求，南都自然就失去了其生命原动力，这或者可以比喻为“自杀”；而不能实现“最有生命力”，或因重大偏差而致“他杀”，或因经营不善而致“饿死”，或因不思进取“安乐死”，这都将使“最好”成为空话。

范以锦：集团要追求社会效益和经济效益的最大化、追求集团价值的最大化。价值是现在和将来利润（效益）总和的现值，生命力越强价值就越大。从集团的角度来说，我希望《南都》是“最有生命力”的报纸，“最有生命力”当然包括对“最好”品质的追求，要不在竞争中会早早败下阵来。对读者、对广告客户来说是“最好的报纸”没错，从南都自己的角度来看也是这样。我们实现了一次次飞跃、攻克了一个个壁垒，因为我们“最好”；我们的有效发行、我们对珠三角各市专业到位的服务，我们的优势在于“最好”。最好品质的追求，激励我们不断前行，这不矛盾。我现在关心的是从人家的角度看、从整个行业的竞争态势分析应该是怎样？我们的对手们现在在做什么？南都现阶段的竞争点在什么地方？

今年是报纸的“调整”年。那些完全靠房地产广告来支撑的报纸，今年可能面临极为寒冷的严冬，《南方都市报》不全靠房地产广告，但比例还是比较大的，我们怎么应对？对别人而言是危机对我们有没有可能是机遇？还有，不少分析机构都提出：平面媒体的广告增长较小，有些细分市场甚至负增长。竞争肯定是越来越激烈了，南都的情况怎样？我们做好了准备没有？你们社务委员会要各司其职，好好琢磨琢磨。

庄慎之：今年确实是报纸的“调整”年，在今年的报业竞争力年会上有一种观点甚至说今年这种情况意味着都市类报纸的发展已经完结……但我非常同意您的“对别人而言是危机对我们有没有可能是机遇”的设想。正如南都王春芙总编辑在这个会上所阐述的观点，今年整体经营上的困难并不只是都市类报纸面临的而是所有报纸共同面对的，而且都市类报纸因为其具有更强的市场适应性，更有可能找到出路渡过难关。市场每一次“严冬”，几乎都意味着某一行业的重新“洗牌”，完成一次优胜劣汰。南方都市报对此还是有足够的准备，包括技术上的与心理上的。最大的准备当然就是近两三年来，南都已实现了它的根本转型，从一张另类的边缘的小报成了一张真正的主流大报，其社会影响力、市场根基已足够深厚，这也就确保了南都这棵榕树在珠三角市场具备了相当的抗台风能力。另一方面，南都经营方向已很全面，通俗点说不会把所有的鸡蛋都放在一个篮子里、不会在一棵树上吊死，房产、汽车、通信、3C等等都是我们的经营阵地。上半年汽车、通信运营商广告有所收缩，但南都广告经营“逆市飘红”，尤其是在对别人来说最致命的房产广告这一块，我们却取得了相当高的增长幅度。这样的一次“危机”，确实已成为我们极大拉近领先者，并抛开追赶者的一次机遇。

南方都市報

再见，英格兰玫瑰

伦敦600万人守候在大道两旁为戴安娜送葬

从集团的角度来说我希望南都是“最有生命力”的报纸，“最有生命力”当然包括对“最好”品质的追求，要不在竞争中会早早败下阵来。

而说到竞争对手，单就广州而言，今年同城各媒体都或大或小地进行了改版，新闻（特别是本地新闻）还是日报竞争最直接也是最核心之所在。而在深圳，我们则更突出地面对对手针对本报采编的“挖角”式竞争，其着眼点显然也是在新闻。这对我们一个提示就是，现阶段南都生命力竞争力的核心还是在报纸内容新闻品质上。

要进一步创新机制和盈利模式

范以锦：知己知彼，百战不殆，有了思路更要有解决发展过程中各种问题的办法。南都现在的盘子不小，但从每百万元产生利润的绝对值看，回报率还不高。这不是说你们做得不好，而是说你们没有达到行业的最高水平，肯定还有努力的空间。首先，是你们团队的能力的整合，创新能力的整合。

刚才说了，南都的团队不错，这是基于过去令人瞩目的成绩对团队的评价。要面对竞争进一步加快发展，我们的团队就要与时俱进。在都市报类我们是领先的，领先的惯性往往会掩盖创新的惰性，一定要克服。我看，都市报有些人三五年前的创业激情现在已经没有了，吃老本是很危险的；有些人看到了不足想提升一下自己，但却力不从心；有些人能力和业务水平不断提高，但面对空间的局限，最后只好一走了之另谋高就。

南都的一些人总是说成长空间不够、要平台才能留得住人。这里有两个问题你们要思考：第一，留在内部拥有空间的人是不是最优秀的？内部能不能留住最好的人？第二，要成长要发展也要有横向和纵向的比较，老是在南都干，几年就觉得自己不错了。但是放在全集团比怎样、放在全国报业甚至是整个传媒业的竞争中又怎样？对南都我是非常满意的，更希望你们班子能与时俱进，要不断吸引和留住优秀的人。人太多并不是什么优势，最重要的是让最优秀的人在竞争中脱颖而出。

庄慎之：人才、团队，是南都实现“最有生命力”的根本保障。您点到的问题确实存在，也确实困扰着我们。南都面临相当强的人才的争夺战，争夺来自其他平面媒体，更来自网络媒体。南都被业界说成是“黄埔军校”，这固然是对南都的人才培养、锻炼成效的推崇，但对于南都本身来说，显然不能完全说是好事。如何留住人才，同时这种留又不是静态的，而是有一个新鲜血液循环机制，使真正最优秀的人留下来构成我们的核心骨干团队，这是南都班子迫切需要解决的问题。我想，有几方面是必须做的：一、“理想”这面大旗一定要确立，南都的精神凝聚力、品牌吸引力在人才争夺战上具有决定性的作用，一旦我们“主流”成了“随大流”，“平稳”成了“平庸”，“成熟”成了“庸俗”（您说到的激情的消减也在一定程度上是这方面的体现），我们就算付出再高昂的物质成本都不可能吸聚最优秀的报业人才；树立“理想”的另一个层面就是应建立健康积极的企业文化，像王春芙总编常说的，拉关系钻营者、“搞搞阵者”在南都没有立足之地。二、有竞争力的报酬待遇，这一点显然不是决定性的，但会起到实质性的作用。三、空间平台的拓展：除了打造南都报系，进行品牌延伸（比如我们与深圳万用网的合作，比如整合南方体育创办周刊，比如TOP风尚的尝试），更重要的是对南都自身的团队架构、激励机制进行改革；目前我们正在拟订采编人员层级管理激励方案，拓宽原来比较单一的人才评价体系，在专业技术而不是行政官职上给予员工晋升的空间。四、淘汰机制。您提到的这点非常重要。这应是目前南方都市报人才体系的“短板”，当我们不能保证不适应南都发展要求的人离开的话，也会对南都真正需要的人才留下来构成心理上的与晋升通道上的障碍。

A06 深度（一） 南方都市报

深度 SHEN DU SHEN DU SHEN DU SHEN DU SHEN DU

被收容者 孙志刚之死

孙志刚死了

孙志刚是被打死的

万利达 malata

万利达DVD

渴望五月万利达

万利达集团有限公司

范以锦：创新是我们进步的灵魂，南都的发展进步需要体制创新、需要运行机制的创新。当然，这种体制创新是在集团内部的体制创新。游戏规则以外的东西我们不谈，你们越来越成熟，这一点把握得越来越好。集团内部的体制创新，主要是集团与都市报的管理体制的创新，怎样才能既有利于集团的发展，又有利于南都的发展。有一点必须明确，集团要为南方都市报的成长发展创造更大价值，但不等于是南都单个媒体的利益最大化。省里对资产经营的授权完成后，我们要花大力气做好这件事情。南方都市报成立“南都传媒公司”，都市报和“南都传媒”以后在一个什么样的框架和游戏规则下发展，我们会有一个科学的设计，你们也要好好考虑。我想，一定能够在集团的原则和你们的需求之间找到一个支点，这个支点既有利于激励南都快速发展，又可以支撑集团整体利益最大化。

庄慎之：非常理解。南方都市报多年的发展早已证明，没有集团的发展就没有南都的跃升，没有集团的宽松的政策与强有力的支持，也就没有南都的今天；南都的发展壮大又是集团发展的极为重要的组成部分；南都与集团的利益绝对是一体的，从这个意义上讲，南都利益最大化也就是集团利益最大化。我理解您这里的意思实际是指我们不应单方面地谋求南都团队、个人利益的最大化。虽然我们意识到，现有体制（指运营体制而非指政治体制）已逐渐成为制约像南都这样的媒体继续发展的关键因素，不过，南都班子从来都不认为谋求南都团队、个人利益的最大化是改制的途径，更不认为是改制的目的。国企体制改革，尤其是对于意识形态单位来说，不可能一步到位，不可能一味“市场化”。我们也绝对相信您说的支点肯定是存在的。

范以锦：21世纪报系的制度设计比较成功，那是因为他们从一开始就解决了这个问题。从零开始的时候，他们的经营体系就建立了现代企业制度，我不能说它是最好的，但目前来看相当不错。21世纪经济报道这几年发展得这么快，制度设计有一大功劳。南都现在的总量很大，和从零开始有很大的差别，有很大的难度。南都的这个问题要有政策的空间，更需要整个集团对这个问题认识的提高。很多国有企业改革的成功经验，经上级批准后集团都可以尝试，你们也可以提出一些建议来。不过，照搬别人的肯定不是最好的办法，创新才有出路。

庄慎之：从零开始，一张白纸才能画最新最美的图画。而我们需要这个“零点”，需要这张白纸。21世纪报系它的零点也是“脱胎”于南方周末。以南方都市报目前的规模业绩，自然是不可能“归零”的，但是，南都报系所延伸出的新的品牌、项目是否可以（或者说应该）作为“零点起步”呢？有21世纪报系的探索成功在先，我们相信集团对此应已胸有成竹。如果对南都的网站项目，对南方体育的改造能够寻求到一个符合现代传媒企业发展的体制，那对这些项目今后的发展，对南都，对集团都会是影响深远而又大有裨益的。

范以锦：依托南都发展起来的新项目，要很好地解决关联交易的问题，这需要我们在实践中大胆创新。体制的创新，肯定会带来南都盈利模式的创新。《南方都市报》和很多报纸一样，目前的发展都基于一个共同的假设：发行量的增加带来影响力的提升，影响力的提升能吸引更多的广告投放。因此，为了获得更多的广告投放，我们就不断地增加发行量、提升影响力，并为之设计了一系列的营销推广活动。在报业竞争剧烈的广州，更是你方唱罢我登场，甚至短兵相接，搞得热火朝天。这种模式搞下去，广告商不知道累不累，我想读者是肯定会累的。现在受众的信息来源是多元化的，他们需要更多的参与、更多的互动沟通，要为他们提供更新奇更专业的设计。南都这样有影响力的媒体，就是要让受众让读者自己参与设计，让他们体验使用媒体影响不同感觉，而不仅仅是被动地接受媒体的影响。

21世纪经济报道这几年发展得这么快，制度设计有一大功劳。南都现在的总量很大，和从零开始有很大的差别，有很大的难度。南都的这个问题要有政策的空间，更需要整个集团对这个问题认识的提高。

发行拉动广告的模式，还有一个误区就是广告市场无限大、发行对广告的贡献持续性稳定有效。事实上，在广州、深圳和整个珠江三角洲市场，广告总量在相当一段时期肯定是有限的，发行量的增长不一定带来广告的持续增长。现在纸张的成本那么高，发行量的增长到一定程度对广告的贡献率会越来越低，广告与发行的背离是一个我们要高度关注的拐点。在这个拐点的前面，当等量上升的发行成本大于单位区间内不断下降的广告收入时，就到了这个盈利模式的尽头。也就是说，南都这时再增加10万的发行量可能要1亿元的成本，如果这10万发行量增加后我们又不可能拿到1亿元以上的广告实收款，赔本的买卖就开始了。当然，从南都长远发展之计考虑，目前发行还得再上，而且从发展势头来看，广告还会有较大的增长。也就是说，发行拉动广告的模式还在起作用。这里我只是作为应该注意的问题，提供你们参考。

庄慎之：确实存在这个问题。南方都市报早两年提出的“有效发行”，对广告总量明显不足的区域收缩甚至限制发行，以及各种地方版本的探索，一定程度上也是基于这种考虑，有点“看菜吃饭”的意思；对于纸媒的整体发展走向，我们对此“拐点”问题确实应有充分的警惕。不过具体到南都目前，我们判断这个“拐点”还没达到，发行的上升（特别是在我们有目的强化的城市、区域）对广告的拉动作用依然是正比性的，像今年上半年，南都在广州、深圳的发行量上升了10万份，而其广告效益从七八月已开始显现，而且预计这种效应在第四季度特别是明年会更加显著；从市场竞争的角度看，南都还是一个追赶者的角色，我们和最主要竞争对手的差距是在广告额上，我们分析这种差距还是在中心城市发行量的差距造成的，随着发行量进一步迫近甚至赶超，南都将最终抢占市场的制高点。“调整年”就像是一个红灯路口，所有的车都不得不慢下来，但追赶的车恰恰可以借机最大限度贴近领先者，等到绿灯亮起，就可以利用速度优势一举超越，要说机遇，这就是最大的机遇，决战的机遇。

当然，我们也在思考、摸索其他的盈利模式或盈利途径。简单地说，报纸提价，可以有效减少因成本与价格反差造成的压力，大大增加发行收入；发行部门进行物流配送业务的拓展也是一个途径。但我们认为，像南都这样的强势平面媒体真正新的增长空间应该在“第四媒体”、“第五媒体”上，网络订户、手机报纸、电子杂志，南都优质的采编内容嫁接到新的传播方式，将在传播范围、传播时效、传播成本、盈利空间等方面带来巨大的效益期待。目前南都正加紧进行这方面的探索。

南都走向全国只是时间问题

范以锦：做报刊、做有品牌影响力的报刊是目前我们的长处，我们得心应手。我的理解，新媒体有新媒体的成长逻辑，我们的核心能力能不能支持我们在“第四媒体”、“第五媒体”的竞争中获得持久竞争优势，或者说一个集团是不是比一个媒体在进入新领域时更有优势，这值得研究。我同意你们作纵向的探索、利用网络来延伸南都的影响力。南都要用其所长，不要舍本求末。同时，我更希望你们作好充分准备、等待最佳时机，在拥有核心能力的报刊业务上进行横向扩张。从市场的总量来说，《南方都市报》走向全国只不过是时间的问题。随着时间的推移，竞争会产生越来越强烈的资源整合的要求，市场的要求又会推动政策的松动。谁都知道跨地域办报是发展的一个方向，但现在我们跨地域办报却碰到很多阻力，这主要是市场竞争还不够充分，谁都不愿意放弃靠行政垄断轻松获得的高额利润。我们进入一个区域市场总是在推动竞争，与当

新媒体有新媒体的成长逻辑，我们的核心能力能不能支持我们在“第四媒体”、“第五媒体”的竞争中获得持久竞争优势，或者说一个集团是不是比一个媒体在进入新领域时更有优势，这值得研究。

在南方都市报创刊一周年纪念会上发表讲话。

地同行共同发展；但有些人舒服惯了不愿意面对竞争，总是对南方报业、对南都说三道四。实际上，南都进入后带来了市场的繁荣，当地集团或报刊获得的利益比我们多得多，只是工作辛苦了，当然报纸的质量也提高了。

庄慎之：您对《南方都市报》走向全国的乐观预期对我们是个极大的鼓励。近年，南都逐步全面进入珠三角城市群，确实遇到了诸多非市场因素的阻力，但南都依托南方报业集团强有力支持，同时有省里主管部门的开明态度与改革气魄，取得各地党委政府的理解，得以形成今天这样的“2+5”的良好格局。其实正如您说的，这样的一种良性市场竞争的最终结果完全是多赢的。

范以锦：美国有一个《今日美国》，南都的未来不管是《今日中国》还是《南方都市报》全国版，都要有对办好报纸的不懈追求和对政策的准确把握。我想，走向全国可能有几种方式。第一种就是像《今日美国》那样直接全国发行，中国的平面媒体的广告投放特点、读者的流动性和发行网络建设水平目前还很难支持这种模式。第二种是在全国主要城市发行，除广东外主打北京、上海和其他平面媒体广告达到一定额度的城市。这个模式可以比较好地提升《南方都市报》的品牌价值，但需要政策空间和多个城市本土化的成本支撑。还有一种模式可能是比较可行的，就是通过资本运营并购几个都市类报纸、周刊，形成与《南方都市报》、《新京报》遥相呼应的市场格局。如果在五六个重点城市可以资源整合、版面共享，以后的南都报系一样可以实现走向全国的目标。

庄慎之：“中国最好的报纸”应该是也必须是全国性的报纸。第一种模式目前肯定是不现实的，第二种与第三种模式相结合会是南都考虑的方向。当然，走向全国还有一个更便捷更低成本却更易有成效的方式：借助网络。现在南都本身虽是一张地方性媒体却已具有全国影响力，网络二次传播起了很重要的作用，而我们是否可以将这种被动的、散点的传播，变成主动的、定向的传播呢？

范以锦：网络刚才已说过了。从长远来说，南都走向全国肯定要在第三种模式做成熟后，在政策许可下向第二种模式提升。通过正规或不正规的办法“走出去”并不难，好几家报纸都试过了，《新京报》的模式是光明报业和南方报业的首创，我们不搞志在参与的尝试。走出去就要打开局面，要找到我们的生存空间落地生根；要有良好的盈利能力，不是马上要赚钱，但我们绝对不能搞只会赔钱的花架子。想要成功就得分析每一个市场的特点，要研究我们南都的核心能力是什么。核心能力是带不走、学不来、偷不去的知识和能力的积累，我们在广东完全竞争的市场形成的这些能力输出到别的区域、别的市场，会不会出现核心刚性，成为我们提供本土化服务的阻力？

庄慎之：《新京报》的成功创办与良好势头已经说明，南方报业集团以及南都有走出去的决心，更有这样的实力与能力。我们也留意到也有不少失败的例子，而且问题大多呈现为"水土不服"。走出去，最重要的是实现与当地的对接，不仅是采编思想内容上的，还有经营方式上的，而且还有社会关系层面上的。

范以锦：走出去不忘本，开创新的领域并壮大自身才是真本事。走向全国是南都的目标，但当前要脚踏实地把各项工作做好。我对你们有一点小小的要求，一个为以后走向全国打下坚实基础的要求，改变《南方都市报》前几年发展的企业家风格。南都初创时期和高速发展期的班子，都带着企业家的色彩，他们很执着、很有冲劲，这在当时对传统的南方报人来说是非常难能可贵。现在我们发展了，我们走向了成熟，要像职业经理人那样提升南都。你们看看成功走向全国的广东企业，还停留在企业家初创期的很多都倒下去了，管理跟不上，很可惜啊。

南都初创时期和高速发展期的班子，都带着企业家的色彩，他们很执着、很有冲劲，这在当时对传统的南方报人来说是非常难能可贵。现在我们发展了，我们走向了成熟，要像职业经理人那样提升南都。

庄慎之："南方"两个字就是我们的"本"，这是铭刻在南方都市报骨子里的。您对班子的这个要求可不是一个"小小的要求"呀。我理解的是，当初广东的企业家"洗脚上田"，大浪淘沙，风流云散，洗脚上田只能暴富一时，洗脑上田才能成就长久的事业。也只有南都班子头脑的提升才能有南都的提升，才能给南都树立正确长远的目标，建立健全的现代企业管理制度。您提出的把南方都市报"办成中国最有生命力的报纸"最终能否实现其实正建基于此。

四　21世纪报系：打造中国最优秀的财经媒体

——与21世纪报系执行总编辑沈颢、21世纪经济报道主编刘洲伟的对话

五年前，沈颢和刘洲伟等几位年轻人把创办一份全新的财经报纸的建议书提交给集团领导层的时候，《21世纪经济报道》这样的报名还显得有些另类。要知道当时国内还很少见到起这么长的名字的报纸。

这个报名长长的《21世纪经济报道》在南方报业发展史上创造了几项第一。它是集团第一份在经营环节引进外部资本的报纸，也是第一个尝试建立相对规范的公司治理结构的报纸，同时，它也创下了第一年创办报纸第二年就实现盈利的奇迹。2003年，《21世纪经济报道》成为南方报业第四家广告营业额超过亿元的报纸。同年21世纪报系成立。与此同时，《21世纪经济报道》在国内财经类报纸市场上获得了非凡的成功，迅速确立了经济类报纸的领导地位。盖洛普进行的市场调查显示，该报的发行量、影响力和阅读率等几项关键指标都稳居国内同类报纸第一位，成为名副其实的“中国最优秀财经报纸”。2004年，21世纪报系又成功创办了一份杂志——《21世纪商业评论》。

大胆进行制度创新，报纸成功绝非偶然

范以锦： 作为一张创办才四年多的财经类报纸，《21世纪经济报道》无论

是报纸的市场地位、影响力、品牌的价值，还是实实在在的经济效益，都取得了值得自豪的成功。这成功不是偶然的，它得益于报纸精准的市场定位，得益于高质量的采编和经营，得益于高水平的工作团队，更得益于集团在创办这份报纸之初就建立的既适应市场竞争需要又符合报纸运作实际的治理结构和管理体制。

作为一张创办才四年多的财经类报纸，《21世纪经济报道》无论是报纸的市场地位、影响力、品牌的价值，还是实实在在的经济效益，都取得了值得自豪的成功。

沈颢：在办报上，《21世纪经济报道》绝对是由南方日报报业集团独立创办的一份报纸。从采编开始到形成制作，直到发行上摊这个步骤之前，涉及这些层面的无论是媒体舆论导向、新闻原则，还是人力资源、风险控制等等，都是报业集团统一规划、统一管理的。这个基本原则在筹办报纸之时就已确立，这几年在办报过程中也一直比较好地执行着，这个原则也是其他任何合作的基本前提，在操作人员的思想中也没有动摇过。

在坚持办报权归属的前提下，也就是明确了意识形态的方向与归属问题后，为了适应新的媒体竞争的市场现实，集

与沈颢一起出席2005中国品牌价值管理论坛。

团允许我们在经营上吸收社会资金，组建了一个由报业集团控股的经营公司，一方面是当时资金比较紧张，另一方面也可以将风险分散出去，当然也在进行制度建设方面的尝试。集团社长是这个公司的董事长，在由董事长领导下的董事会的部署下，以市场化的手段来经营这张报纸的广告、发行以及其它相关业务。

我个人觉得，这种按属性原则来进行媒体操作方式的改革的方法比较符合当前的具体情况，可以在很大程度上带动一些媒体的积极性，以办出更适合社会需要又符合意识形态要求的报纸。

范以锦：当时筹办《21世纪经济报道》的时候，集团家底还比较薄，还不像现在这样有较充足的现金流，单凭自己的力量，一时还拿不出足够的资金进行投资。上海复星集团找到我们，表示愿意与我们合作，共同投资创办新报纸。这对我们来说是一个困难的选择，也是对决策能力的考验，在我们办报实践中没有先例，同时面临一定的政策风险。集团一、二、三把手（社长李孟昱、总编辑范以锦、总经理钟广明）都赞同大胆尝试。社委会经过慎重研究，决定在确保集团对采编工作的绝对控制权不受影响的前提下，在报纸经营环节大胆引入战略合作伙伴，与复星集团开展合作。关于合作的方式，集团作出了两项决策，一是把合作的领域严格控制在发行、广告等经营领域，二是把合作的起点定得比较高，不是停留在资金层面上的合作，也不仅仅是业务方面的合作，而是一开始就着手探索建立一个现代公司制的治理结构。从今天的角度看，这两项颇具前瞻性的决策，从根本上奠定了《21世纪经济报道》乃至以后的21世纪报系成功的基础。

首先，牢牢控制采编，只在经营领域合作，与当前“采编与经营两分开”的文化体制改革思路不谋而合，不仅确保了党对新闻宣传工作的绝对控制权，而且有效规避了政策风险。在报业经营领域逐步放开社会资本进入限制的今天，集团在创办《21世纪经济报道》之初所进行的对外合作经营的尝试，无疑成为先行一步的成功探索。第二，我们一开始就着眼于在报纸经营环节建立以产权为纽带的公司治理结构，办法是由合作双方组成经营公司。由于办报的核心资源掌握在我们手里，办报的核心团队也是由我们组建并控制，所以合作对方的出资按照一定比例的溢价进行，在此基础上划分各自所占的股份。通过合理的股权安排，有效保证了南方报业集团对21世纪经营公司的控股地位。

沈颢：在办报和经营过程中，我们也遇到了一些相应的管理上的问题。在办报方面，我们习惯了单一的领导模式，毫无疑问，这是必需的。但在经营上，由于是公司化模式，有外来的参与者，相应而来的问题是体制内的误解，这种误解甚至表现在一些日常工作上。公司化的模式需要在管理体制上遵循《公司法》的规则，但报业集团一直遵循的是行政事业单位的管理组织系统，这两方面存在着一些原则上的分歧，有时会导致一些误解的加深，需要花很多时间协调。当然，这些暂时的困难都在被克服之中，我想摆在面前的仍然是未来的更大的挑战，更多的细节问题，需要我们更多的耐心与更多的创新。

范以锦：采取这种股份制的合作经营方式，无论是对报纸还是对集团来讲都是头一次，没有先例可依，公司的运作需要我们去探索去磨合。21世纪经济报道运营初期，的确有一些来自集团内部方方面面的不同声音，有的同志对公司的管理体制和运作模式不是十分理解，有的同志担心在经营公司运作过程中集团的利益受损。对我们来说，从事一项涉及制度创新和管理创新的工作，需要磨合是正常的，不需要磨合才是反常；有不同的声音是正常的，没有不同声音才是反常；集团内部有人担心是正常的，没人关注才是反常。关键是我们走的路子正确不正确，我们的工作有没有失误。如果我们方向走对了，在探索中前进，总能够达到目标。因此在21世纪经济报道办报和经营过程中，从前任社长李孟昱到我以及集团社委会一班人从来没有停止过对报纸的支持，从来没有失去过对我们办报和经营管理团队的信任。集团内部的疑虑往往在集团社委会层面就被解释清楚了，集团内部可能产生的矛盾，我们也及时加以解决。

我们认识到，既然要组建经营公司，就要按照公司法以

关于合作的方式，集团作出了两项决策，一是把合作的领域严格控制在发行、广告等经营领域，二是把合作的起点定得比较高，不是停留在资金层面上的合作，也不仅仅是业务方面的合作，而是一开始就着手探索建立一个现代公司制的治理结构。从今天的角度看，这两项颇具前瞻性的决策，从根本上奠定了《21世纪经济报道》乃至以后的21世纪报系成功的基础。

及现代公司管理体制的要求，建立起相互合作、相互制约、利益共享、风险共担的治理结构，在公司内部形成产权明晰、责任明确、政企分开、管理科学的运作机制。就像生孩子，我们与不同所有制的其他社会资本联姻，是要生出一个聪明健全的混血儿，而不是生一个缺胳膊少腿或是四不像的怪胎。事实证明，这种合理的制度安排，给日后报纸乃至报系的健康运营创造了条件。反观在21世纪经济报道这个合作项目开始的前后，南方体育也在进行与另一家公司的合作。为什么21世纪经济报道成功了，而南方体育的合作项目则遭受了挫折？成功与挫折当然有外部市场环境和内部资源等各方面的原因，但两者在治理结构和经营机制方面的差别，无疑也是其中的原因。在21世纪经济报道的对外合作中，我们设计了良好的制度安排，为报纸经营提供了充分的保障和必要的制约。而在南方体育的对外合作中，良好治理结构的缺失，导致报纸采编和报纸经营一条腿长一条腿短，最终使合作双方都蒙受了损失。

报纸四年磨合路，细节决定竞争力

范以锦：《21世纪经济报道》创刊之初，当时财经类报纸市场上我们的竞争对手对这份新出现的报纸似乎还不太放在眼里，而仅仅过去不长时间，我们就把对手抛在后面。《21世纪经济报道》已经成为中国内地财经类纸制媒体的领跑者。从各方面的反馈来看，其影响力、覆盖率乃至市场份额都在同类报纸中居于领先。这一成绩大大出乎集团领导班子的预期。这与报纸的高水平的采编和经营是分不开的，从组建采编队伍、建立规章制度、理顺工作程序，一直到具体的新闻操作，把工作做得有声有色。《21世纪经济报道》善打长标题，与刘洲伟有很大关系，有些标题就出自刘洲伟之手。虽然一开始长标题在业内引起一些争议，但其中体现出一种冲劲和锐气，坚持下来，效果还是不错的。当然，我并不赞同报纸都打长标题，我只是说《21世纪经济报道》善打读者喜欢的长标题，如今该报的读者对这种长标题越来越顺眼，长标题也成了这份报纸的特色之一。

刘洲伟：在办报过程中，我们从每一个细节抓起，力争是报纸一开始就与众不同。从报纸的内容建设上看，创刊初期我们主要做了几个方面的工作。一是组建编辑团队，整合编辑力量，初步形成了强有力的编辑团队；二是组建采访网络，调整并加强各采访区域的人力资源优势，构成了一个比较成熟的采访网络，对竞争对手而言就是行业壁垒；三是细化流程管理，解决了采访与编辑管理问题，并实施目标管理法，记者根据稿件的质量数量打分，编辑根据版面的质量打分，完善采编激励与约束机制；四是构建企业文化，总部与各区域中心一直努力创造充满活力的业务氛围，强调个人价值与团队的双赢，加强团队凝聚力与向心力，培养强势的价值观，并发挥个体的创造力。

在制度建设方面，完善了采编评估系统，对稿件从选题、采访、写作、影响力四个方面进行综合评估，又将选题的评估标准细分为：时间性、来源、质量，采访的评估标准细分为：困难度、专业性、采访源，写作的评估标准细分为：逻辑、文字、平衡性，影响力的评估标准细分为：转载率、美誉度、认同度。其中，采访源指对事实进行求证的多元化程度，平衡性指在写作上规避风险的安全措施与文字技巧，美誉度指在新闻业界的反馈；认同度指在被报道专业领域的反馈，另外，我们还完善了新闻中心记者选题开发机制，同时明确了出差审批制，从根本上解决了新闻题材的质量与成本之间的关系。

在采编方面，有效信息结合商业逻辑的模式，这是《21世纪经济报道》的报道思路。我们崇尚新闻至上，允许记者在采编上花很大的成本。“挖新闻就要挖到底”是我们的新闻报道理念。在这种理念的指导下，《21世纪经济报道》时常以连续性、追踪式的报道在业界引起关注。除批评性报道外，还有大量的建设性报道、探讨行业规律和企业本身成长方面的东西，这部分的分量也不少。这些高水准的财经新闻使《21世纪经济报道》创刊初期就迅速在市场上占据主动，地位迅速上升。

范以锦：业内人士经常对我说，有一个问题他们想不明白：《21世纪经济报道》的总部在广州，而中国经济的中心在北京和上海。为什么一个总部设在非全国经济中心城市的财经类报纸会取得如此的成功?《21世纪经济报道》在京沪地区有大量的记者，报纸究竟是怎样对其进行有效管理的? 我告诉他们,关键原因在于我们探索出了一套有效整合京沪穗等地新闻采编资源、进行远程采编管理的成功模式。

刘洲伟: 报纸创立之初我们就组建了北京、上海、广州三个大型采访中心，成都、深圳两个区域采访中心，昆明、杭州、南京、重庆、长沙、西安、大连等八个记者站。采访中心实施中心主任、记者站站长负责制，向主管副主编负责,它实际上类似于分公司负责人的角色。由于地缘与人力资源架构上的因素，新闻中心与编辑之间的沟通是一个必须解决的大问题。

我们采取由纵向的版块责任编辑和横向的区域采访中心小组所构成矩阵式管理架构，与每个版块的责任编辑相对应的，是各区域采访中心的小组，比如综合版块对应各区域中心的综合组。版块负责人与各采访区域负责人密切沟通，每个选题要得到两位负责人的双重批准、监控。并实施目标管理法，对记者根据稿件的质量数量打分，编辑根据版面的质量打分，由此确定激励标准。每周一次编前会，解决每周的具体工作。在此基础上明确了各新闻中心与广州总部编辑中心之间的关系，细化了管理流程。

在编辑方面，明确了业务链模式，明确了编辑、版块负责人、分管编委、主编、总编之间的业务关系，明确了广州总部版块负责人与各新闻中心小组之间的业务对接关系。

随着采编业务的顺利开展，我们以北京作为重要平台，加强北京与广州之间的骨干对流，主编长期在采编前线，探索远程管理的模式，吸纳北京丰富的人力资源，寻找风险规避与解决之渠道，尽可能加强对新闻源与舆论场的控制力与影响力。

范以锦: 2002年底,《21世纪经济报道》根据财经类报纸市场需求与竞争环境的变化，提出由周刊改为周二刊。周刊与周二刊是两种不同的报纸形态，具有不同的运作规律，对报社内部各种资源也有着不一样的需求。当时，正值国内财经类报纸市场上我们的一个竞争对手周刊改周二刊失败,重新缩回周一刊。集团社委会研究时，有人对《21世纪经济报道》的扩刊方案也提出了疑问。经过慎重研究，我们认为，国内财经类报纸确实存在每周两刊的需求，就看我们有没有魄力大胆扩刊。竞争对手之所以扩刊失败，我想不是因为市场上没有对周二刊的需求，而是别的原因。他们退回去了，正好给我们提供了扩刊的机会。因此我们同意了《21世纪经济报道》的扩刊方案。事实证明，运作这份报纸的年轻人又一次成功了，不简单。

刘洲伟：我们从周报扩大为一周两期，改变了中国商业报纸的竞争规则。2003年上半年，我们的工作重点在于面对一周两期的转折作出相应的调整，理顺整个采编业务流程，探索感知周二刊的市场规律，下半年的工作重点在于寻找周二刊的比较优势并强化执行力，确立财经媒体领导者的行业地位。采编规模的数量对管理提出了挑战，经过半年磨合，我们总结出一套“大盘”操作的模式，这为以后21世纪报系的扩张奠定了人力与组织的基础。在此条件下，2003年底我们对报纸形态、内容架构作了重大调整，增加了政经版块，强化评论版块，2004年以来又增加了多个新闻版块，同时以“全面提升品质”为目标，大力推广“新闻精细化”运动，在新闻写作、版面语言、编辑手段等方面大胆改革、大胆创新，对现有的版面形态作出调整，增加时效性较强的短新闻的比例，力图在专业性、权威性、国际化方面有新的突破，成为新主流媒体或新权威媒体。

21世纪报系为何能够取得成功，主要的原因有三条：一是在经营中坚决以市场需求为导向，二是有一个充满活力勇于创新的队伍，三是有一套相对科学合理的内部机制。

新闻中心根据周二报的需要，不断完善管理架构，加强内部人力资源的整合，确立以小组为基本业务单位，以部门为基本管理单位的管理架构；重新梳理选题开发、风险把握、品质控制的各个环节，进一步加大对外资源的开拓。除继续发挥企业资源优势外，还加大和监管部门以及政府部门的沟通，为选题开发和风险把握起到了重要作用。在队伍建设方面，加强人才的吸纳与培养，定员定编，加强机动记者部的力量，在记者资源的使用上力求有效控制、灵活调配。在人员配备、新闻资源整合方面着重于北京战略要塞，通过管理创新来改变目前的劣势。继续通过编辑部前移解决新闻源的触觉与控制问题。

经过两年来的探索实践，《21世纪经济报道》走出了一条打造中国最权威的财经类媒体的成功之路。

充分整合资源，不断增强报系实力

范以锦：2003年集团在《21世纪经济报道》的基础上组建了21世纪报系。成立报系就是为了利用好《21世纪经济报道》创办发展过程中培育起来的核心能力，充分整合内部资源，把《21世纪经济报道》的品牌影响力充分发挥出来，滚动发展，在中国财经媒体市场上培育出更多的优质品牌，为集团的多品牌发展战略做出贡献。

沈颢：我们是集团里第一家被规划为"报系"的单位，但"报系"是简单的媒体组合吗？当然不是，在我们原先的策略中，最核心的思想是最大限度地合理设计与配置资源，使资源的使用效率最大化。21世纪依据集团的基本要求以及报系自身的资源累积情况发展，相对比较灵活，但有一条基本指标要遵循，那就是市场的需求情况。因为财经类媒体成为主流强势媒体种类的时间并不长，市场被开发出来后本身也有一个稳定与成长过程。我们的策略是，一方面紧盯市场成长性，另一方面，希望开发新的品种，寻找新的市场空白或空缺。也许，在某种时候，后者会带来更大的机遇。成立报系后的2004年，我们又推出一份财经杂志《21世纪商业评论》，这本杂志的定位是"商业思想家"，讲究行而论道，希望起到一个"脑库"的功能，关注本土实践，传播国际理念，提供关于全球商业的洞见、创见和远见，推动中国商业精神的成长和成熟。

范以锦：21世纪报系是南方报业旗下发展势头最好的报系之一，报系近年来的工作，集团总体上是满意的。21世纪报系为何能够取得成功？主要的原因有三条：一是在经营中坚决以市场需求为导向，二是有一个充满活力勇于创新的队伍，三是有一套相对科学合理的内部机制。这三条是集团经营21世纪经济报道的成功经验，也是21世纪报系最重要的资源、最核心的能力。只要我们不断强化、深入整合并充分发挥这些核心能力，21世纪报系必将在财经媒体市场上取得更大的成功。

第三章

在竞争中成长，在博弈中共赢

一　珠江经济潮激发报业扩张冲动

“经济基础决定上层建筑！”我40多年前在暨南大学念的是政治经济学，当时这不过是一个基本常识，书本上这方面的论述，也是非常熟悉的。在报社的领导班子里20多年，目睹和参与南方报业发展的决策。此时此刻，回顾广东改革开放这20多年的历程，再对照一下“南方报业”的兴衰成败，令我感慨的是：报业的发展最终还是与“经济基础”有关。这种感觉和念书时不一样，在实践中检验并积累下来的深刻认识，不断地激励着我们学习经济领域、商业领域的成功案例，在报业、在传媒业进行探索和创新。

广东经济的发展、珠江三角洲的经济崛起，始终推动着这个区域的传媒业，特别是平面媒体的发展。首先，珠三角经济的发展，为媒体提供了大量的报道素材。作为改革开放的先行者，广东在方方面面的试验颇受全国关注；而善于反映这些事件、人物和细节的媒体自然就有了很大的发展空间。第二，珠三角物质的富有推动人们文化品位的提高，拓宽了平面媒体发行渠道。第三，珠三角企业的发展，为媒体提供了大量的广告；同时，由于珠三角经济发展、消费能力上升，为抢占珠三角市场的产品和服务广告，也投向了媒体。发展带来了广告，广告发展了媒体。还有一种往往被忽视的贡献，珠三角经济对媒介发展最重要的贡献实际上体现在经营和发展的思路上；经济领域、企业的成功经验，给了传媒很大的启示。

创新能力：勇立改革创新潮头

中国的改革开放从珠江三角洲开始，是一步一步推进的。珠三角最开始是靠近香港的深圳和珠江口的几个城市，香港、深圳辐射带动了东莞、中山、南海、顺德所谓的四小虎的发展。中山、东莞升格为地级市后，南海、番禺、顺德又有了“南、番、顺”一说。这个时候，人们对经济、对改革的关注停留在区域上，政府也在不断推动着珠三角区域的放大，增强着经济辐射的强度。

当经济发展区域梯度推进后，我们开始关注着整个珠三角的产业升级，特别是制造业的一步步升级。20多年前风行全国的，除了所谓的“水货”（走私货）外，首先就是“珠江水、广东粮”。当时，我们有了被称作能为中国女排夺得“三连冠”产生贡献的“魔水”健力宝，还有一大批汽水厂、饮料厂到处开花，大大小小的饼干厂也比比皆是。很简单，生活水平提高了，饮料饼干就端上来了，根本是要满足广大人民群众的生活需要。这个时候的产品大量是香港市场的消费品，技术含量不高，把厂房搬进来就行了。很快，这些东西就衰退了；因为没有核心技术，运输成本又高，其他地方也学会了、搞起来了。在1983、1984年和饮料厂饼干厂一起创业的这群小老板中，有人搞起了一些小作坊式的电子厂、电器厂。开始是为日本收录机的组装配件的生产线，后来有了我们自己的电风扇、电饭煲、洗衣机的生产。这一点珠江口西岸比东岸成功一点，出了几个当时全国第一的企业。随后又是冰箱、彩电、空调等行业的发展。90年代中后期，区域产业发展大都多元化，人们这时才把目光投向了一个个企业，开始关注技术创新对企业成长发展产生的巨大作用。

和关注经济的焦点由大到小相反，人们对报刊媒体的关注是由小到大的。因为80年代初，很多地市报、行业报还没有发展起来，就那么几张报纸在珠三角，人们首先关注的是新闻事件，新闻的表现手法如文字特色、标题制作及新闻图片等。由于电视还不普及，交通通讯也不发达，报纸上的一篇文章就像女排的“魔水”健力宝一样，用当时的速度来说可以很快传遍天下。和“珠江水、广东粮”一样最初迅速发展的动因一样，更能够满足读者生活需要的晚报、周末报开始发展起来，成为那个年代人们生活方式的一部分。社会新闻大量来自社会生活，经营社会新闻没有特别的核心技术，晚报和周报就从电视迅速普及的“产业升级”中分化了，晚报天天出，集中了更多的社会新闻，而周末报一周出一期，出现了更多有思想、有深度的稿件。就像传统技术的改造不可能阻挡新技术革命一样，都市类报纸、专业的财经类、时尚类报刊随后又陆续兴起，各领风骚三五年。在这些报刊媒体发展的背后，我们可以看到一些产业升级和技术革命的影子：都市报的崛起，是信息产业的升级，伴随着都市报兴起的是手机和短信的大量使用，原来晚报、周报关注的新闻，人们用新的通信手段一下子就获取了。专业类的财经类报纸，是在中国经济发展到一定程度、经济运行规律和企业成长更受到人们关注时兴起的；同时，互联网海量信息又使一些特殊人群有了专业财经新闻、本土商业运行分析的需求。经济和技术的发展，决定着传媒业发展的方向和路径。

产业升级不可逆转，报纸的发展更替也有其内在的规律。产业发展，升级的背后是拥有更新的技术能力和追求更高的产品的附加值。从食品这类日用消费品，到洗衣机之类的耐用消费品，再到一些高档的家庭生活用品，技术含量在上升。当然，价值也在不断上升。报纸的发展更替规律，变更的动力来自两个方面：读者阅读需求的变化和广告商（广告主）对影响力及其准确性要求的变化。当然，归根结底是读者的变化，读者细分市场的变化。晚报和没有改革创新的大型日报，受众都是非常广泛的，追求越多读者越好。而都市报的兴起则是给读者进行了细分，包括都市和非都市的细分，一个都市和另一个都市的细分。办得好的都市报都满足到读者这两种细分的要求。财经类、时尚类报刊的兴起，更多的是经济的发展，读者群的形成和广告主的需求共同推动的，他们的阅读习惯、阅读爱好没有多少变化，主要是他们在专业化或个人关注焦点的专业化上有了强烈的要求。

技术革命是新技术的运用对整个行业、整个产业带来的革命性推动。我们不能用传统的方式去想象、判断甚至对抗技术革命和产业升级。产品有生命周期，产业有兴起衰退，更何况传媒？我们说勇立改革创新潮头，就是要勇敢地面对报刊媒体的兴衰更替；因而靠一个媒体，或用一个媒体的思维和经验去思考、判断传媒业的发展趋势是很危险的。珠三角放弃了“广东粮”搞起了电冰箱、洗衣机，放弃了洗衣机发展了电视机、VCD，放弃了VCD开发了手机、数字通信……把握改革创新的潮流，始终领跑市场；沉醉于某一产品、某一产业、某一媒体现有的利益和历史的辉煌，最终必将被市场抛弃。

创新，是一个永恒的主题。创新，能创造价值。“创新”是经济学家熊彼特提出的一个经济学概念，指一种生产过程，这种生产过程具有商业性目的，是抢占或保持市场、追求经济效益的一种手段。后来，“创新”概念被引入管理领域，并加以进一步发展，由技术创新和产品创新扩展到知识创新、管理创新、制度创新等诸多方面。创新能力是运用已有的基础知识和可以利用的材料，并掌握相关学科的前沿知识，产生某种新颖、独特有社会价值或个人价值的思想、观点、方法和产品的能力。报业的创新包括新闻层次的，报纸版面和报纸制作的产品创新、媒体的采编发行广告联动运行的体制创新。当然，报业集团成立后，又有了集团层次的报业创新。总之，把握经济社会发展的脉搏，利用知识和技术创新力量，不断推动新闻、媒体和报业的创新，我们才有出路，才能立于不败之地。

我们说勇立改革创新潮头，就是要勇敢地面对报刊媒体的兴衰更替；因而靠一个媒体，或用一个媒体的思维和经验去思考、判断传媒业的发展趋势是很危险的。

市场意识：脚踏实地走向全国

广东人实在，广东企业是脚踏实地走向全国的。最初，广东没有京津沪大城市的工业基础，也没有东北和三线地区的工业布局，更没有江浙商业文明的沉淀，洗脚上田的珠三角农民，实实在在地从自己产品的品种开发和产品的质量把关上，开始了自己实业发展的道路。做锁头的中山小榄人是这样，旁边搞灯饰的古镇人也是这样。产品的品种多样化了，产品的质量过关了，他们把目光投向了全国，投向了一个个区域竞争的市场。“爱多VCD”那年刚刚夺得“标王”的时候，请我和李孟昱、杨兴锋去看了看。说实话，这帮年轻人当年做区域市场还是做得很精彩的，一个省一个省地拿下来，有些章法。

外地人评价广东人务实，广东企业确实是实实在在一步一个脚印发展起来。企业界的这种文化，也影响着传媒业的运行和发展。我们的主产品《南方日报》，从来都没有放松对产品品质的把握。我在做总编辑的时候，提出了三大拳头产品的概念——深度报道、典型报道和批评报道，这三大拳头产品是《南方日报》的质量保证，是《南方日报》当时的独特优势。南方报人1984年创办《南方周末》的时候，主要是认为单靠一两张报纸难以满足读者日益增长、变化的阅读要求，这就是产品品种多样化的意识，最根本的原因是市场，是读者的需求使然。《南方周末》是一个全国性的周报，在一大帮办报精英多年努力，报纸的质量、风格不断提升后，它走向了全国市场，发行、印刷有了全国的布局，广告也瞄准了全国一个个区域的市场竞争。《南方周末》把记者站设到了北京、上海、四川等地，分印点有好多个，广告经营区域化。《21世纪经济报道》一起步就跨出了广东，一开始就把竞争的重点放到了北京、上海，做得非常成功。

市场竞争最激烈的，应该说还是我们广东的中心城市广州、深圳。《南方都市报》在广州的崛起，其实是运用了一种市场追随者的策略。当南都在广州刚刚起步的时候，自己的个性很张扬，但市场的领跑者没有把它当一回事。《广州日报》在“香港回归”前一系列策划后，变得非常强大；虽然全国的晚报在上世纪末的最后几年呈现出明显的衰退，但那时的《羊城晚报》还是比较强大的。南都和《信息时报》、《新快报》原来的差异并不大，但它扮演了一个《广州日报》的追随着的角色，先确立了自己在市场中第三的位置。然后，在一系列的策划、营销中把目标确定到争“亚军”上，这样一步步进军，瓜分到了广告市场第二大的份额。南都和《广州日报》之间，没有进行任何公开或私下的合谋，甚至有段时间还有些不愉快的摩擦，但市场让他们产生了一段时间的默契；应该庆幸的是之前的两个寡头也没有形成联盟封杀南都，这为南都提供了短暂但非常有利的成长空间。《广州日报》对《羊城晚报》,《信息时报》对《新快报》的竞争格局，客观上是有利于南都的成长，这就是区域竞争。当然，现在的格局已经完全变了，当时的假设对现在已经没有意义了，这就是市场，应该说还是比较简单的报业市场。广州地区三家报业集团的领导都是老朋友，既是竞争对手，又是同行兄弟。我这种“马后炮”的看法，对当时的竞争和各个媒体没有任何其他意思，也不希望引起大家的误解。

到了深圳因为市场竞争的态势不一样，南方都市报的角色也变了。这时，南都更多扮演的是原有的市场竞争秩序的颠覆者。深圳的报业市场，当时主要是两家强势报纸。《南方都市报》进入深圳市场，令深圳市的读者眼前一亮。南都好像就是为他们这些年轻的都市人订制的报纸，它的内容和版式令深圳人爱不释手、津津乐道，报摊上的《南方都市报》卖疯了。可能是这种架势和南都张扬的个性刺激了一些人，他们坐不住了。面对竞争，面对原有秩序的颠覆，深圳报业同行不可能不出招应对。如何应对？如果按照我们机关、事业单位或者说老国企常用的招法，无非是行使垄断的行政权力，或希望通过上级的力量，把竞争者从自己原有的地盘上挤出去。来自改革开放最前沿的深圳市委及其有关部门、广东省委宣传部和中央有关部门，显然不可能成为这种非市场竞争的“保护伞”。深圳报业当然也没有把希望完全寄托到这种简单的“挤压”上，毕竟深圳是中国市场经济最发达地区之一，市场的手段，这个时候被传媒人运用起来了，真正意义上的区域市场竞争开始了。报纸销售渠道是报纸价值实现的重要过程，是报纸的生命线。南都在深圳以零售为主，控制零售报摊的报刊发行局和报业的某些力量联手向南都发难。这个事件是市场与某种行政力量共作用产生的，南都和南方报业集团也用了市场与行政的合力化解了它。聪明的深圳报人终于找到了更好的办法——让市场说了算！深圳报业面对南都的进入，面对南都的颠覆，深圳《晶报》、《深圳晚报》被大力扶持发展起来，与南都进行全面的竞争。在这两个报纸的

外地人评价广东人务实，广东企业确实是实实在在一步一个脚印发展起来。企业界的这种文化，也影响着传媒业的运行和发展。

品质大幅提升的同时，非常有效地占有市场份额。市场的竞争，最后必须靠市场手段去解决。我非常佩服深圳同行最后明智的选择，也预感到南都以后要在深圳进一步发展，将面对的区域竞争的剧烈程度。现在回头看深圳当年的竞争，南都可能是新的市场竞争秩序的创导者，但得益更多的是深圳同行，竞争使他们的能力大幅提升。同时，得益更多的，是拥有更好报纸选择权的深圳读者和深圳的广告客户。至于是什么原因促成了深圳两大报业的整合，出现了强大的深圳报业集团，这与南都等外来报纸的进逼有无关系，这就不得而知了。

品牌营销：从制造产品到经营价值

市场是“无形的手”，供给、需求、价格等因素在调控着市场。报业市场也不例外，报社或者是报业集团，是报刊媒体产品的生产者和经营者。而这个产品的消费者，是读者和广告客户。供给和需求的关系决定着价格，这个价格是消费者对媒体产品的评价，它决定着报纸自发购买的零售销量和广告收入的水平。与市场竞争意识同时成长的，是广东人的品牌意识。市场营销是个人和群体通过创造并与他人交换产品和价值，以满足需求和欲望的一种社会和管理过程。营销的精髓就是在消费者心目中建立品牌。

广东人的品牌意识很早，有着400多年历史的“陈李济”，就比“同仁堂”早了几十年。还是在十几二十几年前，珠江口东西岸就有品牌之争。东岸的东莞，靠“三来一补”企业迅速发展起来。虽然很多都是小作坊，一户人家里在香港的亲戚接来加工毛线的单，就在五层小楼的一二楼排开几排缝纫机，住三四楼的工人就日夜开工干。虽然说加工的牌子天天在变，但赚来的票子却源源不断！住五楼的一家，日子就是这样一天天殷实起来。而在珠江口的西岸，广东经济重镇佛山，历史上工商业发达，有很强的品牌意识。像我们这些还分到公房的人，对佛山的“鹰牌”、“东鹏”两个陶瓷品牌就有很深的印象，这两个品牌质量好，价格也比其他牌子高。从佛山开始，以北滘、大良、容奇和桂洲（现在已合并为容桂）一线，形成了一条电器工业的走廊。这个工业走廊里顺德人搞的电风扇、电饭煲，以至后来的电冰箱、空调等等，都非常注重品牌建设和品牌管理。良好的品牌形象，使顺德电器创造了一个又一个销售奇迹。

顺德人醉心于品牌，是因为他们看到了品牌对产品和服务本身价值提升的贡献。OEM式的产品生产挣的只是工钱，品牌营销带来的，是丰厚得多的回报。但是上世纪80年代、90年代以后，我们的一些现代化的企业品牌做得不是特别好，主要是底气不足。到了现在，TCL、中兴通讯、华为这些品牌还占据着全国同行相对领先的位置，但似乎更多的是一种企业的成就，而不是产品本身的地位。华为的品牌价值管理就很成功，当然，比“宝洁”来说，可能还有一定距离。我有时在想，可能是因为“宝洁”就在我们身边的缘故，有些品牌显然成功地国际化了，但我们还是觉得它不够强大，因为我们参照的是“宝洁”。

媒体理应得到社会与公众的器重，应该特别注重品牌建设。媒体要有品牌优势，才有更大的公信力、影响力。2002年10月，我在深圳作了《国际化背景下的多品牌媒体发展战略》的演讲，提出了媒体品牌的概念，中国传媒业进入了打造品牌、经营品牌和重视提升品牌价值的不断发展阶段。报刊媒体像企业经营产品和提供服务一样，根据媒体的发展战略制订和实施品牌战略。媒体从打造品牌入手，在媒体运营过程中尝试着经营媒体的品牌。在提升品牌知名度、美誉度的同时，媒体着手利用品牌影响力推销媒体本身，特别是推销广告版面和广告策划项目。品牌在消费者心目中有了忠诚度，就可以为产品和服务产生增值。因此，成熟的媒体或报业的品牌战略，是品牌管理和品牌价值提升的战略。

媒体的品牌和广东企业产品的品牌一样，有的长盛不衰，有的昙花一现。广东的媒体品牌发展最快的时候，到处都冒出报纸、杂志来。有地方的、有行业的、有团体的，但有的很快就在竞争中被“洗”掉了。有一些虽有点历史有点基础的媒体，因为生存空间的变化，品牌也消失了。广州地区的报业集团，都有这种媒体品牌。我们的《花鸟世界报》就是没有很好的生存发展空间，把它转掉的。《粤港信息报》、《海外市场报》，本来都是不错的品牌，但都被淘汰了。与珠三角的产品一样，品牌的树立、品牌的识别没有问题，做得不错；问题出在了品牌管理和价值的提升上。品牌资产包括品牌忠诚度、品牌知名度、品牌联想、心目中的品质和其他独有资产，在适应市场变化的同时不断提升品牌的价值，才能使品牌具有更加长久的魅力。《南方周末》就在中国报业一纸风行了20多年，它的媒体品牌价值，就能够随着市场的变化而不断提升。《南方周末》的影响力是全国的，国际报业同行也非常关注，国外一些学者甚至把它的表现作为观测中国新闻舆论环境的一个依据。《南方周末》有一批忠实的读者，一批有文化有品位并在改革开放中成长、成熟的读者。《周末》在消费者心目中的品质相当高，它在知识分子中的品牌联想也是非常深刻的，它体现着他们对中国社会进步的责任与追求，同时也隐含着他们人生和事业的曲折进程。这是一种认同，更是一种价值的追求，《南方周末》长盛不衰，就是很好地管理和提升了品牌的核心价值。

体制改革：打破壁垒和垄断

在品牌逐渐树立起来后，广东人开始了跨区域的扩张，开始了驾驭资本的神奇。我们知道，推动最近这一轮发展的根本动力是体制改革，以建立现代企业制度为核心的体制改革。广东的企业办到了吉林延边，办到了新疆、西藏；广东人不但自己跑到人家那里去，还把人家好的也搬过来，四川长虹的出口生产线就被搬到广东来了。除了跨地域和全国市场的经营外，资本运营成为人们关注的焦点。TCL上市后，它的管理层有一年的分红就有两三千万，这让人们从国有企业的经营中发现了一个新的盈利模式。国内A股上市的多，从境外资本市场传回来的故事也逐渐多起来。一大批红红火火的背后，一大批的清算、破产也出现了。这时，转制、并购、国有股权转让的国际招标，一波接一波的新浪潮令传媒眼花缭乱、不知所措。想学又拿不准主意，不知哪个好哪个差哪种最适合传媒；想清楚了下决心选了一个学习的榜样，忙了老半天发现最根本的体制问题还没有解决，关键的东西怎么也学不来。

现代企业制度是指符合社会化大生产特点，适应市场经济体制需要，体现企业成为独立法人实体和市场竞争主体的要求，在国家各种特定法规的规范和约束下，企业具有独立的财产权利和责任的一种制度，是现代市场经济中企业组建、管理、运营的规范的制度形式。现代企业制度不是企业经营管理的具体制度，它是企业存在的制度形式，是企业资产的组织方式制度，主要表现形式为股份有限公司和有限责任公司。建立现代企业制度，实际上是按照现代制度要求进行企业制度特别是资产组织运行的制度方式和与之相适应的系列结构和制度的改革。现代企业制度与传统的工厂制企业制度区别在于：产权清晰、权责明确、政企分开、管理科学。

有人说广东媒体能有今天的发展，是因为广东是传媒特区。我不大赞同这种观点！深圳特区的发展带动了整个珠三角的发展，整个珠三角的发展又大大地推动了广东传媒的发

在适应市场变化的同时不断提升品牌的价值，才能使品牌具有更加长久的魅力。《南方周末》就在中国报业一纸风行了20多年，它的媒体品牌价值，就能够随着市场的变化而不断提升。

广东省省长黄华华任广州市委书记时，向作者介绍广州社会经济发展情况。

展。但是，广东并不是传媒特区，没有一项中央的政策广东的传媒是可以特殊执行的，没有一条宣传禁令广东是可以网开一面的。如果说广东报刊媒体这几年发展得好一点，那是我们的传媒人特别爱学习、特别爱思考，特别善于把握经济领域的成功经验的缘故。当然，也与广东和谐的宣传舆论环境有关，首先来自领导思想的解放，第二是因为经济发展提升了群众的判断能力，第三是靠广东广大新闻从业人员开拓创新。最近两年全国报业同行都在探索体制改革，广东不是有什么特殊政策，而是在大量企业成功的示范下，有了更强烈的建立传媒运营的现代企业制度。报业集团建立现代企业制度，就是按照现代企业制度的要求进行企业制度的改革，包括资产组织方式、所有权与经营权分离以及治理结构设计等等。我们已经完成或正在进行的改革——财务委派、集团公共架构和报系架构的组织设计、集团成立公司转制，实际上都是在建立现代企业制度。从形式上说，集团建立现代企业制度，就是要成立产权清晰、权责明确的有限责任公司或股份有限公司。

2003年11月11日，南方报业和光明日报报业集团合作，在北京创办《新京报》，开创了中国跨地办报的先河。我们和光明日报能够愉快合作，《新京报》能够在北京站稳脚跟，办出我们的特色和风格来，应该说是现代企业制度起了很好的作用。新京报的广告发行是企业化经营，试探性地建立了现代企业制度，保证了“南方”和“光明”的合作。

尽管报业目前还是垄断行业，市场还不是非常完善，但是，市场的魅力正在显现。我们顺应市场的竞争，用市场的手段可以调控市场，可以赢得竞争。如果我们毫无市场意识，那可能会受到市场严厉惩罚。这里还要强调两个问题：市场区域和垄断地位。现在我们报业的市场，是用行政手段划分的。市场竞争的目的之一，是实现资源的流动和整合，行政手段划分的市场区域，给淘汰的流动整合制造了一个个壁垒，这种壁垒肯定会随着竞争的进步和推进被一个个打破，在行政壁垒下的所谓竞争优势，不可能成为某一个报业集团持续发展的根源。在行政壁垒下靠行政手段获得垄断地位，现在看起来非常风光，但它不可能长久。多少国企一败涂地，就是不适应竞争。我们要做强做大文化产业，巩固文化阵地，靠行政垄断肯定不行。从行政垄断走出来，可能会是完全竞争，在完全竞争的博弈中慢慢产生几个寡头，寡头发展后获得垄断地位，这种市场竞争中获得垄断地位可能更能够面对国际传媒的竞争，更能履行我们的使命。

到了2004年12月，“北青传媒”在香港上市，在全国的传媒业界引起了一股资本运营风。可以到国外去融资的报刊媒体可能不多，国内A股IPO的时间最少三年，而且“指标”不容易争到。一位领导同志在一个讲话中提到，上市的过程不仅仅是为了上市，其根本目的就是要建立现代企业制度。脚踏实地的广东传媒人，肯定是以最具他们风格和个性的方式，以建立现代企业制度为根本目的，展开各具特色的资本运营。其他兄弟集团的想法我不知道，但我们南方报业肯定不能坐失良机。我们要推动集团公司的改制，在成立南方报业传媒集团并完成省的资产经营授权后，尽快引进战略投资者，把集团的事业做强做大。

作为集团，有责任根据传媒产业发展的特征，推动媒体不断创新，并不断创新媒体赢得竞争；作为集团，应该引导媒体顺应市场竞争，用市场的手段赢得市场；作为集团，要管理和提升集团品牌价值，形成完善的集团品牌家族管理结构，为媒体产品的市场竞争提供差异化优势；作为集团，一定要把握政策和市场的变化，整合集团的资源，在适当的时候推进体制改革、实施整体突破。

让我们锐意创新！让我们直面竞争！让我们提升品牌！让我们从容突破！

广东并不是传媒特区，没有一项中央的政策广东的传媒是可以特殊执行的，没有一条宣传禁令广东是可以网开一面的。如果说广东报刊媒体这几年发展得好一点，那是我们的传媒人特别爱学习、特别爱思考，特别善于把握经济领域的成功经验的缘故。

二 “深圳发行事件”的回顾

报纸经营的区域化，是跨区域办报的前奏。

两者一以贯之的，是一种走向市场的冲动。《南方日报》作为广东省委机关报，在广东省内任何市场搞报道搞发行，都是自然而然的事情。谁都不能，也不敢对机关报设置障碍。但是，作为《南方都市报》这样一张都市类报纸，它就享受不到这样的待遇了。基于这样的考虑，当然更重要的是从集团内报纸不同定位考虑，它不与散落各地的以订阅为主的报纸争地盘，更不与“老子”《南方日报》争“饭碗”。它的市场主要集中在珠三角城市群，特别是要密集覆盖广州、深圳这样的中心城市。行内称之为“双城计”。

到2000年底，南方都市报不仅在广州站稳了脚跟，开始跟这个中心城市的日报正面叫板，而且在深圳的影响迅速扩大。在当年几个亿的广告经营额中，有两成就是来自深圳。

这时候的《南方都市报》，已经从最初的16版、24版、48版一气扩展到日出72版，定价1元，号称是“最贵的报纸”（当时广州地区各家日报、晚报的定价都是0.8元，一年后经有关部门批准后才提为1元）。从1997年创办日报之初制定的五年计划来看，达到了预设的目标，就是说，已经逐步解决了“大与小”的问题：由可读变为要读，由次选变为首选，由可选变为必选，由支流变为主流，出落成大家闺秀，步入“小康社会”。

2001年初，南方都市报再次发起市场扩张的强攻，目标是解决“强与弱”的问题，建成强势企业、“基本实现现代化”，具体的经营目标定为：发行100万份，年广告收入5亿元。

超常规的快速发展，行内都视之为报业发展中的一个奇迹。但是，对处于“青春期”的南方都市报来说，却是一步步努力实现的梦想。大鱼吃小鱼，历来是企业经营扩张之道，快鱼吃慢鱼，同样是企业竞争的制胜之道。

这些道理，南方都市报都认识到了并且初步尝到了胜利的甜头。这支年轻的队伍激情四进，豪情万丈，一路高歌，一路狂奔。他们一门心思只有一个念头，如何一鼓作气，突飞猛进，沿着这条路子冲向又一个高地，占领下一个山头。

有人说，南方报业人才济济，南方都市报就是报业集团放出的一只小老虎。对于还没有熟悉和习惯于现代市场竞争的报业同行来说，南方都市报一路攻城略地，却好像扰乱了他们逍遥日子的一条鲶鱼。

曾经引起全国瞩目的“深圳发行事件”，就是在这个时候爆发。一时间社会舆论沸沸扬扬。事过多年之后，再来看当时的情形和其中包含的未来报业竞争新态势的种种端倪，仍然是众说纷纭，值得一提的东西也有不少。特别是在报纸经营区域化态势日趋普遍、遍地开花的今天，在媒体跨区域经营和跨媒体经营日渐增多、多头并进的今天，是一个常说常新、可以进入MBA教材的经典战例。

南方都市报就是报业集团放出的一只小老虎。对于还没有熟悉和习惯于现代市场竞争的报业同行来说，南方都市报一路攻城略地，却好像扰乱了他们逍遥日子的一条鲶鱼。

南方报业集团的领导者们曾经为这一事件的发生陷入深深的痛苦和尴尬之中，一方面我们与邮政报刊部门和深圳新闻单位长期有着友好的合作关系，希望和睦相处，另一方面“儿子”处境不佳，“老子”又不能不管；一方面《南方都市报》反抗的声音见诸报端，以求通过舆论摆脱困境，另一方面上级主管部门要求我们冷静处理，不准公开论战。拉锯战持续了一个多月，最终南方都市报编委会以在报纸上“公开检讨”的代价，换取了当地的“开禁”。

此次事件，使南方都市报的经营者们明白占据一方市场并非易事，要以更理智、更策略的方法做好新闻和控制好发行权。而深圳方也明白市场的壁垒始终是会打破的，必须以攻为守。事件发生后不久，展开架势与《南方都市报》竞争的深圳《晶报》问世了。此次事件后，《南方都市报》反弹扩张，经营效益更好了；而新兴的《晶报》也很快占据市场，效益良好。“深圳事件”，促成双赢。

回顾：“渠道为霸”撞击“内容为王”

2001年3月，经过集团第二轮的全员竞争上岗，南方都市报充实了新一届的班子，团队更加年轻整齐。新一轮的快速扩张在广深两地同时铺开，像一头养足精神的小老虎，在广东特别是珠三角的报业市场搅起遍地硝烟。

4月，《南方都市报》在深圳报摊的零售量大幅上升。在深圳这个月召开的人大、政协两会上，不少代表和委员手中拿着的就是《南方都市报》。在他们的眼里，《南方都市报》对深圳的报道是如此之多，如此贴近，就是深圳自己的报纸。在深圳许多读者的眼里，《南方都市报》也渐渐成了每天的必选。

发行事件发生在这一年的5月9日。这一天，深圳街头的报摊上突然不见《南方都市报》的影子。

据了解，深圳街头现有1300余个报刊亭，是市民购买各种报纸、杂志的主要网点。依照权属不同，这些报刊亭分为三类：市报刊发行局设立的邮政报刊亭（约400至500个）、本地两家报刊发行部门设立的流动报刊亭（约600个）和其他单位设立的报刊亭（约200个）。而南方都市报手中则没有一家自己控制的报摊。所有的报纸都是通过南方报业集团所属南方报刊发行总公司，以较高的费率交给深圳邮政报刊局。在“渠道为霸”的报业竞争中，这是一个致命的弱点。

南方都市报在按照既定的市场扩张目标，决定从5月8日起接管深圳发行部，收回在深圳的发行权，加大市场营销的力度，争取以更直接快捷的方式把报纸第一时间送达报摊。

在5月8日同一天，深圳市报刊发行局在中午召开本地大报贩大会，要求报贩不要离开会场，并关闭手机。有报贩事后介绍，会议的主要内容是于次日起一律不再批发《南方都市报》。

也是在这同一天，当地两家报纸的发行部门发出《关于加强报刊零售网点管理的通知》，规定从5月9日起，“外埠非党报党刊”要进两报报刊零售点销售，必须报其主管部门审批后，才能上摊销售。所谓“外埠非党报党刊”，矛头所指，《南方都市报》显然是主要对象。

事实上，此前的5月6日，深圳市报刊实业发展公司已经下发了《关于统一配送书报刊有关问题的通知》。规定从5月10日起，所有报刊必须经公司统一配送，各报刊亭不得私自收任何单位、个人配送的报刊。

猝不及防的南方都市报似乎一直都蒙在鼓中，不知已经命悬一线。直到5月9日上午10点钟，买不到当天《南方都市报》的深圳读者的投诉电话，打爆了都市报的热线，大家才不得不相信了这一令人难以置信的事实。

事件发生后不久，展开架势与《南方都市报》竞争的深圳《晶报》问世了。此次事件后，《南方都市报》反弹扩张，经营效益更好了；而新兴的《晶报》也很快占据市场，效益良好。“深圳事件”，促成双赢。

5月10日，《南方都市报》头条推出《深圳有人悍然封杀本报》的新闻，在A叠要闻版集中火力推出6个版的报道，分别以震惊、谴责、揭露、反对、遗憾、愤慨为主标题，进行了全面披露。

其中有一篇报道，大致介绍了“事件”的经过：

本报讯 昨天，为达到垄断本地报刊市场的卑鄙目的，深圳市报刊发行局与当地两家报刊发行部门突然联合宣布：属下的1000多个报刊亭不得继续销售《南方都市报》。这一卑劣的“封杀”举动造成上万读者未能及时买到当天的《南方都市报》，引起深圳市民的强烈不满和极大愤慨，他们说：“这种赤裸裸的垄断行为和不正当竞争行为与市场经济规律背道而驰，这种丑事出现在作为经济特区和改革开放前沿阵地的深圳，实在是深圳市民的不幸，是深圳特区的奇耻大辱。”

据了解，深圳街头现有1300余个报刊亭，是市民购买各种报纸、杂志的主要网点。依照权属不同，这些报刊亭分为3类：市报刊发行局设立的邮政报刊亭（约400至500个）、本地两家报刊发行部门设立的流动报刊亭（约600个）和其他单位设立的报刊亭（约200个）。从去年初开始，由于受到有品位有眼光的深圳市民的喜爱，《南方都市报》一直高居深圳报刊零售市场的榜首，在几乎所有报刊亭，《南方都市报》的零售量都排在第一，《南方都市报》在深圳市的零售量是当地所有报纸零售量总和的1.5倍，成为深圳市民首选的主流媒体。

然而，前天，深圳市的邮政报刊亭突然收到来自深圳市报刊发行局的通知，称所有报刊必须经该公司统一配送，未与该公司签订代理协议的报刊不得在报刊亭销售，违者处以罚款。昨天，大部分邮政报刊亭迫于“压力”，不再摆卖《南方都市报》，偷偷摆卖者受到“稽查人员”的制止和严厉批评。同时，深圳两家报刊发行部门也通知属下的报刊亭，不得擅自销售“外埠非党报党刊”，违者给予处罚直至取消经营资格。通知还称，“外埠非党报党刊”进入零售点销售，必须经两报主管部门审批。报刊亭经营者说，“外埠非党报党刊”就是针对《南方都市报》，所谓的“审批”就是，谁想卖《南方都市报》，谁就得另行交纳每月600元的管理费。两报报刊亭昨日也遭到“巡报员”的突击检查，经营者被告知，禁令5月10日正式生效，违者必罚。更令人不解的是，深圳市报刊发行局还于前日紧急召集各大报贩开会，强行要求报贩停止批发《南方都市报》，在种种“威胁”之下，这些报贩昨晨不敢到批发点领取报纸，致使各报刊零售点出现迟报、少报、无报的异常现象。

据了解，两年前实施的《深圳市邮政报刊亭管理细则》并不排斥报刊亭向报刊发行局以外的单位进货，该细则明确规定：“报刊亭完成每月供货指标后，可在市内合法批销部门进货”。《南方都市报》由南方日报报业集团自办发行，是当然的“合法批销部门”，其在报刊亭内的销售是合理合法的。然而，市报刊发行局此次突然抛出一纸通知，公然否定了已实施两年的管理细则，让人十分困惑。对报刊亭的经营负有监管责任的深圳市工商、城管等部门昨天接受记者采访时表示，设立报刊亭是一项便民措施，报刊发行局没有权力干涉和决定该卖哪些报刊、不该卖哪些报刊，他们给报刊亭发禁令是“越俎代庖”！

意外的“封杀”给喜爱《南方都市报》的深圳市民带来极大的不便。从昨天早上7点多至晚上，《南方都市报》深圳热线3222424累计接到200多个读者电话，询问为什么买不到当天的报纸。一些热心读者还向“市长专线办”和消费投诉热线“12315”反映上述情况。市民普遍对这种带有地方保护主义色彩的垄断行为和不正当竞争行为表示愤怒，家住福田的曾先生愤慨地说：“他们没有权力剥夺读者的阅读权和选择权！”

《南方都市报》遭“封杀”的消息传出后，社会各界纷纷谴责有关单位的垄断行为。一位不愿意透露姓名的著名经济学家评价深圳市报刊发行局的行业垄断是“一种倒退的市场行为”。中国人民大学舆论研究所所长、博士生导师喻国明教授认为，“封杀”事件反映出深圳当地报刊发行局和报社没有足够开放的心态，靠地方保护和政策倾斜追求短期利益，对自身的进步是无益的。深圳国信律师事务所孙智峰律师对此事发表法律意见，他认为报刊发行局滥用行政权力，是妨碍出版自由的不正当行为。

广东省报业协会会长昨日专程赶到深圳，回应“外埠非党报党刊”的说法是无中生有，对于省委机关及其系列报来说，深圳不是外埠，而是内埠，全省乃至全国都是内埠，他指责这种“封杀”是非法的，注定要失败。他表示，广东省报业协会将出面维护合法报刊的正当权益。

昨天，南方日报报业集团与南方都市报社采取了一系列应急措施，最终在2/3的市场遭“封杀”的情况下，《南方都市报》昨天单在深圳一地的发行量还是突破了30万份，总量达到92万多份。今天，本报还会加派人手上街售报，竭尽全力满足市民的需求。同时，对“封杀”事件，本报将作追踪报道，请读者留意。

陷入困境的南方都市报和主管单位南方日报报业集团，一方面积极向上级宣传主管部门反映情况，寻求支持和协商解决，另一方面积极与深圳方面沟通，力求化干戈为玉帛。当然，也要求南方都市报冷静处理，不准在报上公开反击。同时，南方都市报采取了一系列应对措施：替报贩交罚款，本报员工上街卖报，增辟零售网点，加印报纸送往深圳。

在深圳报刊发行局等单位发布的“禁销令”正式实施的第二天，《南方都市报》又用11版的专题报道，以突破封锁、立案调查、卖报到底、热卖热卖、粉碎阴谋、反对垄断、热线打爆、依法维权、弄巧成拙、同行声援、热爱深圳为主题，多角度报道5月10日的状况。

南方都市报在舆论上似乎占了上风，但造成的危机并没有解除。事实上，如果这样久拖不决，再等上三个月半年，都市报在深圳市场不败也败了，不退也退了。

在省、市委领导同志以及省委宣传部和深圳市有关部门的协调下，直到6月16日，这一持续47天的“发行事件”才算告一段落。6月16日的《南方都市报》封面版，一上一下登了两条相关的消息：

向深圳市郑重道歉

前不久，本报与深圳报刊发行局在发行问题上产生矛盾纠纷。由于把关不严，本报5月10日、11日擅自将这一矛盾纠纷公开见诸报端，而且言辞过激，炒作过度，随意指责对方为“地方保护主义”，违反了新闻宣传纪律，损害了深圳特区的良好形象，给深圳市工作和经济发展带来不应有的负面影响。此事反映了本报在政治意识、大局意识、责任意识和遵守纪律等方面存在不容忽视的问题，为了消除不良影响，本报特向深圳市和深圳报刊发行局及深圳市民作出深刻检讨，并郑重道歉。

本报将从此事中深刻吸取教训，采取切实措施，端正办报指导思想，将“政治家办报”原则落到实处，坚持团结稳定鼓劲和以正面宣传为主的方针，坚持正确的舆论导向，努力办好报纸，为大力宣传改革开放和社会主义现代化建设恪尽我们的职守。

南方都市报编委会

2001年6月16日

本报全面恢复深圳上摊

本报讯 经与深圳报刊发行局和其它发行单位充分对话，互商互谅，南方都市报深圳发行问题得到圆满解决。从今天（6月16日）起，南方都市报全面恢复在深圳所有报刊亭和报刊零售点正常上摊。敬请深圳业界和广大读者留意。

《南方都市报》恢复上摊一个半月之后，即8月1日，深圳都市类报纸《晶报》创办。该报总编辑小陈友好地表示要带队考察南方都市报。我亲自出马安排南都负责人与他们座谈，并宴请，气氛非常融洽。在《晶报》创刊四周年之际，我又在广州宴请了陈总。谈起《晶报》的发展，陈总喜形于色。看得出，他对亲自参与创办的《晶报》的经营状况是满意的。我想，《南方都市报》在深圳的大举进军，对《晶报》的发展是否有所推动呢？竞争的结果，实现的应该是双赢。

思考："市场无情"方显"经营有道"

"深圳发行事件"对南方都市报造成的直接损失和市场的变化，难以评估。也有人说，南方都市报把这次危机事件做成了一次漂亮的南都品牌宣传战，反而扩大和加强了深圳的影响。也有人说，深圳报业市场日子过得太过安逸，经过这次事件反而激活了报业市场，当地报纸的市场竞争意识大大加强，从而也更加巩固了自己的市场地位。"发行事件"给南方都市报上了一堂市场课，南方都市报也给当地报业市场上了一堂经营课。

现在的深圳报业市场上，竞争依然是严峻的。南方都市报站住了脚，影响力越来越大，新闻报道的量和深度，不亚于同城任何一家媒体。但是，作为一个"进入者"，它似乎仍然没有解决“外来者”的身份，它所占据的广告市场份额，与它的影响力、发行量还远远不成正比。

报纸进入市场，就要接受市场的挑战和检验，就要按市场的游戏规则出牌。“内容为王”与“渠道为霸”，是缺一不可的。

报业进入经营时代，发行渠道、广告份额的争夺，在所难免，而且是一个市场、一个地区的遭遇战。幸而广东的报业市场竞争相对是成熟的。对宣传主管部门来说，要亲自出面调解的发行事件，恐怕这还是头一遭。放眼全国来看，早前一年，南京、昆明相继打起了严酷的价格战，一张报纸三角钱、一角钱，或者一块钱买三张报纸，那种严重失衡的市场秩序，贴身的肉搏战，在广东从来没有发生。

报纸作为一个精神产品，由此进入经营时代，读者和客户不再被当成是一个用户，而是消费者市场这个买方市场上接受挑选的产品之一，消费者看中的不仅仅是产品本身的质量，还有发行、广告等服务的增值和满意度。

报纸作为一个产品，它的销售和服务也要跟着区域市场走，不断地细分和精确覆盖。《南方都市报》进入深圳市场，也是广东经济发展中两大中心城市崛起，大唱“双城计”的一个侧影。

南方都市报吃亏的是，作为一个“外来的”报纸，作为一个“进入者”，没有自主控制的发行渠道，报纸要打开市场就容易受制于人；没有在当地有影响的合作方支持，报纸要站稳脚也不容易。

面对跨区域扩张的趋势，我们必须介入，抢占先机，抢占市场。同时，在“进入”一个市场之时，必须进行全面、审慎的市场环境评估，必须选择一个有力的合作伙伴，必须考虑到报业市场竞争对手的反应，特别关键的一点是，要争取所在区域领导层的理解和支持。否则，再有市场空间的区域，都有可能铩羽折戟。

一个报纸进行跨区域经营，必须综合考虑这些因素。这还是同在广东，这还是省委机关报的子报在广东省内的区域经营，严格意义上来说，它并非“跨区域”经营，然而还是面临如此惊心动魄的生死劫。试想，如果我们是去搞跨区域办报，到广东省外的地区去办一张报纸，要考虑到的东西就要更多了。从南方都市报的经验教训中，南方报业对此有了更多的认识。一方面，我们不仅没有放弃省内的深圳报业市场，而且毅然将目光投向了省外的上海、北京等地。因为跨区域办报是报业扩张的一个必然趋势，南方报业有这个实力，有这个信心，有着强烈的扩张欲望，也有着一个更加务实的心理准备。另一方面，我们也更加理智，我们希望同样的情形不会再发生在南方报业的身上。因此，当外省一个又一个合作者找上门来，要求合作办报时，我总要问一句：当地的办报环境如何？合作方的主管单位是谁？我们的合作能否得到批准？我们希望的是，有合法地位、又有良好环境保障的合作。一个又一个上门来，我们一次又一次地摇头否定。机会终于来了——这就是与光明日报报业集团共同谋划的《新京报》面世了！

面对跨区域扩张的趋势，我们必须介入，抢占先机，抢占市场。同时，在“进入”一个市场之时，必须进行全面、审慎的市场环境评估，必须选择一个有力的合作伙伴，必须考虑到报业市场竞争对手的反应，特别关键的一点是，要争取所在区域领导层的理解和支持。

三　《新京报》的创办与成长历程

2003年11月12日清晨，我坐在位于南方报业大楼的办公室。北方已时值寒冷的初冬，南国广州则是酷暑退尽，云淡风清。几十年来我养成了雷打不动的职业习惯，每天上班第一件事就是浏览集团当天出版的所有报纸。放在案头的报纸当中，有一份显得特别醒目：版式清新雅致，在俊朗中透射出练达的气质，天安门城墙式暗红色底加方正大标宋体字加粗反白的报头，于简洁中传递沉稳的力量。我知道，这是前一天出版的《新京报》创刊号，刚刚由北京空运回来。看着这一份报纸，就像看到一位英姿勃发的少年，即便是从未谋面，但眉宇间那种早已熟悉的气质，也能让人一眼认出，这是家族中又一名令人骄傲的成员。

这是一张一出生就风华正茂的报纸，是南方日报报业集团与光明日报报业集团合作的结晶，凝聚了两家党报集团的智慧、力量和心血，开创了中央级媒体与地方媒体联合创立新报纸的先例。这是一张注定要写入新中国报业发展史乃至中国新闻史的报纸，是中国新闻出版和文化体制改革的重要成果，成就了中国报业跨地域扩张的经典范例。对于南方日报报业集团来说，这是第一张通过与其他报业集团战略合作在异地创办的报纸。这张报纸的诞生，标志着南方报业的多品牌战略取得了令人瞩目的丰硕成果，标志着南方报业的发展步入了一个前所未有的新阶段。

从那时到现在，一年多时间过去了。《新京报》在北京报业市场上先声夺人，在竞争对手围困当中杀出一条血路，取得了良好的业绩，不仅办报质量越来越高，而且报纸经营也快速步入了良性发展轨道，大大出乎我们南方和光明两大报业集团领导事先的意料，创造了中国报业的又一个奇迹。回顾《新京报》的创办及发展历程，其目的不仅是为南方报业的多品牌发展战略提供一个生动的注解，而且是为集团未来发展总结宝贵的经验。

果断拍板，与光明日报报业集团合作办报

作为一家立足广东的报业集团，南方报业一直没有停止寻求跨地域扩张的可行道路。

我和集团领导班子曾经多次探讨集团发展道路的问题，我们有一个共识：南方报业经过近年来高速扩张，加上广州本地报业竞争日益加剧，如果集团的业务领域仅仅局限于在本地办报，而不去开辟新的业务、新的市场，势必面临事业发展的瓶颈。在中国对外开放的步伐日益加快，文化体制改革不断深入的新形势下，媒体之间大鱼吃小鱼、快鱼吃慢鱼的兼并洗牌迟早会到来，要增强抗御市场风险的实力，实现做大做强的战略目标，就必须解放思想，开拓创新，大胆探索积极扩张的发展道路。对于南方报业来说，要在做好报业的基础上积极探索跨媒体的扩张方式，在立足广东的基础上积极探索跨地域的扩张道路。

这是一张注定要写入新中国报业发展史乃至中国新闻史的报纸，是中国新闻出版和文化体制改革的重要成果，成就了中国报业跨地域扩张的经典范例。

集团长期从事报纸业务，在办报方面经验丰富。强大的办报能力和报业市场上的整合营销推广能力是我们集团的核心优势所在。我们的报纸有大量的异地发行，我们有跨地域开设记者站以及异地经营广告业务的基础，这些构成了异地办报的先行探索，积累了宝贵的经验。因此，从现阶段的能力结构方面看，南方报业立足报纸主业进行跨地域扩张的现实可能性最大。随着南方日报报业集团多品牌战略的成功实施，我们培育出了《南方周末》、《21世纪经济报道》这样在全国市场上取得成功的报纸，同时《南方日报》、《南方都市

报》等以本地发行为主的报纸的全国影响力也日益增强，南方报业这个品牌在全国范围内的名声越来越响，我们已初步具备了跨地域办报的品牌优势和实操经验。

这些年来，由于南方报业的报纸办得好，不断有国内报纸前来联系，协商合作办报的可能性。2002 年 10 月，我应邀在深圳高交会举办的“全球经营管理大师峰会”发表题为《国际化背景下的媒体多品牌战略》的演讲时，就表示愿意与同行和企业合作，将南方报业的品牌渗透到社会的方方面面，并公布了自己的联系电话。此后，登门来寻求合作的人就更多了。在这些人当中，既有我们熟悉的业内同行，也有不熟悉的社会资本的代表。有的内地报纸开出非常优厚的条件，甚至表示可以满足我们开出的所有条件，诚恳邀请我们前去合作。集团内部有的子报也陆续提交了一些向外地发展、与外地媒体合作办报的意向和方案。

在此形势下，作为集团社长，我一直在思考跨地域经营的问题，在集团内部提出了南方报业异地办报的四项原则：

（一）党的十六大提出加速构建全国统一市场，大力推进市场对内对外开放，这其中也应该包括全国性的报业市场，中国报业面临跨地域发展的重要机遇。南方报业在跨地域办报方面要走在全国前列，我们要进一步解放思想，积极探索跨地域办报的可行道路，切实解决事业发展瓶颈问题。

（二）跨地域办报要立足于集团的核心能力适度推行。是否作出跨地域办报的决策，取决于集团是否具备两个方面的条件：有没有充裕的资金启动，有没有充足的人力资源储备。有资金有人才，才能稳妥地实施扩张。

（三）选择异地经营的地区，应综合考察该地区的政治、经济、文化和社会发展现状，重点考察该地区的传媒市场开放程度，发行、广告市场的现实容量和发展潜力，特别是该地区是否存在足够规模的与南方报业办报品位相适应的高素质读者群。

（四）为规避风险，跨媒体办报应采取与有条件的当地媒体合作的方式。根据现有的国情，跨地域办报不能找那些当地背景脆弱的报纸来合作。要选择那些有资源、有实力，与南方报业能形成优势互补、具备足够的合作诚意的当地优质媒体，强强联合。

我提出的异地办报原则得到了集团其他领导的赞同和支持。集团社委会一班人一致认为，与异地媒体合作办报，是南方日报报业集团实现跨地域扩张的第一步，这一步对于集团成功实施多品牌发展战略十分关键，对集团未来的发展十分重要，因此必须慎之又慎。集团既要仔细考察各方面的条件，又要审慎研究项目的可行性，更要严格挑选合作伙伴。对没有十分把握取得胜利的仗，我们坚决不打，没有充分把握干成的事，我们坚决不干。如果项目不合适，或者各方面条件不具备，我们宁可保持引而不发的态势，积蓄力量，审时度势，环顾四方，不动则已，要动则须一击成功。因此，对于外部前来联系或通过内部提出的一些合作项目，由于不符合既定的合作原则、不具备必胜的合作条件，大都没有得到我们的同意，被搁置下来。

光明日报报业集团派人前来商量合作办报的时候，双方几乎是一拍即合。

这件事最早是由南方都市报的负责人小程、小喻向集团社委会提出汇报的。当时北京有一份叫做《生活时报》的报纸，由光明日报报业集团主办，由于该报当时所面临的困境，萌发了与南方报业合作打造一份新报纸的想法。光明日报方面最初的设想是与南方都市报进行采编领域的合作，采取与南方都市报共享版面的方式，利用南方都市报的版面优势，如国内新闻、国际新闻、文艺副刊等，极大节省新生报纸运作所需要的采编成本，并利用南方都市报强大的新闻采编能力来吸引北京读者。南方都市报管理层和集团分管南方都市报的李民英、南方日报报业集团副总编辑兼南方都市报报系总编辑王春芙，敏感地意识到这中间所蕴藏的合作机会，建议寻求双方更深层次、更广范围的合作，由双方共同出资，整合双方现有的资源和能力，共同创办一份全新的报纸。听取南方都市报的汇报后，我深入分析了各方面的情况，认为这个项目完全符合集团既定的异地办报的原则。

首先，集团在办报过程中所积累的强势资源与核心能力，使我们有条件走出广州，到京城与合作方合作办报。集团积累了较充裕的资金，在办报过程中拥有了较充足的人才储备，只用抽调南方都市报现有的办报、经营和管理人才，就完全能够胜任异地办报的需要。

其次，北京作为国家的首都，经济和社会具备相当的发达程度，高层次读者分布广泛，广告资源也相当充裕。北京当年的报纸广告总量大约为30亿元，大部分由北京青年报、北京晚报、京华时报等六七家报纸所分割。当时，就其中最重要的五家报纸来说，发行总量和广告总额只是相当于广州报业市场上广州日报和南方都市报两家的总和，而北京无论是从经济总量、广告资源、读者分布等各项市场指标来讲，都要远远超过广州的水平，因此南方报业进军北京，面临较大的发展空间。

第三，光明日报报业集团是中央级党报，有深厚的文化底蕴和光荣的办报传统，是当年“真理标准讨论”的领跑者，成为中国改革开放、实事求是的舆论先锋，具有丰富的政治资源、广泛的社会资源和新闻资源。光明日报报业集团与南方日报报业集团同属党报所在的报业集团，文化相同，气质相通，两家报业集团的资源和能力具有很强的互补性，具有良好的合作基础。对于南方报业异地合作办报来说，光明日报报业集团无疑是一个非常理想的合作伙伴。

因此，我立即召集集团社委会讨论此事。我们果断拍板：原则同意实施南方都市报提出的与光明日报报业集团的合作项目，在集团层面上与光明日报报业集团谈判合作办报，授权王春芙、李民英以及南方都市报负责人与光明日报报业集团商谈合作办报的具体事宜。

自此，在集团社委会的支持和指导下，南方都市报开始加快了与北京方面的合作洽谈。南方都市报领导几次北上谈判，受光明日报报业集团总编辑袁志发的委派，光明日报报业集团直属报刊管理部主任戴自更也来到广州。戴自更曾是光明日报驻广东记者站站长，改革开放意识强，对南方报业的情况也十分熟悉。他早就与南方都市报负责人探讨过合作的事宜，他和光明日报报业集团的编委薛昌词是此次合作的积极推动者。我在集团总部见到了戴自更，代表南方日报报业集团社委会提出了与光明日报报业集团合作的良好期望和总的方针。

在随后的日子，我和王春芙以及南方都市报的负责人，又与光明日报报业集团的编委薛昌祠见了面，就合作的有关事项坦诚交换了意见。南方和光明这两家有充分的合作诚意的报业集团可以说是一见如故、一拍即合。经过两次实质性的谈判，很快确定了合作意向，达成了合作的基本框架。

新京报

克林顿拥抱艾滋男孩

●6年来第三次访华，胡锦涛、江泽民亲切会见

●昨在清华发表演讲，呼吁互相依赖抗击艾滋病

SARS后骨坏死患者调查

北京各医院医护人员患病比例不一，普通非典康复者患病人数尚无统计

冬贮大白菜 10年价最高

受雨雪天气影响，预计本周京城菜价继续攀升

烈士家属 获偿逾50万

衡阳"11·3"大火被定性为特大火灾坍塌事故

我驻布隆迪使馆遭炮轰

反政府武装迫击炮弹误中办公楼顶层，无人员伤亡

《新京报》发刊词

责任感使我们出类拔萃

万元重奖新闻线索

本报推出国内迄今最高新闻报料奖，推广期间线索一经采用即付至少百元奖金

电话：

96006333（热线）

手机短信：

8168000333（移动）

9168000333（联通）

A 叠 时事新闻、体育新闻、评论　B 叠 经济新闻、通信周刊　C 叠 娱乐新闻、文化副刊　D 叠 北京杂志、房产新闻

双方同意，改组原光明日报主管的《生活时报》，由光明日报报业集团和南方日报报业集团两家作为联合主办方，在北京共同创办一家新报纸。对于具体的合作事项，比如双方的出资额度问题，高层管理者的选派问题等等，虽有分歧，但双方最终都能够以战略的眼光、合作的态度友好协商，最终取得广泛的一致，使问题得以圆满解决。于是我同王春芙一道，带领集团有关人员于8月14日飞抵北京，并于8月15日与光明日报报业集团正式签署了战略合作协议。按照合作协议，光明日报报业集团和南方日报报业集团共出资2000万元，由光明日报报业集团控股，比南方报业多一点。此外，光明报业提供场地，南方报业再借出部分流动资金。南方报业负责从南方都市报抽调并派遣采编和经营团队，光明报业也派出社长和部分采编骨干，并从社会上招聘一批员工，共同创办新报纸。在签约仪式后，我接受记者采访时表示："我信赖合作伙伴光明日报，也相信南方都市报这支队伍，相信这张新报纸将成为光明和南方两报业集团的神来之笔！"这句话真实地表达了我当时的欣慰之情。

令我感到钦佩的是，光明日报报业集团总编辑袁志发在合作过程中表现出来的胆识和勇气。他比我大两岁，当时已近花甲之年，本可以少管"闲事"了，但他仍以浓厚的改革意识和改革的紧迫感，致力于《新京报》的筹办。没有他内内外外的沟通和果断拍板，以及光明日报报业集团班子的理解和支持，是办不成的。当碰到一些具体的合作事宜扯皮时，赵德润副总编辑这样表示："我们着眼于长远，着眼于大局，不在小枝节问题上纠缠。"正是双方真诚合作的意愿，使《新京报》的筹备工作正式开始密锣紧鼓地运行起来了。

一波三折，新京报终于成功创刊

签约五天后，南方日报报业集团从南方都市报调遣的第一批赴北京的工作团队到达新京报办公地点。新团队一到位便迅速开展前期准备工作。8月23日第二批筹备团队到达北京。9月4日前又有几批团队陆续到达。为了保障《新京报》的顺利创办，南方报业先后派遣了约300名员工，与光明日报派出的人员一起担负起《新京报》的筹办以及创刊后的报纸运作的艰巨任务，其中涵盖了报纸采编、广告、发行、财务及行政等所有专业领域。我们和光明日报派出

A02 社论/来信

新京报

[新京报发刊词]

责任感使我们出类拔萃

(2003年11月11日)

开版致读者

社论

政府应直面SARS后问题

时事评论征稿

我信赖合作伙伴光明日报，也相信南方都市报这支队伍，相信这张新报纸将成为光明和南方两报业集团的神来之笔！

的办报团队既有优秀的职业素质，又有高昂的创业士气，可以说这里是中国优秀的办报和报纸经营人才集中的地方。这些从南方都市报抽调的同志，离开自己在南方早已熟悉的工作和生活环境，来到北京这样一个陌生的环境，克服重重困难，艰苦创业，甘于奉献，为《新京报》的创立和发展立下了汗马功劳。除此之外，凭借着光明日报报业集团和南方日报报业集团的品牌号召力，新京报很快就从全国各地招收了1000多名各类报业人才加盟到自己的工作团队，兵强马壮的员工队伍是《新京报》在如此短的时间内能够顺利创刊的有力保障。

《新京报》的创办历程不是一帆风顺的，如果不是亲身经历，很难体会到其中的困难和波折。《新京报》作为跨区域共同创办的新报纸，对北京报业市场原有的报纸来说，既是一个前所未有的新生事物，又是一个新加入的竞争对手，如同一阵疾风吹皱了京城报业市场的一池春水，引起了不大不小的波澜。在大多数国内传媒的同行们为中国报业改革的先行者喝彩祝福的同时，北京报业市场的一些竞争者对这份新报纸的出现自然不太欢迎。南方都市报强大的新闻整合能力和市场营销能力让不少京城报业的同行感到担忧。他们担心由于这个强大对手的加入而侵蚀自己的市场份额，摊薄自己报纸的利润，甚至担心"搞乱"北京报业的发行和广告市场。一时间，针对这份新报纸的创办，出现了一些让人意想不到的阻碍力量。有人撰文描述北京报业市场上面临的"险恶形势"，声称这个市场容量早已饱和，已经无力承受一家新报纸的加入。有人则给这份尚未出生的报纸加上了"同质化竞争"的标签，担心这将会导致整个报业市场的恶性竞争和行业衰退，暗示政府应该制止它在现有市场上出现。围绕这份报纸的名称，也争论不休，以至新报纸从筹备到创刊的短短数月时间内，三易其名，最终在中宣部和新闻出版总署的支持下，定名为现在的名称《新京报》。

令人欣慰的是，在《新京报》的筹备及创刊过程中，国内传媒业界大多数同行和有关领导给予我们热情的关心和坚定的支持。上级主管部门领导多次听取了关于光明日报报业集团与南方日报报业集团合作创办《新京报》的情况汇报，赞同对这种跨地域经营的办报模式和报纸的体制创新进行探索。上级领导指出，两大党报集团发挥优势、互利互补、做大做强，是一件大好事；并在有关汇报和请示材料上做出批示，表示赞成和支持。国家新闻出版总署领导也批示同意把《新京报》作为试点，要求有关部门注意跟踪调研，及时总结经验。上级有关部门的明确支持，使处于困境的《新京报》筹备工作得以顺利进行。

光明和南方两报业集团无时无刻不在关心和指导《新京报》的创办工作。

根据新闻出版总署的批复意见，光明日报报业集团为《新京报》的主管单位和主要主办单位，南方日报报业集团为主办单位。集团社委会一班人一次又一次地认真研究《新京报》的筹备工作，一次又一次地仔细听取派驻新京报同志的汇报，一次又一次地与光明日报报业集团的有关同志协调处理有关事项，一次又一次地派人亲临筹备现场解决问题。

关于报纸的办报宗旨和市场定位，作为国家的首都和国际著名的都市，北京需要一份与其地位相称的严肃主流报纸。我们要办北京地区新闻品质最优秀、办报质量最高、与国际接轨最充分的严肃报纸，这就是《新京报》的办报目标和基本定位。北京在全国所有城市当中拥有最多的高学历、高收入、高素质的读者群体，《新京报》有责任为他们提供与其阅读品位、关注兴趣和审美情趣相适应，同时兼顾北京特色和北京文化的高质量的国际国内新闻、文化视点和娱乐报道。在光明和南方两集团指导下，《新京报》制定了面向北京市民，咬定高端，吸引中端，团结低端的市场定位，立志成为北京政治界、经济界、文化界和主流社会首选和必读的报纸。

关于报纸的经营理念，我们认为，新京报的市场责任是搞活报业市场、开发广告资源。新京报不必去抢别人碗里现有的米饭，我们关注的是市场增量而不是市场存量。激活市场，扩大增量，与北京的兄弟新闻单位分享，是经营之本。我们报纸经营的重点在于借助高质量的新闻产品和强有力的市场营销而进一步扩大北京地区的市场规模，在把现有的蛋糕做大的同时，谋求获得更大的市场份额。

关于报纸的内部管理，光明与南方两报业集团经过协商，参考先进的管理架构，按照现代化企业治理结构的要求，秉承南方报业一贯倡导的以人为本的管理理念，吸收光明日报长期以来形成的优秀文化，初步建立了既符合党管媒体要求，又适应传媒竞争需要的内部管理体制。借鉴先进的决策管理模式，组建由两家报业集团推荐参加、分工明确、责任明晰

南方都市报强大的新闻整合能力和市场营销能力让不少京城报业的同行感到担忧。他们担心由于这个强大对手的加入而侵蚀自己的市场份额，摊薄自己报纸的利润，甚至担心“搞乱”北京报业的发行和广告市场。一时间针对这份新报纸的创办，出现了一些让人意想不到的阻碍力量。

的社委会，负责报社运营管理，并针对新京报的队伍建设、发展战略、经营规划与运行机制等方面逐一落实了相关的规章制度。光明和南方共同组建了管委会和董事会，新京报的日常管理工作由光明负责，涉及合作中的重大问题由管委会和董事会决定。南方报业管理与运作的经验成功地同光明日报报业集团以及北京地区的报业运营实际结合起来，并开始对报纸的采编和经营发挥巨大的促进作用。

11月3日，方正采编系统到位。11月4日，“新出报刊（2003）1064号”文件正式下发，标志着新京报这个即将呱呱坠地的婴儿已经正式获得出生证了。11月5日，员工培训。11月6日，首次试片，11月7日，第二次试片。《新京报》创刊号的出版已经进入倒计时。

11月8日，恰逢中国记者节，新京报社成立大会在北京建国饭店举行。会前，我与王春芙陪同中共广东省委宣传部副部长胡国华专程看望了正在为《新京报》创刊紧张忙碌的报社中层以上干部。会上，我与光明日报报业集团总编辑袁志发共同宣布:“新京报社从即日起成立了！”同时宣布,《新京报》创刊号将于11月11日正式面世。

时隔快两年了,我还清楚地记得时任中共广东省委常委、宣传部部长的蔡东士专门请我转达的对新京报社成立的祝贺和对新京报全体员工的问候。蔡东士指出,《新京报》的创办不仅对探索有中国特色的新闻事业有着重要的意义，而且对广东正在进行的建设文化大省的工作是一个推动。他希望南方日报报业集团与光明日报报业集团紧密合作，做大做强报业，为发展新闻事业作出更大的贡献。我还清楚地记得光明日报报业集团总编辑袁志发在新京报成立大会上发表讲话时表述他对报纸成败关键的见解，表达光明日报报业集团领导对新京报寄予的厚望。

在新京报成立大会上，我代表南方日报报业集团发表讲话。我在讲话中谈到，在中国报业史上，著名的进步报人邵飘萍先生创办的《京报》，成为坚守社会良知、教育唤醒民众的著名报纸。今天我们创办《新京报》，更要在新的历史条件下继承《京报》的光荣传统，办出新时期优秀报纸应有的水平，办出社会影响力。我在讲话中高度评价了合作伙伴光明日报，指出：光明日报是南方日报的老大哥，是中央级的权威主流大报，具有丰富的政治资源和高尚的文化品位。早在1978年，光明日报就率先冲破思想禁区，发表了《实践是检验真理的唯一标准》重要文章，成为中国改革开放的标志性事件，对推动思想解放和拨乱反正产生了重要影响。只要我们把南方报业在多品牌发展中所形成的先进办报理念、现代报业管理机制和优良的报业运营方式与光明日报的权威风范、管理经验和良好作风相结合，相互学习，取长补短，相信一定能把《新京报》办成一个高起点的、有强大生命力和广泛影响力的主流报纸。

三天后的2003年11月11日，正如所有人所预料的、多数人所期待的，《新京报》横空出世。这一天距离光明日报报业集团与南方日报报业集团开始接洽合作事宜不到5个月，距离筹备工作正式开始刚刚3个月。从此光明和南方两报业集团迈出了值得自豪的一步，中国报业迈出了值得纪念的一步。

四　我们是做强做大中国报业的战友

——《新京报》一周年有感

在《新京报》一周年的庆祝酒会上，我只讲了几句话：一是与文化底蕴深厚的权威大报光明日报合作，是南方报业集团的正确选择。二是感谢中央和国家有关部门给了我们跨地域发展的机遇，也感激北京市各有关部门在我们办报的过程中给予的支持、广大市民和读者对《新京报》的厚爱和关注。三是中国报业市场有着巨大的发展潜力，我们进军北京办报的同时也企盼中央和北京的媒体南下广东创业，我们既是竞争对手，又是做强做大中国报业的战友，让我们携手并进，在开发中国报业市场中实现共赢！

《新京报》的创新探索

《新京报》创办一年多以来，我们大胆探索，不断研究办报过程中遇到的新情况，不断解决新问题，及时调整办报思路和经营理念，大力推进观念创新、体制创新和管理创新，在前人从未涉足的领域里逐步走出了一条跨地域办报的成功之路，取得了令人自豪的发展成就。

（一）创新办报理念，定位于高端时政都市报

新京报的口号是“负责报道一切”，这也是新京报的办报理念。这个口号见报之后，我曾经从广州打电话给新京报一位负责人表示，口号虽然很有冲击力，但可能会引起误解，要他在一些文章中作点注释。后来他们通过一定的方式向公众表明：新京报有责任地报道一切应该报道的新闻，更有勇气对所报道过的一切新闻负责，包括政治责任、经济责任、文化责任和社会责任。这个理念诠释了这份新报纸所具备的职业操守和新闻品质。新京报的定位在北京报业市场上卓尔不群，它建立在一个高起点上，使报纸的新闻理念及采编水准在构建之初就日臻成熟，超多版数的出版规模和优秀的采编团队、丰富的内容设置和坚实的资源后盾，使这张报纸“一出生就风华正茂”。

新京报秉承南方都市报的传统，以多样化的内容、丰富的信息和科学的分叠赢得了读者的青睐。同时新京报的办报方针又是以市场为导向的，因而十分灵活。随着对北京报业市场逐步深入的理解，它的办报方针也在改变。经过深入的市场调查，新京报的决策者们发现，北京的新闻资源和市场空间远远超出了当时的设想，于是办一份立足首都当地新闻的高端时政类都市报的定位随之确立起来，本地新闻和新闻时评在新京报所占的比重大大增加，报纸的版面也大幅度增加。《新京报》一创刊就确定了日均80版的出版规模，在北京报纸中的厚度是绝无仅有的。这种极具特色的厚报形态在北京报业市场上一出现便受到知识分子等高端读者的追捧，因为无论是从容量还是从内容上看，都非常适合他们阅读。

（二）创新营销策略，用整合营销的方式塑造品牌形象

在创刊之初，要在这样一个壁垒森严的市场上打出一片新天地，新京报的市场营销所面临的困难十分巨大。面对挑战，以南方都市报派遣人员为骨干的新京报经营团队再一次发挥了南都整合营销经验的威力。一方面新京报的发行人员活跃在地铁、高校、写字楼等目标读者集中的地方，进行高强度的促销攻势；另一方面，利用重大新闻事件以及报社重大策划活动促销报纸的“南都模式”再次发挥了巨大的作用。如萨达姆被捕的当晚，报社精心进行新闻策划，做大型的特别报道并加印报纸。与此相配合，第二天新京报全体发行人员走上街头开展大规模的宣传促销活动，打了一个漂亮仗，一度把报纸卖得脱销。

刚推出这些营销活动的时候，同城的业内同行不能理解，讥讽的声音不断，但事实证明这种整合营销的理念是被北京市场接受的，也是有效的。运用这种手段的结果是《新京报》的报摊零售已经成了气候。在广告方面，《新京报》也成功地打入了京城房地产、汽车和电子通信等领域的广告市场，并占据了教育培训广告市场的相当份额。根据新京报广告部的统计，创刊一年后报纸的广告差不多平均每天占20％的版面，广告营业额突破亿元大关。就南方报业而言，《新京报》成为旗下第五家广告额超过亿元的报纸。

与新京报良好的市场表现相呼应的是，经过一年多的办报实践，新京报在北京乃至全国新闻界的影响力得到了大幅度的提升，新京报的品牌效应正在迅速凸现出来。一份创刊仅仅一年多的报纸取得这样的市场成功，连当初唱衰它的人都不得不承认，新京报创造了中国报业的又一个奇迹。

新京报有责任地报道一切应该报道的新闻，更有勇气对所报道过的一切新闻负责，包括政治责任、经济责任、文化责任和社会责任。这个理念诠释了这份新报纸所具备的职业操守和新闻品质。

（三）创新制度，探索建立新型的报业治理结构

新京报由光明和南方两大报业集团联手创办并合作管理，这种合作方式不管对于两家报业集团，还是对于发展中的中国报业来说，都是史无前例的，在目前的中国报业没有现成的模式可以借鉴。因此从报社成立之初，我们就一直致力于解放思想，创新制度，共同探索合作办报过程中内部管理的可行途径。与大多数新生事物所经历的发展道路一样，新京报的管理模式和治理结构也经历了一个不断改进、逐步完善的过程。

在南方和光明两家集团刚开始合作的时候，报社的经营决策由两家报业集团的领导层共同协商决定。遇到具体经营管理问题的时候，尤其是难免涉及到合作双方利益的时候，虽然两家都抱着真诚合作的态度，算大账不算细账，最终使问题得到妥善解决，但中间的商谈过程往往比较繁琐。

当我们意识到这种管理体制协调成本高、决策效率低的缺点后，就下决心借鉴现代企业治理结构，研究建立符合媒体运作要求、兼顾合作双方利益的管理模式。为此我与王春芙数次赴京寻求解决之道。2004年5月，经协商，双方同意批准建立新京报管理委员会，双方集团领导加上新京报社长共五人成为管委会成员，代表投资双方以及新京报管理层的利益，报社经营的重大问题必须由管委会讨论决定。管委会的成立，初步明确了新京报社作为独立运营的报业主体地位，使报社内部重大问题的决策效率大为提高，使报社在市场竞争中的适应能力大大加强。

为了进一步理顺内部管理，新京报加强制度建设，出台了一系列规章制度，并初步建立起了以人为本的企业文化，从而用制度和文化保障了集团员工共同的价值观和行为准则。在新京报，无论你来自南方还是来自光明，大家都是新京报人，新京报这个团队把所有员工团结在了一起。

新京报顺利运营一段时间后，我们又着手进行建立现代企业制度和企业组织的新尝试。经报社管委会决定，新京报投资成立了"北京新京报传媒有限责任公司"，并成立了公司董事会。公司负责报纸经营和品牌推广业务，从而使新京报的制度安排更加合理，企业自主运营能力更强，同时为新京报今后推行更深层次的改革、进行资本运营、确保可持续发展创造了条件。

五 从深圳到北京的启示

跨区域扩张战略的前提，是南方报业所具有的办报实力，包括先进的办报理念、优秀的办报人才队伍等强势资源，以及在此基础上形成的竞争优势。在跨地域的扩张中，我们始终坚持媒体核心团队的输出，保证集团核心竞争力能够实现共享和流动。在异地办报过程中，我们的核心团队非常注意与所在地政治、经济、社会文化等环境相融合，形成新的核心竞争力。

在跨地域的扩张中，我们始终坚持媒体核心团队的输出，保证集团核心竞争力能够实现共享和流动。在异地办报过程中，我们的核心团队非常注意与所在地政治、经济、社会文化等环境相融合，形成新的核心竞争力。

（一）跨区域扩张最好能“名正言顺”

南方都市报用它独具的核心竞争力在广州这个区域中心城市打开市场后，只需增加一叠深圳的内容，就立即奏效，在深圳快速打开了局面。事实证明，这种低成本的扩张是成功的。

从国内外的经验来看，也是如此，许多报纸在不同的地方都有不同的版本，可以达到一定的新闻和版面资源共享，达到品牌的输出和扩张。

事实上，南方报业与光明报业合办《新京报》最初的基本合作模式也是这样敲定：由光明日报提供刊号资源和办公场所及一部分股本金，由南方日报报业集团提供部分股本和流动资金，以及南方都市报的版面资源和经营资源。

也就是说，原先的想法，只是在外地复制一份《南方都市报》。除了增加一些本地的新闻、生活和房地产资讯外，其余娱乐、文化、体育、国内、国际新闻等，均采用《南方都市报》现有的产品，传版组合即可。这种异地办报模式的设计，投入相对较少，风险也就随之降低。《上海星期三》采取这一办法，一度扩张到扬州等地。

没有想到与光明日报的合作会如此顺利，在国家有关部门的重视下，提升为全国第一家经过正式批准的跨区域合作办报。因此，实施的力度和合作的紧密程度，大大超出了最初的构想。

然而，到目前为止，如此合作规格的办报模式，只有后来上海的《第一财经日报》相对做到了。除此之外，国内跨区域合作办报的一家又一家，但是还没有哪一家能够显得如此“名正言顺”。

不能“名正言顺”的原因，是因为国内的许多合作办报，往往只是以资金、办报和经营团队加入，有实无名，内部合作方之间容易出现分歧，合作的纽带不够牢固。在这种状况下，即使合作办报办出了一点影响，也容易出现矛盾和裂痕，如果市场培育不顺，预期的收益达不到预期，就更容易一拍两散。

很有意味的是，在“深圳发行事件”几年之后，也是深圳本地创办的《晶报》羽翼丰满之际，深圳的报业完成了本地的资源整合之后，也试图以强大的经济实力进行跨区域办报的出击。进展如何我不太清楚，我只是衷心祝愿他们能跨出这一步，并取得成功。

(二)跨区域合作要“门当户对”

在进京合办《新京报》之前，南方都市报在本省区域的扩张中，还有一个大动作是，办一张有当地身份的报纸。当时与某报的主管单位的谈判已经基本完成。这份新报纸将定位于相对高端的读者，并力求避免与南方都市报出现“自己打自己”的局面。由于某些原因，这个项目被暂时搁置。

上海的《东方早报》，是南方报业比较早接洽的一个办报合作项目，在《新京报》之前就在谈了。事实上，当时派往上海的负责人选都已经内部敲定，网上的消息已经传得沸沸扬扬，甚至把南方报业的加盟合作作为一大卖点来炒作。

但是，《东方早报》面世之时，却没有看到南方报业的影子。

确切地说，是南方报业主动退了出来。为什么？是因为合作条件未达成一致。按照我和集团社委会定下的跨区域合作办报的原则，如果按照对方开出的条件，做不到“门当户对”的比较平等的合作，我们宁可不做。

对上海这个报业市场，南方报业一直是看好的，而且多年来，《南方周末》、《21世纪经济报道》乃至《城市画报》，在上海都有着很好的读者群和影响力。所以，我们到现在还在关注上海，积极寻找新的合作机会、合作对象和合作方式。

行内有人说，深圳报业市场和上海报业市场有着相似之处，当地报纸有着吸纳广告的区域优势，经多年经营有较强的竞争实力，应对外来竞争也有一套办法。一方面，市场总量还有很大空间，另一方面，市场环境十分特殊。对“外来者”来说，有很大的诱惑力，也不能不考虑当地应对外来者的战略战术。从经营战略来看，既可以是竞争性的，也可以是合作性的。深圳报业这几年采取合作性的经营战略，先是原本互为竞争对手的深圳特区报和深圳商报及它们各自的子报联合组成一家报业集团，接着又将原本也是竞争对手的区一级报纸和某些行业报刊兼并，将本地竞争者联合为一体，协同行动，共同对付外来竞争对手，已取得竞争优势。这种优势会不会掩盖另一种劣势，姑且不论，就眼前利益而言，任何一个“外来者”，都不可能不加以反复掂量：能否赚到钱？这些年进军深圳的“外来”报纸，有几个赚到钱的？

我在南方报业内部提出，要从报办集团变为集团办报，在经营方面，集团内部报报平等，都是一个个独立的市场主体。只有成为真正的市场主体，才有可能形成一个有战斗力的团队，形成一个运作顺畅的管理机制。

所以，我们不敢轻举妄动。我们最先选择了北京，选择了光明日报作合作伙伴。在这一方面，光明日报不仅显示了一家中央大报的风范，充分展示了它的政治优势和强大实力，也表现出良好的合作诚意，有着共同的合作理念。这是任何一种合作模式都不可缺少的重要因素。

（三）跨区域办报要明确主体

合作方所有的优势都是合作的有利条件，必要的“名分”是合作的外在保障，门当户对也只是给合作提供了双赢的基础。在具备了上述条件之后，如何保证合作过程中的良性运作，才是最为关键的东西。

就像两个人谈恋爱，情投意合，结婚了，生下了这么一个儿子。这个儿子就是一个独立的个体。必须脱离母体，独立生存，不断壮大，自立发展。

合作办报，也是这个道理。我在南方报业内部提出，要从报办集团变为集团办报，在经营方面，集团内部报报平等，都是一个个独立的市场主体，只有成为真正的市场主体，才有可能形成一个有战斗力的团队，形成一个运作顺畅的管理机制。

这里面有三层意思：

一、合作办报也好，引入战略投资者也好，开办的这张报纸（或者是一本杂志，一个新媒体项目），都必须能够独立运作。比如，集团内部的21世纪报系，南方报业与光明报业合办的《新京报》，主办方也好，合办方也好，投资方也好，都是生成报纸主体的一方，所生成的这个市场主体，是能够自主运营、自行发展的。

二、这个报业市场主体的全体员工和管理团队，能够担起作为市场主体的责任，并且有对等的权利和义务。比如新京报，它的采编、发行、广告等各方的员工，尽管有不少来自合作各方，但进入新京报后，不能把他们当成代表各自利益集团进来的。他们既不代表光明日报报业集团，也不代表南方报业传媒集团，他们的身份就是新京报的员工。正像我在南方报业传媒集团内部提出的，我们的采编团队和经营团队，不分什么事业单位、企业单位的身份，大家都是南方报业的员工。这样，大家就真正形成一个利益共同体，把报纸作为一个“完整的产品”去经营开发，把报纸作为一个共同的事业去担当。

三、对这个合作办报的项目，要形成一个有凝聚力的管理团队，而不是各派一些人凑合在一起，成为一个松散的联合体，管又管得不到位，放又放得不够开，甚至互相掣肘，产生内耗。要用一个经济纽带、利益纽带，把他们强有力地拧在一起。要想办法去营造管理团队的激励机制。

跨区域的合作办报，跨媒体的合作经营，有很多新的模式都可以大胆尝试。文化体制改革的加快和不断深化，提供了更多的契机和可能；报业集团到传媒集团的提升和内部资源的整合，提供了更多的平台和增长点。报业到传媒业到整个文化产业的发展变化，资本市场的开放和现代企业制度的建立，提供了更多的动能，蕴含着更大的机遇。这些都是我们必须紧紧抓住的历史机遇，有待我们进一步探索开拓创新。

第二部分

龙生龙，凤生凤

媒体发展的多品牌战略

TRATEGY OF NANFANG MEDIA GROUP

营销的精髓是在消费者心目中建立品牌。

现代消费者行为学的一个基础前提是,人们购买产品通常不是为了它们能做什么,而是为了它们意味着什么。这一原则并不说明产品的基本功能不重要,而是说明产品在我们生活中所起的作用已远远超出了它们所完成的任务。

媒体品牌是媒体消费者对该品牌的持续的忠诚度,媒体品牌的市场竞争围绕着抢占媒体消费者的心智资源而展开。什么是纸质媒体消费者？读者！这是毫无疑义的。广告客户花钱在报上登广告，这也是一种消费行为。南方报业的媒体品牌，在读者中有广泛的影响力，对发行市场有足够的冲击力，对广告市场有强劲的吸引力，可以说，在客户、在消费者心中有着深深的“烙印”。

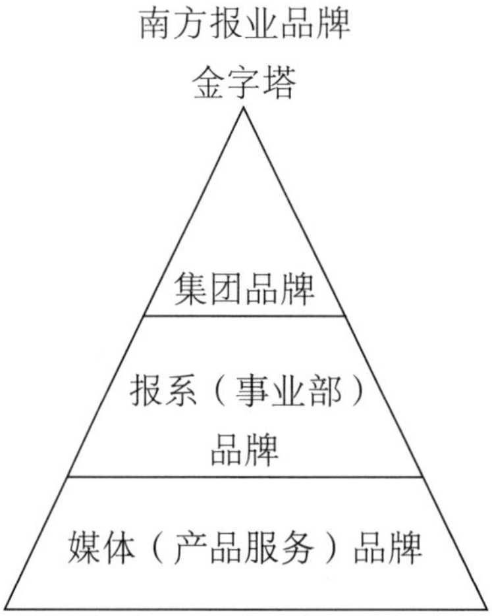

第一章
龙凤家族及其品牌基因

一　国际化背景下的媒体多品牌战略

2002年国庆黄金周期间，南方日报报业集团下属的南方都市报举办了广州有史以来最大规模的汽车展——“南方汽车展”，吸引了众多的经销商和汽车生产厂家参展，虽然一张入场券卖20元，车迷和买车族仍然蜂拥而至，以至需要几度停止售票和控制进场人数来维持观展秩序。广州市一位领导问主办单位负责人：“车展筹备时间多长？”主办单位负责人回答说：“从构思、布展到开幕用了一个月的时间。”市领导感到非常惊讶，因为政府举办的车展筹办时间相当长，一个月的时间不可思议。那么短的时间，竟然能制造那么大的轰动效应，其奥秘在哪里？其实就是媒体的品牌价值在发生作用。政府举办的车展，办各种审批手续比媒体方便快捷，但其对市场信息的反馈、与客户的联系及宣传攻势，往往不及已产生品牌效应的媒体。就这次的汽车展而言，南方日报报业集团下属几家报纸，其品牌声誉远播全国各地，其以市场为导向与客户所建立的密切关系已十分牢固，再加上展出前全集团的主品牌与子品牌同时开展推介活动，在全国造成了强大的舆论影响力，使厂家和经销商慕名而来，也吸引了大量的观展者。这次展出除了有可观的门票收入之外，还有一大笔广告收入，更为重要的是与厂家和经销商进一步密切了联系，长远来看无疑会带来十分可观的市场效益。

南方日报报业集团的前身为南方日报社，1949年就办起了《南方日报》，1998年5月18日成立报业集团，除了原有的子报之外，还兼并了一些报纸，目前已拥有七报一刊一个出版社和印务中心、发行总公司、广告公司等实业，还有依托南方日报报业集团建立的全国和广东省的重点新闻网站——南方网。去年由教育部《中国大学生就业》杂志组织的“新世纪中国大学生就业首选企业调查”结果显示，南方日报报业集团跻身50强，排名第35；由北京大学企业管理案例研究中心发起的“2001年中国最受尊敬企业”评选，南方日报报业集团成为入选20强的唯一内地传媒集团。南方日报报业集团在全国的报业中不是最大最强，经济效益不是最好，为何会得到这些殊荣？其实也是品牌的影响力。我们今年要六七十名大学生，报名的有上万人，他们有的是朝着《南方日报》而来的，有的是朝着《南方周末》、《南方都市报》、《21世纪经济报道》而来的，这些报纸都有较高的品牌价值，因而受到了大学生的尊敬，慕名而来。现有的固定资产和经济效益反映过去和今天的实力，而品牌产生的无形资产却代表着媒体发展的未来。所以，我认为必须大力打造以媒体品牌为核心的报业无形资产。下面我谈谈实施多品牌战略的看法和体会。

选择：强化传媒综合竞争力的需要

中国报业竞争日趋激烈，加入WTO之后，中国媒体面临国际传媒正面碰撞的时间日近，如何抓住过渡期的有效时间把自己做强做大？国内媒体以不同方式进行积极的探索。我认为，要从三个方面转变观念，实施多品牌战略，强化综合竞争力。

一是从单一的新闻竞争和打价格战转到塑造媒体品牌的竞争上来。在过去相当长的一段时间里，报纸的竞争集中体现在新闻的竞争，甚至只是对某些新闻事件的报道竞争上。这当然重要，但它只是报纸市场综合竞争力的一部分。不能认为新闻做好了就自然有强大的影响力，在报业市场中就有强大的竞争力。报纸是一种特殊的商品，对它的经营与其他产品的经营也有共同之处。现在经营者在经营活动中越来越重视亮出品牌了，消费者的品牌消费观念也越来越强，谁的品牌叫得响，产品名气大，就能受到消费者的青睐；在经济交往中，人们也喜欢与品牌产品的生产者打交道。不少新办的企业一投产就将精心经营品牌作为拓展市场、维系消费者忠诚度的重要一环来抓，将它作为打造无形资产的重大战略。人才也往往流向品牌响当当的企业。所以，品牌就是信誉，就是市场，就是人才，就是财富，就是难以估量的无形资产。媒体产品也必须确立自己的品牌形象。事实上，媒体消费者如今也认品牌了，读者买报已从过去先翻翻报纸、看看内容到现在认准某个牌子就掏钱购买。已经产生品牌效应的报纸，其发行、广告乃至资金的吸纳是不用担心的。比如，现在金融机构都争着向有影响力的媒体贷款。可见媒体品牌具有高度的价值。近年来报界发生的竞相降价，想用压低报价的办法来压倒对手，说到底是对自己的媒体产品缺乏信心，也说明自己的产品未形成品牌优势，与别人的产品差不多，未形成自己的特色。同等的货色，消费者理所当然买便宜货。如果形成了品牌优势，颇具特色的话，读者是不在乎一两角钱甚至几角钱的。《21世纪经济报道》每份卖两元，起初也有人担心价高能否占领市场。该报一开始就将读者对象定在层次较高的人群中，这些人不在乎报纸价钱，却讲究报纸的品位。由于《21世纪经济报道》比较快就形成了品牌优势，因而价高销路一样好。

二是从单一媒体品牌的竞争转到媒体多品牌的竞争上来。南方日报作为国内最强的省级机关报之一，其改革发展取得一定成效。但面临的市场竞争日趋激烈，只靠一家党报无法满足读者多元化的需求，也无法适应激烈的市场竞争。从长远来看，靠一枝独秀是很难在市场竞争中立于不败之地的。有的人说，国外有的媒体靠一报就能做大做强。我认为这与国情有关。外国传媒竞争的市场环境是一样的。我们不同的报纸管理方式不同，大报与小报的办报环境是不同的，竞争是不平等的。机关报要想占领市场，必须大报加小报同时出击，才能在竞争中取胜。有的人说，国内也有报社只靠一家打市场打得很好。这没有错。南方日报过去也是靠一家打得红红火火，但如果我们不是居安思危，及早办起子报，今天的日子就不知怎么过了。多年来，我们在打造主品牌《南方日报》的基础上，办起了一批有广泛社会影响力的品牌子报，从而使集团的竞争力不断增强。

三是从单纯的媒体品牌产品竞争转到品牌理念所延伸到的各个领域的竞争上来。品牌的塑造不容易，媒体成为品牌产品之后应充分利用好并延伸开去，不然就会将辛辛苦苦培育起来的品牌浪费掉。延伸品牌包括自身的内涵的提升和面向社会的外延的扩展。内涵的提升应包括从内容到形式，从看得见的新闻文字稿、版面设计、印刷质量等有形的形象到用人机制、宣传推介、客户服务等无形的形象，在各个环节形成有别于他人的独特风格，全方位塑造自己的品牌形象。外延扩展就是要充分发挥媒体已形成的品牌优势，利用它的声誉和在读者中的认知度，与政府部门、兄弟媒体、中介机构、企业、广告公司等合作，并渗透到会展、培训、咨询等社会上各种活动中去。《21世纪经济报道》的品牌有广泛的社会影响力之后，他们利用好“21世纪”的品牌，举办“房地产”、“金融”等论坛。南方都市报也举办汽车展、房地产展等。参与这些活动实际上是品牌理念的不断延伸和深化，它既进一步扩大了品牌的影响力，又会将广告客户等吸引过来，带来可观的经济效益。

提高综合竞争力不能停留在别人能做我也能做的水平上，不是跟着别人走，而是抢在别人前头跑：别人不能做的我能做，别人做不好的，我绝对做得好。也就是要努力争第一，争不到前头的，可以避开强势，做只有自己唯一能做的事。有这样的决心和创新精神，才能培育出多个有个性的品牌，并延伸到各个领域，形成强大的综合竞争力。比如《南方日报》过去曾提出“既要进入机关、企事业单位，又要进入寻常百姓家”的口号，当时报纸没有那么多，竞争也不激烈，是可以做到的。时至今日，可供读者选择的报纸越来越多，报纸也互相借鉴对方的经验为我所用，迫使你不得不重新考虑什么才是你唯一能做的事情。作为机关报，它最大的优势就是与党委、政府部门有着最密切的联系，可以在第一时间拿到这

我认为，要从三个方面转变观念，实施多品牌战略，强化综合竞争力。一是从单一的新闻竞争和打价格战转到塑造媒体品牌的竞争上来。二是从单一媒体品牌的竞争转到媒体多品牌的竞争上来。三是从单纯的媒体品牌产品竞争转到品牌理念所延伸到的各个领域的竞争上来。

些部门最权威、最可信的新闻。当一些媒体刊登猜测性的报道或不确切的新闻时，机关报依据自己的优势，发布权威性的新闻，以正视听，是别的新闻媒体不容易做到的。因此，在一个省将省委机关报办成本省内最具权威性和公信力的泱泱大报，是只有省委机关报唯一能做到的。机关报可以往这方面塑造只有自己唯一能塑造的独特品牌。

实施：个性的确立和合力的形成

第一，实行“龙生龙，凤生凤”的优生优育模式，催生多品牌滚动发展。

报界同行有种说法：南方日报报业集团的神奇之处，就是报纸办一个成功一个。是的，我们集团在多品牌战略中实行了“龙生龙，凤生凤”的优生优育的滚动发展模式。我们将主报《南方日报》50多年积累的物业和人才基础，作为子报的孵化器。我们首先利用《南方日报》的人力资源、新闻资源、技术设备和资金优势，创办了《南方周末》，然后又利用《南方周末》的人才和发行渠道、印刷网络等资源创办了《21世纪经济报道》，成长起来之后再从南方周末分离出来。新创办的《21世纪环球报道》又是由《21世纪经济报道》衍生出来的。我们创办《南方都市报》成功之后，又从它的体育采编部门选出部分人员，利用《南方都市报》的各种资源，创办了《南方体育》。

第二，紧紧盯住细分的市场，确定每个品牌的理念，形成鲜明的个性。

为适应报业市场不断细分的趋势，南方日报报业集团分析了市场的空间和可拓展的领域，确定所经营的项目，每种报纸的定位都有自己独特的品牌理念和个性追求：

《南方日报》确立了“高度决定影响力”的品牌理念，以高质量的主流新闻和深度报道铸就高品位的大报风范，以此来塑造自己的“最权威”的个性。

《南方周末》的品牌理念是“深入成就深度”，与全国读者共同分享生存的智慧、发展的智慧，新闻以独家为主，时评以纵深见长，副刊则佳作迭出，以自己独特的视角，赢得了众多精英的关注。

《南方都市报》以“办中国最好的报纸”作为品牌理念，拒绝平庸、追求卓越，它以深入都市生活、引领时代时尚、紧密追踪经济热点、快速反映大众焦点为己任，在“传播消息，提供资讯，引导消费，服务生活”方面有口皆碑。

《21世纪经济报道》确立了“新闻创造价值”的品牌理念，提出“与加入WTO的中国一起成长”、“代表积极的、向上生长的力量”等不同凡响的口号。这份与新世纪同时诞生的大型财经类周报以分析国际形势、透视中国经济、观察行业动态、引导良性发展为目的，立足于国际通行的经济法规，及时有效地反映世界经济格局的变化，跟踪报道中国企业界的动态与发展，报道以深度取胜，以深度促新闻，打造一份高品质的经济类媒体。

《南方农村报》将“服务农村经济，维护农民权益”作为品牌理念，在“农”字类的报纸中独树一帜。

《南方体育》的品牌理念“跟他们不同”。这似乎让人捉摸不定，却令人回味无穷。它以新锐的阅读体验，强烈的视觉冲击力，还原体育媒体更引人入胜，成为“跟他们不同”的饱含体育文化的新型休闲类报纸。

《城市画报》亮出了“新生活的传播者”的品牌，关注都市人快乐健康新生活、新感觉。这是一份以资讯为重、新闻和娱乐并举的生活类双周刊全彩杂志。

《21世纪环球报道》的品牌理念为“新闻全球化”，以“全球视野、中国视点”为办报方针，关注全球化进程中的国际时事，探讨中国在此背景下的处境与方向；《21世纪环球报道》(明星周刊)的理念则是“娱乐经济代言人”，关注全球范围内文化界、艺术界、娱乐界、时尚界的新闻事件与明星人物。

可以看得出，南方日报报业集团的各报与同类报纸比，不是同一个模具出来的，没有克隆出同一个脸孔，很有独创和个性化。有独创和个性，才有“品牌”可言！

第三，集团的整体品牌形象与局部的品牌个性形象要形成合力，共同营造品牌的社会影响力。

一个集团不管有多少张报纸，但首先要打造好主品牌，如果主报办得不好，子报发展得再好，也不能说报业集团是办得成功的。我们认为，作为南方日报报业集团的主报，“南方日报”四个大字中所蕴含的品牌价值和市场潜力是巨大的。因此，多年来我们十分重视《南方日报》的改革创新，最近我们又推出新一轮的改革，在全国省委机关报中率先将宽幅报改为窄报，在内容等方面也锐意创新。一张以国际化、科学化报型、版型为视觉表现，以专业化、精致化新闻版块结构梳理为理念表征的全新《南方日报》，于今年8月6日面世。

我们认为，打造品牌是一个系统工程。集团与下属单位上上下下对品牌要有整体的认知度，要通过一系列的策划从各个侧面营造品牌的影响力。下属各单位的远景规划、人才战略、重大资本运作等，都服从于集团的总体规划，营造集团的总体优势，许多活动要冠以“南方报业”的品牌，以确保集团的品牌形象。如南方都市报今年国庆节期间在广州举行大规模的汽车展，就亮出了“南方报业南方都市报汽车展”的牌子。在各种各样的活动中，都重视打出大品牌的旗帜，既能使大品牌越来越深入人心，品牌的影响力越来越大，而且也使人了解到南方报业下属单位有棵大树在支撑，有利于借助集团的优势强化自己的竞争力。这样做并不意味着不发挥子报的品牌个性，相反地应当积极鼓励。主报与子报以及子报之间分工要合理，做到优势互补，不能自己打自己，自己挖自己的墙脚，这就必须有鲜明的个性，以树立自己的良好品牌形象，并充分地利用好已形成的品牌个性，拓展新的领域。

成效：品牌创造价值

实施多品牌战略，使南方日报报业集团形成了合理的报业结构，既有面向全省，又有覆盖全国，在国内外有较大影响力的报纸；既有综合类的，又有专业性较强的报纸；既有大众化的，又有高层次、面向精英阶层的报纸；既有面向城市，又有以农村读者为对象的报纸：

《南方日报》——立足广东、面向全国、走向世界，重点面向广东各界高层次读者；

《南方周末》——覆盖全国的高品位精英报纸，知识分子是核心读者群；

《南方都市报》——大众化报纸，面向广州、深圳乃至整个珠三角，并辐射周边地区，以城市市民为核心读者群；

《21世纪经济报道》——全国政府、企业与公共机构的高级管理人员、决策者、专业人员、研究者喜爱的高品质的经济类媒体；

《南方农村报》——以广大农民，尤其是农村专业户为核心读者群；

《南方体育》——以善于品味体育文化，推动城市进程的"三高"（高学历、高收入、高职位）动力人群为核心读者；

《城市画报》——以全国大中城市受过良好教育的中青年作为核心读者群；

《21世纪环球报道》——以城市中高级白领、知识分子、专业人士为核心读者群的国际新闻类报纸。

几个拳头同时打出去，市场覆盖面大，形成了强大的发展后劲。1998年成立集团以来，全集团的广告营业额每年以两个亿的速度递增。全集团实现了几个第一：《南方日报》发行量、广告营业额连续17年居省委机关报之首；《南方周末》发行、广告、效益多年来在同类报纸中居第一；《南方都市报》去年广告营业额5亿多，同类报纸中居第一；全集团有三家报纸广告营业额超亿元，这在全国报业集团中也是独一无二的；《21世纪经济报道》零售量，在同类报纸中居第一；集团印务中心承印170多家报刊，效益居省委机关报印刷厂之首。

未实行多品牌战略之前，经营风险集中在《南方日报》一家，现在由于有了多品牌，有新的经济增长点，从而分散了报业经营风险。

我们还做得不太好，但我们正在努力！我们真诚希望与在座的各位朋友合作，将我们的品牌延伸到你们办的媒体和企业中去，欢迎你们能更多地利用“南方报业”的品牌，我们也非常乐意为你们服务。

（这是2002年10月12日，在深圳高交会“全球经营管理大师峰会”上的演讲。这个演讲后，有人称中国报业进入了“品牌”时代）

附录：对南方报业与多品牌战略的评价

南方报业传媒集团创新机制，标志战略竞争时代来临

作者：佚名　来源：南方日报　网上公布时间：2005-07-26

这里是发行量百万份以上报纸最密集的城市，这里是内地广告额最多的市场。广东报业的改革之路、发展之道，广东报业的攻城谋略、创新战术，早已透过各种公开报道、BBS甚至MBA教学案例广为流传。

7月18日，南方日报报业集团更名为南方报业传媒集团。有专家分析，从此，广东报业将在全国率先进入战略竞争时代；广东报业未来的发展，将为广东的改革开放提供更强大的推动力。

报业已进入品牌经营时代

作者：熊振宇　徐胜斌　网上公布时间：2005-06-20

毋庸置疑，品牌是媒体生存的基础。在当前的市场经济条件下，一个党报集团的实力，不再单一地像过去那样，仅仅取决于它的地位和影响，而更多地取决于它拥有品牌的数量与质量，取决于它实现的品牌价值。2004年6月，世界品牌实验室和世界经济论坛在北京发布了年度“中国500最具价值品牌”排行榜，南方报业集团有3家报纸上榜。而南方报业集团拥有的7报4刊中，有5家媒体年度广告营业额超过了亿元，这在目前的中国报业是独一无二的。南方报业的强势发展，得益于其多品牌发展战略和已具备的品牌效应。这充分地表明了我国报业已进入了品牌经营时代，这是竞争的结果，也是报业规模化发展的必然趋势。

报业集团化运作创新：打造价值链、品牌链、产业链

作者：罗建华　原载2003年第11期《新闻战线》

“综合市场”链接“细分市场”。2002年10月12日，南方日报报业集团社长范以锦在“全球经营管理大师峰会”上讲演“媒体多品牌战略”时说：“我们要根据已经细分的市场办子报，哪家打全国、哪家打广东，哪家打城市、哪家打农村，哪家争取大众化、哪家争取高层次的经营阶层……就逐步清晰了。”应当看到，市场经济催生社会分工越来越细，导致社会阶层高度分化，受众对信息需求的个性化、多样化、分众化特征也越来越突出。由此，财经投资类、国际新闻类、生活消费类、体育娱乐类报纸有了细分市场的“机遇期”。南方日报敏锐地抓住机遇，发散“南方品牌”，抢占细分市场，很快大行其道。

南方日报报业集团实施多品牌战略个案分析

作者：张丽娜（研究生论文）网上公布时间：2004-09-29

一、提高报纸质量，树立品牌形象，提高报业集团的知名度。

（一）重复购买者一般出于对已有的高知名度品牌的尊重，往往保持原有的知名品牌。面对庞大的消费群体，多个品牌增加了报纸被选中的机会，给低品牌忠诚者提供了更多的机会。

（二）多品牌战略有助于报纸与读者之间建立长期的联系。不同的品牌，相同的质量，读者与报纸之间形成一种默契，加强了读者对品牌的信任程度，有助于媒介扩大生产规模和业务的开拓。

（三）发展多种不同的品牌有助于在报业集团内部各个部门之间、报纸之间开展竞争，提高效率，强化报业集团的竞争力。

二、给报业集团创造更大的商业价值。

（一）多品牌战略可以培育市场，克服单一品牌单独培育市场力量单薄的弊端；限制竞争者的扩展机会，提高了竞争者的加入障碍，使媒介拥有控制主动权，利于准确把握市场，快速参与竞争，并在竞争中取胜。多品牌经营比单一品牌的发展空间更为广阔。

（二）有利于报业获得较高的收益。多品牌满足不断求新求异的读者心理；不断变化的市场流行，就是新品牌不断出现。品牌多了，读者选择的空间大了，市场细分更广了，目标读者群的增加会给报业集团创造出比单一品牌多几倍的效益。

（三）多个良好的品牌，本身就是报业的一笔无形的财富。可以最大限度地覆盖市场，可以尽可能多地占领市场空间，提高市场份额，降低市场风险；多品牌的报纸之间互补性大，某一品牌的失败不会危及其他品牌的报纸。

三、利于报业集团把握经营战略，在竞争中取胜。

（一）多种不同品牌的报纸在提高消费者认知的同时，可以吸引更多的读者，竞争实力也在增加。多品牌经营能最大限度利用原有的网络资源，并密织营销网络，资源集中，配置优化，形成竞争强势，增强实力，产生规模经济效应，从而降低渠道管理成本。

（二）多品牌的生产会使报业集团的部门与部门之间、报纸与报纸之间产生竞争，提高工作效率和生产效率。同时有助于提高报业集团的分工协作，提高员工的自信心，增强企业的凝聚力。

（三）多品牌生产可以使报业集团深入到不同的子市场，提高读者的满意程度，提高市场占有率。品牌的使用直接关系着消费者、企业和国家的利益。多品牌经营能最大限度地回避市场风险，保障产品经营轨道的安全性。任何单一产品，避免不了因质量、性能、营销策略或行业性因素带来的风险，实施多品牌经营正好可以利用产品的多样性，最大限度回避市场风险。

南方报业四报价值63亿

作者：郑子轩　网上公布时间：2005-08-07

昨日，世界品牌实验室在北京人民大会堂隆重发布了2005年度"中国500最具价值品牌"的榜单。传媒行业（包括广播电视、报纸杂志、网络）共有45个品牌入选，占据总品牌数的9%，成为仅次于食品饮料的第二大上榜行业。刚刚更名的南方报业传媒集团，旗下有四家报纸——《南方日报》、《南方都市报》、《南方周末》、《21世纪经济报道》上榜，品牌综合价值达到63.15亿元，再次成为品牌盛会的最大亮点。

榜单显示，中央电视台（CCTV）、凤凰卫视、上海文广分别以619.7亿元、231.7亿元、189.8亿元的品牌价值分别占据传媒分榜的前三名。而《参考消息》以50.9亿元的品牌价值再次保住在平面媒体中的至高地位，紧随其后的《人民日报》为48亿元。南方报业传媒集团的4家报纸，《南方日报》的品牌价值为27.8亿元，《南方周末》为16.25亿元，《南方都市报》为12.8亿元，《21世纪经济报道》为6.3亿元。

"做媒介实际就是做品牌，要建立和维持受众的忠诚度，一定要通过做品牌来培养起一批忠诚度很高的受众，使自己的传播产品成为人们不可或缺的认识社会、判断问题的基本资源支点。"中国人民大学新闻学院副院长喻国明教授昨天接受记者采访时说，"南方报业传媒集团也不例外，只不过其更需要打造的是集团的大品牌，以整合其下属的各子媒体的品牌，从而形成一股不可抗拒的合力。"

结构创新考验报业集团发展战略

作者：施爱春　网上公布时间：2004-10-20

读者一个星期愿意掏十块钱买一家报业集团报纸的只有南方报业。

一个报业集团办好两张综合报已是奇迹，要办好三张甚至更多的综合性报纸难度可想而知。于是，从报业集团的大家庭的现状看，一是“大报养小报”，大报办成功了，可是子报不争气，只好靠“啃老”；二是“小报养大报”，一张子报办成功了，在市场上成了“金娃娃”和“摇钱树”，母报和其他子报靠这办得好的一张子报养着。在许多报业集团，由于子报和子报之间在报业集团内部错位不明显，对外竞争力又不强，处于欲上不能、欲罢不忍的尴尬境地。

在全国报业集团对报业结构的探索处于山重水复疑无路时，南方日报报业集团率先有了柳暗花明又一村的开局，目前全国报业结构最优化的当数南方日报报业集团。有人测算，在全国的报业集团中，读者一个星期愿意掏十块钱买一家报业集团报纸的只有南方日报报业集团的报纸。

南方日报报业集团凭借南方日报的经验、人才、条件，把母报作为新生子报的“孵化器”。这样，发行上有面向全省、又有覆盖全国的，报纸的影响力波及省内外；内容上，有综合性的又有专业性的；在读者群上，有面向大众化的、又有面向精英阶层的；在赢利模式上，有微利大规模化的盈利模式和智力集成化的盈利模式；在广告上，南方日报、南方周末、南方都市报、21世纪经济报道每张报纸的年广告营业额都超过一亿元，这种“不把鸡蛋放在一个篮子里”的差异化战略，极大分散了报业集团办报的风险。

南方报业继续占据传媒业高地

喻国明　中国人民大学新闻学院副院长、舆论研究所所长、教授、博士生导师

南方报业传媒集团是国内最优秀的报业集团之一，难能可贵的是，她能够从理论和实践上创新，不断做到超越自己。对南方报业传媒集团，我印象最深的有两点。首先，南方报业传媒集团的报业结构是全国报业集团里面最合理的，她多年来坚持多品牌发展的经营战略，被誉为“报业结构最合理，读者覆盖最全面，综合运营能力最强”的报业集团是名副其实的。其次，南方报业坚持走主流化道路，这点值得称道。在南方报业传媒集团内部，有《南方日报》、《南方周末》、《南方都市报》、《21世纪经济报道》等在全国都有影响的报纸，在全国的新闻改革中也有极致性的影响。特别是《南方日报》，在全国机关报的市场普遍弱化的情况下，还具有强烈的探索精神，在报道好经济发展的同时，能够更多地承担起社会责任、政治责任，是一张负责任的主流大报。

中国现在的传媒已经结束了第一轮的对市场“走马圈地”的竞争，下一步将面临报业集团转型的竞争。报业集团要在各个方面做大做强，必须在第二轮的竞争中占领高地。同时南方报业传媒集团做大做强以后，她所承担的政治、经济代价要大得多。

南方报业生机勃勃充满活力

李良荣　复旦大学新闻学院副院长、发展研究院研究员、教授、博士生导师

南方报业传媒集团是一个成长势头非常迅猛的集团，这几年的发展给人留下的整体印象是生机勃勃、充满活力。在集团报业整体风格上体现了一种关爱社会，心怀大众，放眼天下的精神。

由于主报与子报之间形成良好的梯队行阵，既可以相互照应，受众定位又不重叠，既可以一致对外，又可以覆盖最广泛的读者群。南方报业传媒集团高品质的新闻产品与合理的产业结构，的确足以确保其在中国报业市场竞争中处于优势地位。就目前集团的发展趋势来看，上升空间仍然很大。

南方报业：全国报业先锋

林如鹏　暨南大学新闻与传播学院副教授、博士

这几年南方报业创新经营，不断摸索，寻找出一个主报与子报共存共生、互补共融的多品牌发展战略，成为全国报业的先锋，在中国报业市场竞争中，是发展潜力最大、发展势头最足的报业集团之一。

闯出了一条有自己特色的发展道路

李希光　清华大学新闻与传播学院副院长、国际传播研究中心主任、教授、博士生导师

南方报业传媒集团经营的商业模式比较合理，她的营销、策划和广告都能够让人刮目相看，这是南方报业传媒集团给我留下的最深刻的印象。

她结合中国的国情，根据不同的受众的需要，勇敢地包装自己的形象和品牌，闯出了一条有自己特色的发展道路。

值得肯定的是，南方报业传媒集团意识到了当前新闻学界理论研究与实践经验脱节的问题，敢于把博士后们推到新闻研究的"游泳池"里。以前研究人员是站在"游泳池"边进行指导，现在他们自己下水试验一番，这样可以检验出科研人员的本领是否真实。

塑造报业集团的社会形象，打造报业集团的经济航母

任剑涛　中山大学政治与公共事务管理学院院长、教授、博士生导师

南方报业传媒集团一直给我留下深刻印象：一方面，在集团的核心产业——报纸杂志方面，集团的办报办刊理念处于国内同行的领先地位，如何使报纸杂志成为"公共"传播媒体，可以说是集团得以领先于国内传播媒体的主要原因。南方报业传媒集团旗下的媒体对于兴起中的现代中国所承担的公共责任，已经是有目共睹的了。另一方面，集团的积极扩展态势给人以鼓舞。从办好母报出发，集团逐渐开拓出一个良性扩张的发展局面。不仅有了子报，而且有了"孙报"，特别使人惊叹的是报纸竟然办得都挺火；同时，杂志的开办，定位明确，品位高雅者有之，市场导向者有之，有声有色。再一方面，集团的经营理念与办报理念协调一致，成为集团迅速发展的两个相互联系的动力机制。塑造报业集团的社会形象，打造报业集团的经济航母，是报业集团得以在变迁社会既承担社会使命，又占据市场空间的双重要求，在这一点上，南方报业传媒集团的成功程度是相当之高的。

高品质的新闻产品与合理的产业结构确立了在中国报业中的优势地位

单波　武汉大学新闻与传播学院副院长、媒体发展研究中心副主任、教授、博士生导师

在我的眼里，南方日报是党报中的佼佼者，也是率先推行报纸的大众化、市场化、集团化等项改革的媒体之一，因而也是中国报业的亮点之一。她最引人注目的特点是，既有政治家办报的风格，又有强烈的社会关怀，同时，每到中国报业发展的关键时刻，她都有新的发展思路，并时时发起报业经营管理的改革，坚持多品牌发展的经营战略，以其高品质的新闻产品与合理的产业结构确立了在中国报业中的优势地位。

（以上对南方报业多品牌战略的述评由南方报业传媒集团新闻研究所整理提供）

二　多品牌战略的形成和发展

品牌，是源自西方的市场营销概念。什么叫品牌？有人这样描述：“品牌是每个消费者对一个公司或产品的每种体验的总和，是消费者对该品牌开始形成某种承诺的看法的总和。”也有人将品牌理解为，“消费者心中留下的‘烙印’”。媒体品牌是媒体消费者对该品牌的持续的忠诚度，媒体品牌的市场竞争围绕着抢占媒体消费者的心智资源而展开。什么是纸质媒体消费者？读者！这是毫无疑义的。还有，另一类消费者——广告客户，这也是不能忽略的。因为，广告客户花钱在报上登广告，这也是一种消费行为。南方报业的媒体品牌，在读者中有广泛的影响力，对发行市场有足够的冲击力，对广告市场有强劲的吸引力，可以说，在客户、在消费者心中有着深深的“烙印”。

媒体多品牌战略的提出及其意义

（一）深圳高交会“经营管理大师峰会”上的震撼——南方报业媒体多品牌战略引起强烈反响

2002年10月12日，“第四届中国国际高新技术成果交易会”在深圳开幕，我应邀在当天下午举行的“全球经营管理大师峰会”上，发表了题为《国际化背景下的媒体多品牌战略》的演讲。这次演讲备受关注，台下听众听得入迷，没有闲杂的声音。演讲一结束，有一批人围上来不断提出他们关心的一些问题，有的还表示要与南方报业合作，将南方报业的品牌理念引进到企业去，实现共同发展。多名媒体记者还专门对我进行了专访。企业品牌理念早就深入人心，但传媒业长期以来重视事业单位的一面，忽视其产业的属性，不太注重经营，品牌理念甚差。因此，南方报业将品牌理念引进传媒业的思路及实施多品牌战略的做法，深得传媒同行和社会的广泛关注，这是很自然的。

南方报业经营品牌已经多年，但尚未进行比较全面的总结，也从未在公开场合介绍品牌经营的理念和做法。高交会上的演讲比较系统地进行了理论上的概括和论述，标志着南方报业的多品牌战略已经成熟。媒体多品牌战略的理论和实践对日后南方报业事业发展发挥着至关重要的促进作用。

（二）南方报业的发展强势，印证了多品牌战略的正确

先从2003年的业绩说起。“非典”时期的2003年，南方日报报业集团充满着艰难和挫折，伴随而来的却又是惊奇、欣喜和收获的甘甜。南方报业在推进报纸改革、提高办报质量的同时，报业运营实现新的突破，有两个得意之作：

一是2003年11月，南方日报报业集团与光明日报报业集团联手打造《新京报》，先声夺人，强势进入北京报业市场，成为中国媒体跨地域经营的成功范例。

二是无论是单项指标还是整体经济效益都实现了历史性的突破：实现利润1.49亿元，比2002年翻了一番多；广告营业额超亿元的报纸由3家增至4家。

2001年年底至2002年年初，我多次说过，经过四五年的努力，南方日报报业集团广告营业额超亿元的报刊要达到4至5家。当时有3家——南方日报、南方周末、南方都市报。现在我们可以自豪地宣布：这一目标提前实现了。2003年，21世纪经济报道的广告营业额已超亿元。2004年又增加了一家，这就是我们与光明日报报业集团合办的新京报。当今的中国报业媒体的印刷、发行成本大，没有几个靠推销报纸能赚到钱的，因此在某种意义上来说，广告成了报纸经济实力强弱的重要标志。一个报业集团同时拥有几个超亿元广告的报纸，

高交会上的演讲比较系统地进行了理论上的概括和论述，标志着南方报业的多品牌战略已经成熟。媒体多品牌战略的理论和实践对日后南方报业事业发展发挥着至关重要的促进作用。

在中国报业目前来说也许是少见的，它从一个侧面反映了南方报业的市场占有率，反映了南方报业的市场开发能力，也展示了南方报业的发展后劲。

2003年“非典”形成的困惑，对南方报业经济产生的干扰不可谓不大，但南方报人按认定的目标，脚踏实地干自己认准干的事，从困惑中走出来，不断开创新的发展天地。

处于南方报业龙头地位的《南方日报》，其发行量、广告额10多年来连续雄居全国省级党委机关报之首。

《南方周末》在经历了转型期的阵痛之后，调整办报思路，既确保办报的平安稳健又保持其鲜明特色和品位，遏制了下滑的势头，呈现恢复性增长，2003年实现利润从2002年的1000多万元增至2600万元。

《南方都市报》盈利连年翻番，在2002年创下历史新高的基础上又有大幅度提升，2003年上缴集团1.6亿元，成为名副其实的集团“首富”。

《21世纪经济报道》创刊3年，2001年亏本，2002年赚了644万元，2003年利润达到2300多万元，创造了中国报业经营的奇迹。

《南方农村报》、《城市画报》等子报子刊以各自鲜明的办报特色，获得市场的认可，成为各自细分市场上称霸一方的主要竞争力量。

全国报业办的出版社办得好的不多，南方日报出版社背靠南方日报报业集团得天独厚的资源优势，出版了一批颇有影响的图书，在全国拿到了大奖。

依托报业集团的南方网等相关产业也在各自领域内成为集团的重要力量。

2003年，又有两个新成员出现在南方报业集团，除了《新京报》之外，2003年8月集团创办了《名牌》杂志。

一连串令人自豪的成绩表明，南方报业坚定不移地实施多品牌发展战略已取得可喜的成效。

（三）南方报业多品牌战略得到社会研究机构的关注和权威机构的认可

南方报业的强劲风头不是用几个经济数字所能反映出来的，多家机构试图从企业成长的内在环境对南方报业进行研究分析。

2004年6月28日下午，世界品牌实验室和世界经济论坛在北京联合发布本年度“中国500最具价值品牌”排行榜，南方报业集团有三家报纸闪亮上榜。世界品牌实验室专家组一位成员在发表演讲时对南方报业“龙生龙，凤生凤”

的品牌发展战略和已具备的品牌效应给予了高度评价。

2005年7月，两项全球最权威的印刷大奖评选揭幕，《名牌》杂志相继荣获有全球印刷行业“奥斯卡”之称的美国印刷大奖杂志类“优异奖”，以及美国国家金墨奖（第18届）金奖。而在这之前的2004年，《名牌》杂志曾获得国际印刷工艺师协会银奖。《名牌》杂志成为国内第一本集世界三大最著名印刷大奖于一身的杂志。

2001年，国家教育部组织、全国百万学子参与投票的“新世纪中国大学生就业首选企业”调查中，南方报业跻身50强，是唯一上榜的报业集团。

由北京大学企业管理案例研究中心发起的“2001年中国最受尊敬企业”评选中，南方日报报业集团成为入选20强的唯一内地传媒集团。2002年之后，又连续三年入选50强。

南方报业并非最大最强，何以获此殊荣？其实就是以品牌为核心的无形资产营造了影响力。

（四）媒体品牌战略的意义

当今报业在市场上推销媒体产品的竞争中各出奇招，已不是一般的产品销售之战，而是争取读者和广告客户的认知度之战，是在促销中抢夺媒体消费者对产品的忠诚度。赢得人心比赢得市场更重要，也就是“得人心者得天下”的道理。在激烈的报业市场竞争中，要牢固地维系媒体读者和客户的忠诚度，就要在读者和客户心智中树起品牌。品牌就是用户对它的忠诚度，在市场经济的条件下推销产品实际上在检测消费者的满意度。品牌就是信誉，品牌就是市场，品牌就是财富，品牌就是难以估量的无形资产。

当今读者对文化需求的品位越来越高，我们不能只给读者短暂的满足，而是要通过培育优质品牌的报纸，连续给读者带来超值的感受。报纸与其他事物一样，也有一个生命周期的问题，岂能“永葆青春”？居安思危，注入活力，让老报焕发青春——这是对策之一。对策之二：培育新品牌，此起彼伏，不断超越，往深度延伸。既要把握好自身内涵的提升，从有形到无形各个环节形成有别于他人的独特风格；同时又要面向社会进行外延的扩展，利用它的美誉度和在读者中的认知度，与政府部门、中介机构、企业、广告公司等合作，并渗透到会展、培训、咨询等活动中去，全方位塑造品牌形象。如果只是注重宣传造势，或只注意包装等形式上的改革，但不重视培育自身的价值观和核心内容，改革与读者毫无联系，不能引起受众情感的共鸣，品牌是无法建立起来的。

培育品牌的重要意义在于：一个媒体集团看得见的固定资产和经济效益反映了过去和今天的实力，而品牌凝聚的无形资产却集中体现了集团的持续竞争力，预示着集团未来发展的强势。打造品牌是报业持续发展、长期成功之路。要应对挑战，要保持持续的竞争优势，就要用品牌经营的思维来运作企业。

南方报业品牌发展历程和报业品牌提升

国内外著名的管理学家大都认为，成功的战略往往是在不断变化的动态环境中一点一滴逐步形成的。与多数成功品牌一样，南方报业的多品牌发展战略也有一个在实践中逐步探索、逐渐形成的过程。作为办报人，谁都想办好一张报纸。从想办出一张名报到想办出品牌，再从单品牌到多品牌，我们经历了从不自觉到自觉再到执著追求的过程。南方报业品牌发展的历程，大致可分为四个阶段：以“主人翁”精神办出名报；市场压力下萌发的品牌意识；激烈竞争催生品牌战略；报系运营实现了媒体品牌到报业品牌的提升。

（一）第一阶段，以“主人翁”精神办出名报

南方日报社最初拥有《南方日报》，于1949年10月23日正式创办。毛泽东主席为《南方日报》题写报名，邓小平、江泽民同志都为《南方日报》题过词。“文化大革命”期间“四人帮”指名道姓攻击《南方日报》为“造谣放毒”的报纸。尽管以前没有品牌意识，甚至连“品牌”二字也未听过，但这张报纸在全省全国的影响力早就存在，按今天的说法，早就有品牌潜在的价值。

现在大家都知道有一张影响力很大的《南方周末》，但其实早在《南方周末》创办的20多年前即1963年1月就创办了在广东很有影响力的《南方日报农村版》(后改为《广东农民报》，现改为《南方农村报》)，“文革”中停办，复办后发行量飙升，曾达到50多万份。可以说，《南方农村报》是南方日报培育出来的第一个有影响力的名牌。当时是以“主人翁”精神培育出来的，并没有自觉的品牌意识。

一个媒体集团看得见的固定资产和经济效益反映了过去和今天的实力，而品牌凝聚的无形资产却集中体现了集团的持续竞争力，预示着集团未来发展的强势。

名牌并不等于品牌。有知名度，但要获得较高的读者忠诚度，在读者心目中造就稳固而且深刻的品牌情感，还要下很大功夫。名牌与品牌一样，首要的是要有好的质量，要有知名度。但名牌并未进入到激烈的市场竞争中占有读者的心智资源。品牌与市场紧密联系在一起，品牌有强劲的市场冲击力，对客户有足够的吸引力。品牌不只是有知名度，更不是短暂的扬名。品牌围绕着抢占消费者心智资源而展开，品牌也会因某种原因而褪色，甚至砸了品牌，但由于它是经较长的历史检验而形成的，有一定的周期的积淀，而且形成之后在客户中已经根深蒂固，因此即使衰退也会维持相当一段时间的惯性作用。毋庸讳言，就南方报业来说，我们有的品牌产品(比如《南方周末》)也出现某些方面衰退的情况。但由于其品牌影响力还在，而国内又还没有产生能替代它的产品，因此我们仍以乐观的态度去应对。当然，并非盲目乐观，而是以强烈的品牌意识和创新意识，维护和提升其品位，力争再造辉煌。品牌经营不只是营销的问题，产品好卖不等于就是品牌，许多薄利多销的大众化产品并非品牌，甚至连名牌都谈不上。品牌还要

南方农村报

2002年10月

15

星期二

第3947期

兴宁龙北镇府借公路改造之名行为私企谋利之实

搭车强征土地逼拆民房

数十户农民没有协商机会，被迫含泪拆房搬进临时工棚危房或投亲靠友

心脏手术到高州 效果等于到北京

金浪推出实用型收割机

与优质产品相对应的优质服务等，以形成良好的美誉度，使读者以及发行经销商、广告客户，感受到你的媒体产品质量（包括新闻内容、版面设计、印刷质量等）、各种与消费者相关联的策划活动，乃至员工的道德及各个环节的服务水准，都与众不同。因此，品牌不仅表现市场占有率，还表现在人心的占有率。品牌与名牌对比，内涵更丰富，外延更开阔。品牌是市场经济的产物，在计划经济年代可以创出名牌，却难以产生品牌，可以说连品牌的观念都没有。一般企业产品尚且如此，媒体产品更是如此。在文化生活贫乏的年代，似乎什么媒体产品都能推销出去，用不着竞争。名牌要提升为品牌、进入品牌之战，必须走到市场经济的轨道上来。进入到更高层次的竞争之后，品牌战略便应运而生。

（二）第二阶段，市场压力下萌发的品牌意识

十一届三中全会之后，党的工作重点转移到经济建设上来。经济复苏、思想活跃，曾在“文革”重压下的办报人也扬眉吐气了。改革开放的春风推动了商品经济的发展，也促进了新闻改革，新闻改革的深入又触动了报业的结构问题。一些停办的报纸纷纷复刊，还有新办的报刊也纷纷登场，新闻业从死气沉沉走上繁荣。晚报、城市报逐步进入复兴期，地市报纸形成对省级机关报“割据”的局面，这是报业繁荣的重要体现，当然对长期以来“一报独大”的省委机关报的市场也造成一定的冲击。另外随着商品经济的发展、市场的活跃，报业经营也提到议事日程上来了。报纸刊登广告的禁区被冲破了。省委机关报领导者们坐立不安了，深感办报不搞经营不行，要搞好经营单靠一枝独秀也是很难在市场竞争中立于不败之地的，同时也觉得省委机关报有很大的优势，办周末报有条件有能力。1984年春，《南方周末》创刊。它与创办《南方农村报》的出发点有相同的地方也有不同之处。相同的地方是，都想进一步满足读者的需求，不同点是时代背景不同，改革开放时期创办《南方周末》已有了开放意识、市场意识、经营意识和竞争意识。品牌，是市场竞争的产物。可以说创办《南方周末》标志着南方日报应对竞争自觉探索报纸滚动发展的开始，向着培育品牌的方向走来。80年代中期，中国的改革开放已经进行了五六个年头，从政治、经济到社会生活的方方面面都经历了“文革”结束后翻天覆地的变化。作为省委机关报主办的系列报，从创办第一天起，《南方周末》就被赋予“作为党报的补充”的使命。《南方周末》的创办者敏锐地把握中国社会巨大社会变革的主旋律，把这种“补充”准确定位在“启蒙”上——守望改革开放的伟大进程，为它摇旗呐喊，推波助澜，这是启蒙的核心思想。在报社上上下下的共同努力下，《南方周末》很快形成了“反映社会，服务改革，贴近生活，激浊扬清”的独特风格，并以“彰显爱心，维护正义，坚守良知”赢得众多读者，从而一纸风行，成为覆盖全国的大型综合性周报。从创刊至今，《南方周末》在市场上获得巨大成功，发行量最初仅有7000份，短短几年时间就突破百万，广告营业额连续多年超亿元。《南方周末》很快形成了自己的品牌个性，不管你称不称它“品牌”而事实上已成为响当当的品牌报纸。

这个阶段南方日报社滚动发展、创办子报的又一个亮点是《南方都市报》的问世。这时的时代背景是：以邓小平同志1992年年初重要谈话和党的十四大为标志，我国改革开放和现代化建设事业进入了一个新的发展阶段。十四大明确提出的建立社会主义市场经济体制，这是建设有中国特色社会主义理论的重要组成部分，对于我国现代化建设事业具有重大而深远的意义。尤其是十四届中央委员会第三次全体会议讨论通过了《关于建立社会主义市场经济体制的若干重大问题》之后，我国经济体制改革出现新形势，一个个符合社会经济发展规律的战略决策不断出台。随着市场经济的发展和各项战略决策的出台，市场竞争升级了。当然，有竞争才能有进步有发展。精明的办报人，也把竞争意识引入报业领域中来。到了上世纪90年代中期，在国内报业市场竞争格局发生重大变化，包括晚报在内的城市类报纸大行其道，经济效益达到了高峰。广告投放的地域性日趋明显，省级机关报普遍出现经营滑坡的形势，南方日报一方面大力改善主报经营，另一方面抓住市场空当，适时推出《南方都市报》，营造集团新的经济增长点。这时的《南方都市报》可以说是机关报在市场竞争中碰到了困境的背景下创办的，一创办就提出“建一流

南方报业品牌发展的历程，大致可分为四个阶段：以“主人翁”精神办出名报；市场压力下萌发的品牌意识；激烈竞争催生品牌战略；报系运营实现了媒体品牌到报业品牌的提升。

队伍、办一流报纸、创一流效益”的口号，强化市场竞争力的意识比创办《南方周末》时更为强烈，与当今的“品牌竞争是人才的竞争”的提法颇为接近。《南方都市报》的创办者和业务骨干大多来自南方日报，这份报纸一诞生就继承了南方日报的光荣传统，同时在办报思路上又大胆创新。可以说，南方日报培养出来的高素质的年轻办报队伍，成为《南方都市报》在激烈的广东报业竞争中站稳脚跟、迅速崛起和发展壮大的可靠保证。创刊时的《南方都市报》是作为城市都市类周报的，并且只有省内刊号。经过一年多的试刊，南方报业领导班子意识到，随着市场经济的逐步成熟，今后区域性报纸特别是以中心城市市民为主体读者对象的报纸将具有明显的优势，具有巨大的成长空间。据此，集团于1997年1月1日将《南方都市报》改为全国刊号的综合类日报，加大投入，以求尽量缩短培育期。经过几年探索，《南方都市报》在办报实践中迅速确立了独树一帜的办报思路，建立了完备的版块式版面体系，确立了“企业成功、读者成功、报业成功”的三赢理念，形成了一整套全新的报业经营管理体系，被誉为开启中国报业一代风气的新时代新主流媒体的代表。主办南方都市报的年轻人，凭着初生牛犊不怕虎的锐气，提出“办中国最好的报纸”的响亮口号，

在广东报业市场上掀起一场重新划定竞争边界的狂风巨浪，迅速改写了本地报业市场竞争的格局。几年时间里，《南方都市报》从一份名不见经传，甚至集团内部的许多人都不看好其经营前景的小报，成为一份发行量上百万、在广州和深圳等珠三角中心城市具有重大影响力的报纸，并为集团创造了可观的经济效益，成为支撑集团报业大厦的一块巨石，创造了中国报业史上的奇迹。

1999年，南方日报报业集团经过广泛的市场调查和慎重的可行性研究，决定重组有40多年历史，当时每年亏损数十万元的原《广东画报》，将其全面改版，打造成全新的《城市画报》。

为了充分挖掘《南方都市报》的品牌价值，2000年，南方日报报业集团兼并了一家体育报，将其改名为《南方体育》，由《南方都市报》进行"孵化"和培育。待《南方体育》翅膀已硬，集团决定将其从《南方都市报》分离出来，让其独立发展。

《南方周末》的创办者敏锐地把握中国社会巨大社会变革的主旋律，把这种"补充"准确定位在"启蒙"上——守望改革开放的伟大进程，为它摇旗呐喊，推波助澜，这是启蒙的核心思想。

（三）第三阶段，激烈竞争催生品牌战略

上世纪90年代末开始，报业竞争已进入白热化，有的付出高代价，版面一增再增，虽然有关部门也试图采取一些措施进行调控，但收效甚微，境外的报纸版面比我们还多，扩版以增加报纸的厚度势不可当。有的不计成本报价一降再降，不仅逼至对手难以为继，而且自身也因难以应付巨额的纸张成本和印刷费，使自己陷于进退两难的局面。南方报业为了应对竞争理所当然地扩版，但却从未以降价来应对竞争，相反几乎伴随着扩版而提价。南方报业理性地认识到，只要品牌好无需降价，因此南方报业集团的报纸一般都比较贵。

《南方都市报》可以说是机关报在市场竞争中碰到了困境的背景下创办的，一创办就提出"建一流队伍、办一流报纸、创一流效益"的口号，强化市场竞争力的意识比创办《南方周末》时更为强烈。

继广州日报之后，1998年5月和7月，南方日报、羊城晚报、光明日报、经济日报和文汇新民报业集团相继成立。1999年11月，深圳特区报业集团正式挂牌。2000年后，中国报业集团进入了快速发展期，目前已批准成立39家报业集团。外部环境压力推动报业变革。南方日报报业集团从成立报业集团的第一天起，就在着手研究不太为人所关注的运行机制等问题，包括传媒产业资本运作方式。在这一阶段，南方日报报业集团提炼总结了南方报业发展的历史和规律，迅速形成并确立了系统明确的多品牌发展战略及其运作机制。

2001年初，《21世纪经济报道》创刊，并以此为契机积极探索一种报业发展的新的运行机制。经过慎重研究，选择了上海一家股份制企业作为融资的合作伙伴，在经营方面进行合作。既引进资金，又引进发行资源和经济圈内丰富的“老板”资源，还将发行、广告等经营业务剥离出来，组建经营公司，成立董事会，试行经营者持股。21世纪经济报道这种以全新的、市场化的品牌理念来运营报纸，预示着南方日报报业集团多品牌战略的形成和不断往广度、深度发展。

2002年，我在深圳高交会“全球经营管理大师峰会”上作的“媒体多品牌战略”的主题演讲，比较系统地总结和阐述了南方日报报业集团多品牌发展战略。演讲中指出，中国报业竞争日趋激烈，加入WTO之后，中国媒体面临国际传媒正面碰撞的时间日近，如何抓住过渡期有效时间把自己做大做强？关键在于三个方面转变观念，实施多品牌战略，强化综合竞争力：一是从单一的新闻竞争转到塑造媒体品牌的竞争上来；二是从单一品牌的竞争转到媒体多品牌的竞争上来；三是从单纯的媒体品牌产品竞争转到品牌理念所延伸到的各个领域的竞争上来。

在实施多品牌战略的过程中，南方报业有效地将集团培育的各媒体品牌进行整合，共享品牌资源，发挥媒体品牌的战略协同优势，使报业结构更加合理，并逐渐找到了多品牌向广度、深度延伸的路子。

积蓄力量之后可以推出一个个新品牌，通过各个层面占领市场。但将老品牌延伸不能盲目延伸，首先是提升内涵和在围绕自身产品方面的拓展，然后才考虑多元化的经营，而媒体经营的多元化我主张相关的多元化。只有相关多元化搞好之后，才能量力而行往其他方面发展。在我们的国家，无论是国有企业还是私人企业，盲目延伸导致“全军”覆没的案例已经不少，我们不能重蹈覆辙。

当然，也有人主张靠一个品牌打天下就行了，国内不少企业不就是靠一个品牌发达的吗？是单品牌还是多品牌得从各自的实际出发。从南方报业的实践来看，多品牌战略是成功的，可以这么说，多品牌战略使我们顺利地渡过了报业危机，赢得了先发优势，一个一个品牌推出，竞争力一浪推一浪，构成了持续的竞争力。在机关报面临巨大挑战，一定的历史阶段单靠“一枝独秀”难以更广泛地占领市场的情况下，一方面对机关报要大力推进改革，另一方面新办一些报纸，以及利用现有的品牌进行延伸就显得必要了。读者有不同的层次，靠一报将所有的市场、所有读者的心智都争取过来，也是不可能的。因此，按照不同层次的读者的心智要求，实施多品牌战略，对报业来说是必需的，至少我们已感受到它的优越性。

至于多少个品牌为合适，要看你的核心竞争力承受的程度，还要看外部条件，即客户的认知度还有多大，要根据内外环境来规划品牌，并非越多越好。如果读者对你现有的品牌已有非议，最要紧的是要整合好现有的品牌，而不要急急忙忙上新的品牌。

2001年初，《21世纪经济报道》创刊，并以此为契机积极探索一种报业发展的新的运行机制。

（四）第四阶段，报系运营将媒体品牌提升为报业品牌

提升企业整体形象，营造综合营销环境，增强企业的整体竞争力，将单个的媒体品牌提升为报业品牌，已成为南方报人的新的思考。在全面总结报业集团多品牌发展经验的基础上，南方报业进一步深化多品牌战略的理论内涵，提升多品牌战略的实施水平，在更高层次上进一步发展多品牌战略。随着报业的发展，优质子品牌又催生了新的子报（对集团来说应是“孙报”），为了充分整合利用资源，我们提出了“报系”结构的概念。2003年，集团相继成立了21世纪报系、南方周末报系和南方都市报报系。当然，报系结构也不是一成不变的，有的报系到了一定时候可能会瓦解或派生出新的报系。但在现阶段成立报系，是充分利用同类报刊资源搞好报业运营的一大创举，是多品牌战略的一大发展。

南方报业在运营的过程中认识到，目前国内报业市场的竞争有三个层次：一种是打价格战、只求数量不求质量的低层次竞争，再者就是以规模、结构、效益为主的中层次竞争，第三种就是以资本、人才、品牌为主的高层次战略竞争。南方报业的经营已摆脱了低层次竞争，赢得了中层次竞争，并逐步提升到高层次的竞争上来。这些年，报业竞争中的一种手段就是降价促销，想以此压倒对手，占领市场。竞争对手看你降价就比你降得还多，想以此挽回危局。这样用低价去购买读者心智的做法，无异于慢性自杀。这种低层次的竞争两败俱伤，维持不了多久。要想在高层次的竞争中取得胜利，就必须培育好更多的品牌，尤其是强势的品牌；要开发、利用好这些品牌，挖掘它的品牌价值，扩大这个品牌的影响力，将我们的品牌资源优势转化为市场优势和经济优势。在报业集团内部成立报系，正是进一步整合集团资源，培育强势品牌，发挥品牌优势的有效手段。一年来的发展实践证明，在报业集团内部成立报系，对集团多品牌战略的促进作用，对整个集团快速协调发展的促进作用是明显的。

2003年，在南方周末报系内部培育出的《名牌》杂志，继承了《南方周末》深厚大气的一贯风格，同时呈现出严格定位于经营男性群体的高品位男性杂志的鲜明特征，从市场定位、办刊理念和运营思路等多个方面给中国男性杂志市场带来了全新的震撼，开启了男性杂志精英化进程。

2003年11月，经国家新闻出版总署批准，南方日报报业集团与光明日报报业集团联手创办《新京报》，业内人士称“该报意味着以资本为纽带、打破地域限制的合规的跨地域并购时代的到来，有着非凡的意义”。集团根据下属报系的资源状况，把创办《新京报》的任务交给了南都报系。南都报系派遣精锐，采编、经营和管理团队阵容整齐，同时到位，在短时间内迅速完成各项准备工作。11月份原本不是报纸创刊的理想时间，来自南方的办报团队在壁垒森严的京城报业市场也不占任何地利，但这支来自南方报业的办报团队与光明日报派出的团队紧密配合，硬是先声夺人，强势进入北京市场，在竞争对手重重围困当中杀出一条血路，创刊之初就取得良好业绩，大大出乎南方、光明两大报业集团领导事先的意料，创造了中国报业的又一个奇迹。

随着报业的发展，优质子品牌又催生了新的子报（对集团来说应是“孙报”），为了充分整合利用资源，我们提出了“报系”结构的概念。2003年，集团相继成立了“21世纪报系”、“南方周末报系”和“南方都市报报系”。

要不断创造持续的竞争力，需要动态的战略，与时俱进，不时提出应对的措施。品牌竞争牵涉到诸多方面，是环环相扣而形成的整体系统，编织一个竞争对手难以仿效的网络。我们要追求综合品牌效益，更要围绕品牌的属性、品牌的目标，引导集团内部的协调行动。从品牌内涵的提升到外在品牌的形象，从集团的高层到普通员工，从产品开发环节到推销乃至人力资源管理，都要协同维护品牌，一致贯彻品牌。无论整体的构想和规划，还是具体实操行动，都必须有条不紊地进行，不然品牌效应是不可能持久的。必须有人做组织工作和协调工作，领导者不可能事必躬亲，他需要助手、需要参谋。为进一步强化集团战略管理，完善科学的经营决策机制，促进多品牌战略顺利实施，保障集团事业健康发展，2004年初集团设立战略运营部。现在战略运营部同时挂上了品牌拓展室的牌子。成立战略运营部，有力促进了南方报业的多品牌发展步入新的快车道。

2004年，南方日报创办“珠三角版块”，成为集团实施多品牌战略的又一部精彩的重头戏。另外，集团又在年内增添两个新成员。“21世纪报系”创办《21世纪商业评论》。“南方周末报系”继2003年成功推出《名牌》杂志后，《南方人物周刊》又创刊。可以预见，今后南方报业的多品牌发展势头将会更加迅猛，报业结构将会更加合理，在报业市场上的竞争优势将会更加巩固。

追求主报与子报品牌共同繁荣

当前中国报业发展出现新的趋势，报业日益关注市场、重视市场，比如将广告、发行、印刷等经营性业务剥离出来，实行公司化操作，直接面对市场。报业市场经营在某些地域越来越集中，竞争越来越激烈。广告收入方面更加集中到有影响的报纸。大型跨媒体、跨地区经营的报业集团也将出现。许多报业都在考虑多渠道筹集资金，实现报业跨越式发展。有的还在考虑资产重组，并探索上市的途径。传媒产业想借助资本运营快速扩张，资本传媒企业也成为资本市场追捧的对象，现在上门来要求注入资金和进行各方面合作的越来越多。面对这种新的形势，以往在办报和报业集团管理中的老做法，不一定行得通了，必须与时俱进，不断总结新经验、新做法。

（一）机关报是响当当的优质品牌，以其权威性、公信力获取的社会认可、获取的读者对它的忠诚度，是其他报纸不可比的

要占领报业市场，一方面要打造新的强势媒体，另一方面就是要对机关报这样的传统品牌进行提升。因其是机关报，其品牌原则是不能变的，但其品牌定位、经营手段和方式应有所变化，应与众不同。要根据新的形势提升其知名度、美誉度和忠诚度。与其他任何产品一样，不能包打天下，必须有自己明确的定位。机关报也要讲市场，讲定位，维护它的品牌。不能以牺牲主报、机关报的利益来换取子报的发展，换取报业的繁荣。要强化市场意识，适应读者的需求。要正确理解导向与市场的关系，以强烈的开拓市场和创品牌的意识扩大机关报的阵地。

当前我们正在大力推进文化产业的改革，努力做强做大报业，巩固和扩大党的舆论阵地。改革不可能一帆风顺，要付出一定的代价。办报行业是高风险行业，办报有风险，报业的改革也有风险。一张报纸的死亡有两种可能：要么触犯政治雷区猝死，要么失去特色慢性自杀。报业的改革发展，也有可能出现两种情况：一是受旧的思想观念的束缚，不与时俱进，该改革的不改革，导致丧失机遇，影响报业的发展。二是改革中方向和目标不明确，有关政策领会不深，蛮干胡干，导致严重后果——改革偏离方向、经济崩溃，或者违法乱纪使一些人落马，等等。因此，我们要认真探讨如何与时俱进，找准政策导向与市场导向的结合点，确保报业改革发展的顺利进行。

现实告诉我们，报纸经营不重视走市场，一味靠行政手段，是会被读者抛弃的。我们要正确看待和处理好导向与市场的关系。坚持阵地、导向与市场的一致性以及坚持经济效益与社会效益的一致性，才能保证报业市场的健康发展。不讲社会效益、不讲导向肯定是错误的，但我们也要注意到由于不讲市场有的地方的党报的阵地不断地萎缩，就是搞了摊派发行上去了，摆在那里人家也未必看，何来阵地？导向导谁？不讲经济效益，待遇不好留不住人才；采访手段得不到改善，技术设备得不到改造，办报质量得不到提高，读者不买账，同样会影响社会效益。所以，没有读者，没有市场，就没有阵地，也没有导向可言。在确保正确导向的前提下，经济效益越好，社会效益就越实在，不能把两者对立起来。否则，既没有社会效益，也没有经济效益，更无法走上良性发展的轨道。中央领导同志多次讲到新闻报道“贴近实际、贴近生活、贴近群众”。这“三贴近”就是要争取读者，要占领市场，这关系到巩固和扩大党的舆论阵地的大问题。

导向与市场的处理有两种情况要避免，一种是一些机关报只考虑上头精神不考虑市场，所以与市场脱节；而有些小报只考虑市场不研究上头精神，虽然好卖但可能老出问题。要避免这种情况必须两方面要同时考虑到。这里有认识的问题，也有机制的问题。针对机关报机制的问题，南方日报也像子报一样，实行独立核算，既讲社会效益也讲经济效益。采编与发行、广告分离，但不是彻底分家，要共担风险。为此成立了由这几个部门的负责人参加的南方日报运营委员会。发行、广告部门的负责人要参加采前会，采编人员要了解发行、广告市场，广告发行人员也要了解采编意图，以便实现经营的联动。

但是对采编与经营的联动必须有一个正确的认识。有一些报纸为了实现采编经营的互动，由编辑部来编一些收钱的版，比如经济信息版。这是搞变相的有偿新闻，而且本来可以用来登广告的也放到信息版，影响广告收入，有的还可能给一个红包，登了稿不收钱。这样做不仅容易滋长有偿新闻的歪风，也会使较高价值的广告流失。广告公司有意见，一有意见，干脆转到广告部来经营。由于这类东西带有新闻报道的性质，广告公司经营同样是搞变相的有偿新闻，红包现象仍然出现。有的报纸还将版面包出去，这样问题更多。这里有一个正确看待和处理好采编经营分开，同时又要实现采编经营的互动的关系问题。我们应该坚持采编经营既分开又实现互动，既确保导向和办报质量，又要提高经营效益。这几年，许多报纸都有打专业市场的专版，如房地产专版、汽车专版等，这些版可由广告部门根据市场的行情提出办刊的建议，但要由编辑部来编，才能编出高水平的专版。编出之后征求广告客户的意见，并要求发行部门配合，将部分报纸送到与广告客户相关联的地方。编辑编出优质的专版，由此带来广告增加和效益的提高，可以根据他们的贡献给予奖励，奖金可从广告部的奖金中调剂，因为编出了好的专版才吸引更多的广告，从广告公司调剂部分奖金过来，是合情合理的。当然也还可以有其他的奖励办法。这样采编和经营队伍分开了，这种各司其职，又互相照应的做法，实现了整体积极有效的联动。

（二）根据细分的市场，整合机关报及其子报的资源，以多品牌战略拥有多层面的报业市场

机关报在上世纪七八十年代发行量很大，改革开放初期也独占广告市场，可以说“包打天下”。但随着报业的发展，报纸越来越多，除了中央和省的机关报之外，不少地市也办了机关报，还有其他各种各样的报纸。机关报独占市场的格局已被打破，特别是一些市场化较强的报纸出现之后，挤占了机关报的一些市场，比如报摊市场。像过去那样，机关报一家独大、“包打天下”的局面已不存在。媒体消费者根据自己的喜好挑选报纸，行政手段越来越不灵。我们必须高度重视这一问题。现在有的机关报还缺乏危机感，不思进取、不思改革；有的则因为陷入困境，失去信心，根本不考虑机关报走市场的问题，出现了“机关报走机关，子报走市场”的论调。因机关报的发行、广告遇到了困境，便想从办子报中求得解脱，这不是好办法。有的同志主张机关报国家养起来，发行国家包起来。这似乎是一种办法。但是我们要看到，办机关报的目的是什么？无非是要让党的舆论占领阵地。如果你用行政手段将机关报包起来，表面上轰轰烈烈，但由于你不贴近读者，市场化程度很脆弱，报纸挂在那里未必有人看，事实上达不到占领阵地的目的。所以，机关报如果不重视走市场，路将越走越窄，最终会丢失阵地。集团报纸中的省委机关报具有举足轻重的作用，如果省委机关报的影响在弱化，子报的影响力再大，报业集团也不能说是成功的。但是机关报的市场究竟在哪里？很值得我们研究，自我评估和定位要准确。我觉得中央机关报、省委机关报、地市级机关报面对的市场又相同又有不同。比如干部都要看机关报这是相同的，但不同的机关报读者层次不同。比如中央机关报应该是读者层次较高。地市机关报比较贴近基层，地方特色浓厚，一般来说版面较少、价格比较便宜，受众面应是比较广的，机关干部看，其他层次读者也看。而省委机关报的读者应该是介于中央机关报和地市机关报之间，也就是说除了层次较高的人群之外，也有一部分有一定文化程度的普通读者也要看省委机关报。如果三级党委机关报既重视相同点又注意自己的特殊受众，也就是自己特定的市场，分门别类占领市场，那么党的机关报的舆论阵地就会在走特定的市场中得以巩固和发展。如果目标不明确，办得不伦不类，不仅不能增加新的读者，甚至会被原有的读者和市场所抛弃。这几年，我们认真分析了自身的特点，确定了《南方日报》的目标读者群：领导者和各方面的决策者，公务员和各层面的管理者，投资者、经营者、研究者，以这些高层次读者为主再兼顾其他层次的读者。根据这一读者群，提出“高度决定影响力”的办报理念，其内容定位应该是：以主流新闻吸引政府官员必读的政经大报，与政府决策有重大关系、对政策有重大兴趣的企业家的首选大报，有公信力的、推动政务公开的、颇受读者关注的权威政报。按照这一分析，我们对版块重新划分、全新定位，务求以主流新闻争取高端读者市场，把宣传贯彻党的方针政策、贯彻执行省委的决策意图作为主要任务，以政要访谈、政策解读等形式，做全做透做细，真正使省委机关报的特色和优势得到有效发挥。

机关报走市场也要像企业经营产品那样，重视培育品牌。强势品牌潜在优势一旦发挥出来，便能创造极大的价值，它所创造的价值是一种可持续的价值。作为机关报，它应该是响当当的强势品牌，它最大的优势就是与党委、政府部门有着最密切的联系，可以在第一时间拿到这些部门最权威、最可靠的重要新闻。当一些媒体刊登猜测性的报道或不确切的新闻时，机关报依据自己的优势，发布权威性的新闻，以正视听，是别的新闻媒体不容易做到的。机关报对党和政府的决策也往往领会得快、领会得深，站在高度做好深度报道，也是机关报的强势。因此，在一个省内将省委机关报办成最具权威性、公信力和最有高度、深度的泱泱大报，是省委机关报最有希望做到的。机关报可以往这方面塑造自己唯一能塑造的品牌。所以，作为以省委机关报为龙头的报业集团，其主报机关报所蕴含的品牌价值和市场潜力是巨大的。我们南方日报报业集团在塑造主报南方日报的品牌优势主要强调三个方面：政治优势——主流新闻、权威报道、深度分析；权威优势——高层动向、舆论导向、舆论监督；南方优势——热辣新鲜、灵活开放、生活真实。除了内容之外，还重视形象的包装，在全国省委机关报中率先将宽幅报改为窄报，塑造国际化、科学化报型。

在抓好大报的同时，要实施多品牌战略，从单一品牌的竞争转到多品牌的竞争上来，这既是强化综合竞争力的需要，也是从多层面占领阵地的需要。现在许多主流大报都办有子报，在报刊整治中还兼并了一些报刊，我们要紧紧盯住细分的市场，确定每个品牌的理念，形成鲜明的个性。为适应报业市场不断细分的趋势，应认真分析市场的空间和可拓展的领域，确定所经营的项目，每种报纸的定位都要有自己独特的品牌理念和个性追求。这里以南方日报报业集团的主报和子报为例——

打广东市场的有:《南方日报》——立足广东、面向全国,重点面向广东高层次读者。《南方都市报》——面向广州、深圳乃至整个珠三角，并辐射周边地区，以城市市民为核心读者群。它与《南方日报》形成互补的关系，弥补了《南方日报》在大中城市上报摊的不足。《南方农村报》——以广大农民尤其是农村专业户为核心读者群,是直接为农民服务的报纸。

打全国市场有:《南方周末》——覆盖全国的高品位精英报纸，知识分子是核心读者群，它以自己独特的视角，赢得了众多精英的关注。《21世纪经济报道》——全国政府、企业与公共机构的高级管理人员、决策者、专业人员、研究者喜爱的高品质的经济类媒体。报道以深度取胜，以深度促新闻，打造一份高品质的经济类媒体。以善于品味体育文化的动力人群为核心读者。《城市画报》——它关注都市人快乐健康新生活、新感觉，这是一份以资讯为重、新闻和娱乐并举的生活类双周刊全彩杂志。其目标核心读者是国内大中城市尤其是北京、上海、广州三地25～35岁的年轻人。《名牌》——精英男性杂志，精致而不世俗，高雅而不高深，成熟男人的性情与智慧渗透每一页。新创办的《南方人物周刊》,锁定20～45岁之间的有较高的文化、有较高的经济收入、有较多的社会资源、有强烈的人文情怀的社会主流人群为核心读者群。《21世纪商业评论》属高端商业杂志，在高端商务人群中建立品牌，其核心读者群为拥有知识话语权、决策权话语权和消费话语权的高端人群。据目前的读者调查，74%为男性，30～49岁的占88%，硕

士学历的占46%，拥有顶级头衔（比如董事长、总裁等）的占84%，家庭年收入20万元以上的占73%。

除此之外，我们与光明日报报业集团联手打造、高起点进入北京市场的《新京报》，其核心读者群为有一定层次的北京市民，以高中端为主。

实施多品牌战略，可以使报业集团形成合理的报业结构。像南方日报报业集团，由于及早动手实施多品牌战略，因而办起了既有面向全省，又有覆盖全国，在国内外有较大影响力的报纸；既有综合类的，又有专业性较强的报纸；既有大众化的，又有高层次、面向精英阶层的报纸；既有面向城市，又有以农村读者为对象的报纸。这样做，就从各个层面占领了市场，巩固了舆论阵地。

（三）要有鲜明的品牌理念，既是目标又是操作手法

品牌理念要独特，使竞争对手难以模仿，要有足够的促销力，要能打动读者和客户。南方报业从集团、主报到子报都根据自己的个性和市场目标提出相应的口号。集团："品牌媒体创新力量"。它高度概括和展示了创造、维护南方报业持久竞争优势的核心竞争力，具体体现为，培育优质品牌媒体的创新能力，以及把优质品牌媒体群推向市场并获得最大价值的持续创新能力。《南方日报》："高度决定影响力"。以高质量的主流新闻和深度报道铸就高品位的大报风范，以此来塑造自己"最权威"的个性。《南方周末》："记录时代进程"。发行量大、传阅率高、公信力强、影响广泛的综合类周报，与数百万知识型读者一起记录时代进程。《21世纪经济报道》："新闻创造价值"。它以专业、独特的新闻精神，锐利、独到的新闻品质，跟踪报道经济新闻，服务中国最优秀人群。《南方农村报》："新农村推动力"。它奉行"为农民说话、为农业服务"的办报宗旨，影响力波及南中国六省区巨大的农村市场。《南方体育》：原为"以有趣对抗无趣"，后改为"体育改变生活"。追求人性化、生活化、时尚化和娱乐化，以一种颠覆传统体育媒体的面目出现，"与他们不同"。《新京报》："负责报道一切"。光明、南方两大报业集团联手打造，高起点强势进入北京市场，强调非常负责任报道一切可以报道的事；同时对报道过的一切负责任，充分表明自己关心社会的方方面面，是一个负责任的媒体。《城市画报》："新生活的引领者"。它倡导快乐的新生活，以前卫、前瞻的理念观察并引领审美眼光、时代潮流和生活状况。《名牌》："精英男士杂志"。它以开启男性精英化进程为己任，强调精致而不世俗，高雅而不高深，成熟男人的性情与智慧渗透每一页。《南方人物周刊》：“记录我们的命运”。其报道对象是对中国的进步和对我们的生活产生重大影响的人，在与命运的抗争中彰显人类的向善力量和深邃驳杂的人性魅力的人。通过挖掘新闻背后的人物和人物背后的新闻，来记录人物的命运，反映社会的变迁，塑造我们时代的主流价值观。《21世纪商业评论》：“商业思想家”。它以“商业思想、中国案例”为基本承载，推动中国商业精神的成长和成熟。

（四）品牌的差异性运营

定位要准确，在同质的报纸中，创出你的品牌，扎根于读者和经销商、广告客户的“心智”中。消费者对产品的认同是有限度的。同质报纸是同类的人看的，我们这些办报的和研究报纸的人才会同时购买几份同质报纸来看。读者和广告客户在同质报纸中只认同一两种，所以一定要研究竞争对手在读者、客户中的位置，只有争取到客户心智中的心智资源，才能在同类报的竞争中立于不败之地。要充分认识打造品牌的“内功”，不是靠自己拥有的宣传工具吹嘘一番就行的。仅有知名度是不够的。品牌战略，就是要重视自己独特的定位，要不断创造差异性，不能停留在别人能做我也能做的水平上，不是跟着别人走，而是抢在别人前头跑：别人不能做的我能做，别人做不好的，我绝对做得好。也就是要努力争第一，争不到前头则避开强势，做自己唯一能做的事。不断创造差异性，不断抢占先机，就有可能不断处于领跑地位。而步步领先，竞争对手永难超越。有这样的铁心和创新精神，才能培育出多个有个性的品牌。南方报业的每种报纸都不是同一个模具克隆出来的，各有自己独特的品牌理念和个性追求，为读者也为广告客户创造独特而深刻的体验。有独创和个性，才有“品牌”可言！

像南方日报报业集团，由于及早动手实施多品牌战略，因而办起了既有面向全省，又有覆盖全国，在国内外有较大影响力的报纸；既有综合类的，又有专业性较强的报纸；既有大众化的，又有高层次、面向精英阶层的报纸；既有面向城市，又有以农村读者为对象的报纸。这样做，就从各个层面占领了市场，巩固了舆论阵地。

三 “龙生龙，凤生凤”的品牌血缘

有专家研究，一个品牌从引入市场到逐渐成熟、在市场上形成影响力，一般要花八年以上的时间。由于媒体本身具有市场宣传的先天优势，培育一个媒体品牌，在市场上站住脚跟，至少也要三五年时间。对于南方报业来说，旗下的媒体品牌在市场上的成长速度远远快于这个水平，其中一个重要原因，在于我们采用了“龙生龙，凤生凤”的滚动发展模式。在这种模式下，在南方报业媒体新品牌的培育过程中，我们以优质子报为孵化器，通过复制和转移其核心能力，共享其内部资源和外部营销渠道，加上优质子报在市场上的品牌扩展效应，使新的媒体品牌能够事半功倍地快速推向市场。

从《南方周末》经济版到《21世纪经济报道》

2000年前后，《南方周末》正值鼎盛时期，这份报纸的经济版块发展势头非常好，不仅培养了一批高素质的编辑记者，也培育了一批喜爱经济版块的忠实读者。几个正在或曾经在南方周末工作的年轻人从报纸经济版块的繁荣势头中敏锐地看到了市场机会。随着中国经济的发展，经济在社会生活中所占的比重正在日益增大，同时一个消费力很强的中产阶层正在形成，这就在市场上形成了对经济新闻和经济类报刊的强大需求。在市场经济发达的国家，经济类报纸在纸质媒体中占有举足轻重的地位，美国的《华尔街日报》无论是发行量和影响力都与最重要的社会新闻类报纸并驾齐驱。而在当时的国内报刊市场上，经济类媒体还只有《经济日报》和《中国经营报》这样少数几家报纸。现有经

21世纪经济报道

三九香港卖房还钱（主板 15版）
烟草大王红塔转身做药业（药业 6版）
诺基亚无牌也能做CDMA手机（通讯 10版）
会计业危机 财政部指责证监会（证券 14版）
中信超级计划勾画跨媒体枭雄（综合 4版）
台芯片巨头扎堆上海要投逾百亿美金（产经 5版）
美国被袭事件全景报道（13、17、18、23、24、29～32版）

彻底调查

纽约世贸中心里有多少中国人

第一访谈

安利
不会选择退缩

9月11日 本报记者华盛顿目击记

社评

袭击创伤可治愈 冲突症结难根除

有专家研究，一个品牌从引入市场到逐渐成熟、在市场上形成影响力，一般要花八年以上的时间。由于媒体本身具有市场宣传的先天优势，培育一个媒体品牌，在市场上站住脚跟，至少也要三五年时间。对于南方报业来说，旗下的媒体品牌在市场上的成长速度远远快于这个水平，其中一个重要原因，在于我们采用了“龙生龙，凤生凤”的滚动发展模式。

济类报纸的数量、质量和社会影响力与市场本身巨大的空间和需求显得很不相称，这就给新的经济类报纸进入市场参与竞争带来了宝贵的契机。

于是这几个年轻人向集团社委会提交了一份报告，建议集团创办一份经济类报纸——《21世纪经济报道》。它的目标读者群被定义为政府决策者和商界精英，新报纸将为他们提供高质量的财经新闻和最新的商业思想。

当时的社长李孟昱和我仔细研究了这份建议书，感到这几个年轻人头脑清楚，思路明确，看准了当时国内报刊市场上财经类报纸存在的市场机会，不仅分析得很清楚，而且连将来报纸的定价、发行量、投资回收等数字都测算得很仔细，所提出的办报方案十分可行。我们感到是到了创办一份全新的经济类媒体的时候了。报纸由谁来办？李孟昱与我的看法是一致的：“谁出主意，就由谁来办！”至于报纸名称，有人怀疑这样长的报名是否合适。我们经过慎重考虑，认为从当时办报和阅读的习惯看，报名的确显得长了一点，但对于一份新创办的报纸来说，这样独树一帜的报名，又何尝不会有助于吸引读者注意、迅速打开市场？于是我们果断拍板，就用这样的报名，就由这几个年轻人来筹办《21世纪经济报道》，并从南方周末等报刊抽调得力人员组建新报纸的采编和经营队伍。

当时负责创办报纸的主要有这样几个年轻人：沈颢，1992年毕业于北京大学中文系，同年进入南方周末工作，历任编辑、新闻部主任和编委。1999年调任城市画报执行副主编，负责画报的全面改版。刘洲伟，1994年毕业于中国人民大学新闻系，在南方周末历任记者、北京记者站副站长，新闻部副主任，1999年被任命为经济部主任。他也是南方周末“新经济”版块的主要创办人。李戎，1991年毕业于中山大学中文系，1996年进入南方周末任编辑，时任南方周末经济部副主任。陈东阳，1992年毕业于广东财政学校，到南方日报从事财务工作，1997年起任南方周末广告部副主任。这些年轻同志教育背景良好，在南方周末工作期间积累了较丰富的工作经验，视野开阔，才华横溢，是报社年轻人中的佼佼者，其中既有精通采编、懂得管理的人才，又有懂经营的人才。由他们来创办《21世纪经济报道》，为报纸以后的成功打下了基础。

曾经有人问我，起用这几个“初出茅庐”的年轻人到集团第一次涉足的经济类媒体市场上去运作一份崭新的报纸，是否担心他们搞不掂？我的回答是：并不怎么担心。之所以不十分担心，原因有两条：其一，这些同志虽然年轻，但长期在南方报业内部工作，集团对他们的能力和人品有充分的信心；其二，挑选了一个得力的同志代表集团社委会分管这张报纸，她就是曾经担任南方周末主编的集团社委会成员江艺平。江艺平带领这批年轻的办报团队，圆满完成了集团交给他们的任务。

《21世纪经济报道》从2000年11月23日开始试刊了四周，每周一期。2001年1月1日，这份报纸正式创刊了。在发刊词《我们的梦想就是国家的梦想》一文中，《21世纪经济报道》向世人宣布：

> 面对急剧变化的社会秩序，面对风云变幻的经济形势，作为媒体，我们难以逃离社会责任感，我们难以脱离理性判断。我们将一如既往地对中国经济和社会深层次变化保持深刻的关注。“新闻创造价值”，是我们的理想，我们希望我们的新闻能给你提供最大化的效益，我们希望我们的新闻能给你提供前瞻性的认识。一切居于未来，一切居于未来的梦想。
>
> 我们将一以贯之地忠实记录时代巨变的痕迹，关注开放环境，关注市场演义。但我们的目光并不仅仅局限于此，我们不会忘却大环境变迁中的弱者。我们知道，在细节的积累中，结构性的演变在酝酿。
>
> 我们知道，在更加开放的环境中，留给我们的既是社会的转型，也是我们自身的改造。我们对自己提出更新的要求，开放的眼光和胸襟应是我们看待问题的基本准绳。我们还知道，在更加开放的环境中，我们自身也面临挑战。如何迎接国际资本背景下的传媒挑战，将是未来中国传媒制度创新的重要起因之一。
>
> 我们相信，当多年的积累终于迎来跳跃的时候，我们的梦想也日渐清晰：民富国强，我们的梦想就是你的梦想，我们的梦想就是国家的梦想。

我们从中不难看出，《21世纪经济报道》发刊词中所洋溢的理念与追求、责任与情怀，和《南方周末》之间那种一脉相承一以贯之的内在联系。

不仅如此，在《21世纪经济报道》创刊初期，利用《南方周末》已经在国内大城市成熟铺开的发行渠道，一批实力雄厚的分销商和发行站，使这份报纸得以迅速形成市场冲击力，等到报纸羽翼渐丰了，就开拓出了自己的发行和广告营销渠道。如今《21世纪经济报道》不仅成为中国最有影响的经济类报纸，而且自身规模不断扩大，已经作为一个报系，对集团的多品牌战略发挥举足轻重的作用。

从“五文弄墨”到《南方体育》

“五文弄墨”是《南方都市报》体育版块开办的一个专栏。从1998年起，南都的几个年轻编辑开始联合在一起，每人写一篇短小精悍的体育评论文章，以“五文弄墨”的名义定期在《南方都市报》上发表。这些评论文字随性，观点犀利，嬉笑怒骂，痛快淋漓，很快吸引了读者的眼球，在1998年世界杯足球赛期间“一举成名”，随后两年时间里成为《南方都市报》体育版块的一个名牌栏目，既有同行叫好，又受读者喜爱。

2000年前后，正是国内体育类报纸空前繁荣的时期。“五文弄墨”几个年轻人跃跃欲试，打算创办一份与众不同的体育报纸，颠覆现有市场的竞争格局。正好当时南方报业兼并了一份体育类报纸《现代体育报》，于是以“五文弄墨”为主要班底，利用《现代体育报》的刊号进行改组，创办了一份新的体育报纸《南方体育》。

《南方体育》一创刊，便以“与他们不同”的新锐形象在市场上受到广泛关注。它打破了传统体育新闻和体育类报纸的固有模式，标新立异，对体育报道的手法和角度进行“颠覆性”的创新。《南方体育》的品牌很快在读者中形成了较深的影响力，发行量一度突破40万份大关，跻身国内三大体育报纸的行列。

可惜的是，《南方体育》的办报团队并没有能够成功地把新闻采编和报纸内容上面的优势与正确市场竞争策略有机结合起来，在对新闻采编业务全情投入的同时，对市场的判断力和把握能力都有欠缺。在办报过程中，采编和经营“一条腿长一条腿短”的不利局面始终没有得到改善。加上2001年与某公司进行经营合作时，由于合作方式选择不当，丧失了宝贵的发展机遇。这一点集团也有责任。

根据市场趋势和自身条件，有进入有退出，有坚守有转移，有所为有所不为，正反映了南方报业战略管理的水平上升到了一个新的层次。

在随后国内体育类报纸普遍衰退的大环境下，集团果断决定将《南方体育》并入南方都市报报系，重新整合。这是集团审时度势、统筹权衡下制定的一项业务决策，也是南方报业战略管理的一项动作。根据市场趋势和自身条件，有进入有退出，有坚守有转移，有所为有所不为，正反映了南方报业战略管理的水平上升到了一个新的层次。

有人说《南方体育》的项目失败了。这个说法不完全准确。《南方体育》并入南方都市报报系的结局，并不代表这个项目的失败。首先，在《南方体育》的办报过程中，成功培育了南方报业体育类报纸的品牌，并获得了较大的市场影响力，对南方报业的主品牌发挥了重要的支持和维护的作用。南方报业之所以被业内称为“报业结构最合理、读者覆盖最广泛”，包括《南方体育》在内的各种子报从中起了很大的作用。其次，在《南方体育》办报过程中，培养和凝聚了一批高素质的员工队伍，尤其是高素质的体育新闻采编队伍，这支队伍专业化水平高、对报社的认同感和归属感强烈，加以整合，必将在集团及下属报系日后的办报实践中发挥重要作用。另外，《南方体育》的办报过程中所积累的经验和教训，是南方报业的宝贵财富。有《南方体育》所提供的生动教案，我们对多品牌发展战略及其实施的理解更加深刻、经验更加丰富、认识更加提高，因此南方报业未来的道路将会走得更长远，更宽广。

从《南方周末》人物版到《南方人物周刊》

《南方人物周刊》是南方报业旗下最年轻的报刊之一，也是发展势头最好的报刊之一。前一段时间我到北京开会的时候，很多业内的同行纷纷向我夸奖这份杂志办得好，在企业界的朋友当中这份杂志知名度和所受到的评价也很高。我抽空到零售报摊了解了一下，发现这份杂志在市场上很受欢迎。我知道，这个南方报业的新成员，已经得到了读者的认可、市场的认可。而此时距离2004年6月杂志面世，只有短短一年多时间，在这么短时间里取得这样的成绩，不得不说是一个奇迹。

创办《南方人物周刊》的设想最早来自2003年，正值报刊整顿时期，一大批市场化程度不高的行业杂志被停刊，集团兼并了《广东审计》的刊号，把它交给南方周末，让他们研究创办一份新的刊物。当时南方周末的副主编徐列正在搞报纸的人物版，对新刊物的创办有一些很有见地的思考，于是向集团提交了一份办刊方案，建议创办一份人物类杂志。在当时国内杂志市场上，还没有一份真正意义上的新闻人物杂志，南方周末领导层和徐列都想做一本这样的杂志，通过记录当下中国人物命运的故事来记录中国时代的进程，以人物为切入点，以人物的故事来反映时代的变迁。

我和集团社委会一班人仔细研究了南方周末提交的报告，认为他们提出的办刊方案可行，很快同意了该方案。集团加紧向新闻出版总署提出申请将兼并过来的《广东审计》改名为《南方人物周刊》，并得到了新闻出版总署的批准。2004年初，集团社委会发出通知，从南方周末抽调人员，成立了筹备班子，全力做好《南方人物周刊》的创办工作。我和集团社委会多次强调，对于新杂志的创办工作要加强领导，特别是政治方面的领导，把握好周刊的正确办刊方向；要依托南方周末的资源，积极推动筹备工作，力争早日顺利创刊。

2004年6月，《南方人物周刊》顺利创刊，并迅速在市场上获得成功。2004年11月，这份创办不到半年的杂志获得2004欧莱雅“风尚媒体大奖”新锐奖。能在半年的时间内被同行和读者认可，这大大出乎我们的意料。进入2005年，《南方人物周刊》的办刊质量越来越高，发行量越来越大，广告收入越来越多。更重要的是初步建立起的品牌形象已经日益得到市场的认可，杂志的盈利已经仅仅是个时间问题。

《南方人物周刊》之所以有这么好的发展势头不是偶然的，有多方面的原因。杂志的成功来自杂志准确的市场定位，来自办刊团队出色的采编和经营工作，更来自南方报业在长期的办报办刊实践中形成的培育新的品牌媒体并推向市场的核心能力。

《南方人物周刊》办刊和品牌培育的过程又一次证明了南方报业“龙生龙，凤生凤”滚动发展模式的有效性。在杂志的创办过程中，除了杂志

《南方人物周刊》之所以有这么好的发展势头不是偶然的，有多方面的原因。杂志的成功来自杂志准确的市场定位、来自办刊团队出色的采编和经营工作，更来自南方报业在长期的办报办刊实践中形成的培育新的品牌媒体并推向市场的核心能力。

本身的努力，南方报业传媒集团以及南方周末报系对新杂志的培育和推广作用功不可没。

首先，南方报业品牌影响力的作用是至关重要的。《南方人物周刊》，首先冠以南方的名字。借助于南方报业响当当的品牌，一出生就令人瞩目。其次，在《南方人物周刊》市场推广过程中，集团旗下报刊给予了有力的支持。另外，集团在杂志的办刊方向和舆论导向方面的把握，有力保障了杂志的健康发展。

从南方周末报系方面讲，对《南方人物周刊》这份新杂志所给予的孵化和支持作用也是不容忽视的。《南方周末》与《南方人物周刊》相互协同，向同一个目标市场提供差异化的产品使得两份报刊在市场上交相辉映。杂志创办过程中，从南方周末报系调集的办刊团队，从人力资源上保障了高质量高效率的办刊工作。在发行方面，新杂志的主渠道是通过《南方周末》原有的平台，所以杂志能够快速铺向全国30多个重要城市，同时在机场、超市、书店、地铁、酒店、会所等高档场所快速投放，迅速建立起销售网络。如今杂志发行量已达到30万份，在周刊的零售市场上占据前列的位置，假如没有南方周末的支持，是难以想象的。更重要的是，南方周末关注社会、关注人生、关注弱势群体的宗旨和情怀，对《南方人物周刊》的办刊理念产生了深刻的影响，使《南方人物周刊》能够迅速拉近与高素质知识型读者的距离，成为受到目标市场广泛欢迎的成功杂志，同时也成为南方报业多品牌发展的又一成功案例。

从南方报业网到南方网

南方报业是国内最早涉足互联网的报业集团之一。1995年互联网开始风靡全球的时候，我们就开始研究如何利用互联网这个新兴的传播渠道做好新闻工作这一课题。1996年《人民日报》在美国的网站试播，其中就有南方报业的参与和支持。1997年，南方报业下决心将有关互联网的工作作为一项重要任务抓紧抓好，成立了新闻信息中心，全面负责互联网宣传工作。1998年我们正式开办了自己的互联网站——南方报业网（http//www.nanfangdaily. com.cn）。南方报业不断加大投入，在较短时间内使南方报业网迅速成为全国媒体中的知名网站之一。

在创办南方报业网过程中，我们拥有了自己的技术力量，并取得了宝贵的运作经验。在“触网”初获成功后，我们决定创建一个全新的专业新闻网站——南方网。经过详尽的调查和审慎的论证，确定了南方网的发展思路：充分发挥报业集团的新闻发布优势，创建适应互联网传播特点，具有南方特色，集新闻发布、信息服务、广告经营和电子商务为一体的信息容量大、服务性强的大型综合新闻网站。经过周密准备，南方网（www.southcn.com）于2000年5月18日成功开通。以“权威、全面、即时、服务、互动”为品牌形象的南方网，充分依托南方报业旗下报刊丰富的新闻信息资源，立足广东，辐射华南，广泛寻求与本地主流新闻媒体及社会各界的全面合作，同时遵循互联网传播与运营规律，成为南方报业乃至广东对外宣传和树立形象的一个窗口。

南方报业这样一个具有强大的新闻传播实力和广泛的品牌影响力的报业传媒集团，开办新闻网站，具有得天独厚的优势。我们有信息资源优势，南方报业拥有七报四刊一个出版社，每天生产大量的新闻信息，覆盖面广，影响深远；我们有读者资源优势，南方报业各报刊发行总量数以百万计，加上较高的传阅率，拥有读者上千万；我们有新闻采编队伍优势，南方报业既有遍及全省全国的在编新闻工作队伍，又有一大批各地新闻秘书和撰稿人；我们有强大的品牌优势，南方报业的主品牌以及子品牌，对新闻网站的品牌培育及品牌营销将起到不容忽视的促进作用。

正是由于南方报业的资源优势，使得处于试运行之中的南方网引起了广东省委的重视。为进一步加强互联网新闻宣传工作，利用互联网传播党和政府的声音，更好地把握网上宣传的舆论导向，省委决定以南方网为基础组建我省重点新闻网站，把南方网建成广东省互联网宣传的“龙头”。于是，在省委宣传部的组织协调下，以南方报业为主要出资单位，同时吸收省内其他新闻出版单位资金，南方网迅速发展起来。南方网在南方报业“体外”生长一段时期后，省委又决定将南方网从编制归属到经营责任上明确划归南方报业，实施方案正在进行中。这为在集团内部进一步整合信息资源，加快南方网的发展步伐创造了更加有利的条件。

第二章
强势媒体品牌实操技术

一　打造强势媒体品牌措施之一：创新内容

——以《南方日报》为例

报纸内容、版式和品质的不断创新，是打造媒体品牌的基础。就像产品的使用价值和内在品质吸引消费者一样，报纸只有在内容和版式上吸引了读者和广告客户，才有打造强势媒体品牌的可能。不管是产品还是服务，有了良好的品质才有建设品牌的基础；内容、版式的不断创新，是某些报纸（特别是党报）提升品质的有效方法，也是这类报纸打造细分市场强势品牌的第一步。我们的机关报《南方日报》，在这方面就是一个很好的例证。

这些年来，我们迎着南方报业希望的曙光，执着地振兴集团旗舰媒体——《南方日报》的舆论主导地位，不懈地改革创新使《南方日报》拥有了更加强大的品牌价值。

作为报业集团的旗舰媒体，《南方日报》恪守政治家办报的理念，牢牢把握正确的舆论导向，积极实践"三贴近"的办报方针，不断提高舆论引导水平，努力探索报纸的权威性、指导性和可读性相结合的有效途径，充分发挥了党报在舆论宣传方面的主导作用。

为了找到振兴党报的最佳办法，南方日报一班人向市场要数据、向读者要意见、向实践要答案，提出以"高度决定影响力"的理念再造《南方日报》。从2002年8月6日起，《南方日报》多次改版扩版，以打造华南地区权威政经媒体为目标，以国际化报型和版式创新思路和形象，以做主流新闻、争主流读者

南方日報

打造一批“传媒航母”

李长春卢瑞华关注灾情

本报今起全新改版

致读者

面对越来越严峻的跨国企业专利包围，广东企业奋起突围……

争专利就是争市场

广东申请国外发明专利连续两年比增50%

省政府集中采购4000套办公软件

“金山”胜出

鼓吹“台独”是将台湾引向灾难

高考录取今日开始

营业性演出政策大调整

失业人员再就业有税收优惠

惠州港海关原关长受审

车牌号码由你自己编

来提升报纸质量。《南方日报》的第一次改版以全新的思路抓主流新闻，实施差异化竞争战略；第二次改版增加六大专业周刊，进一步强化政经媒体的特色；第三次改版实施梯次发展战略，增加珠三角新闻版块，强调做必读的民生新闻。精心酝酿一年多的第四次改版已于5月30日推出，在印力许可的范围内成倍增加了彩版，丰富了周六、周日报纸的内容。

广东省城市天气预报

广东新闻

LOCAL NEWS

非典型肺炎病原是衣原体？

广东专家对此持保留意见，认为病毒引起的可能性极大

北京专家认为病原可能是衣原体

广东专家认为病毒性肺炎可能性大

尸检排除炭疽鼠疫可能是病毒性肺炎

咳嗽几声不要疑神疑鬼

专家告诫警惕非典型肺炎过度诊断

全省开展药盐粮油价格检查

洛溪大桥账目何时公开？

地方法规与部门规章撞车怎么办？

持之不懈的改革使南方日报的经营有了突破性的进展。2004年广告实收1.19亿元，比上年增加25%，创造了历史最高水平。《南方日报》的“党报再造工程”实际上就是其核心竞争力的再生工程，《南方日报》从资讯提供者转变为“资讯管家、时事顾问、意见领袖”，表明这个经典媒体的品牌价值，已远远不是短期的发行、广告数据可以测量和评估的了。

附录1：《南方日报》四次改版简介

第一次改版：2002年8月6日

以全新的思路抓主流新闻，打造华南地区权威主流政经媒体，提出“高度决定影响力”的口号，在省级党报中第一家采用国际流行的瘦报形态，实行差异化竞争战略，明确读者定位，以更权威、更国际、更广东让新老读者为之一振。

南方日报

国企新政

特01

导读

方略篇

权威访谈

新政解读

专家论道

创新模式

雄风篇

中流砥柱

产权改革

调整重组

长效激励

广东国企改革新跨越

《南方日报》的“党报再造工程”实际上就是其核心竞争力的再生工程,《南方日报》从资讯提供者转变为“资讯管家、时事顾问、意见领袖”，表明这个经典媒体的品牌价值，已远远不是短期的发行、广告数据可以测量和评估的了。

第二次改版：2003年8月6日

增加投资证券、IT通信、汽车、健康、成才及旅游六大专业周刊，更专业、更实用、更市场，进一步强化政经媒体的特色，培育有效的目标市场。

第三次改版：2003年12月12日

实施梯次发展战略，增加珠三角新闻版块，常规计周一4版，周二到周五8版，强调做必读的民生新闻，更都市、更生活、更贴近。

第四次改版：2005年5月30日

从新闻纸、信息纸变成观念纸、思想纸，从可读到必读、从易读到悦读。在要闻二版开辟固定的时评栏目；

周六、周日，在珠三角区域分别增加一个《文化周刊》和《生活周刊》。

附录2：对《南方日报》的点评与评价

发挥了主流媒体作用

钟南山院士：在抗非战斗中，《南方日报》发挥了主流媒体的作用，很多记者在危险面前不顾个人安危，多次深入被称为“雷区”的广医一院和广州呼吸疾病研究所。与ICU、隔离病区的医护人员共同工作、共同生活，写出了极具影响力的报道，在全国首次全面报道了广医一院及广州呼吸疾病研究所的感人事迹和广东省防治非典的临床经验，在社会上引起很大反响。

许多记者采访过程中，也如我们的医务人员一样英勇无畏。有位记者要求采访我，一连几天守候在医院，最长一次连续等了四五个小时。我问他敢不敢进入隔离病区，这位记者的回答非常坚定：敢！我被他们的执著和敬业精神感动，接受了他们的专访。在防治非典进入攻坚阶段时，为了深度报道医务人员的工作情况，他们连续几天深入重症隔离病区，将视角对准最朴实的医护人员，与他们共同工作、共同生活。在又闷又热的隔离衣重重包裹下，与非典病人面对面的采访，写出许多有分量、有影响的报道，平实求真的风格反映出几位记者对新闻的追求“最平凡的往往是最真实的、最感人的”。

社会效益与经济效益双赢的变革

刘富才（广东省国资委主任）：2002年8月6日，一份被改得“面目全非”的报纸，带着油墨的香味，飘到了我的面前。说实话，当时心里真有点不是滋味，毕竟是几十年来，天天谋面的老朋友，见惯了的“亲切面孔”，熟能倒背的版面安排，一下子变得如此陌生，心里难免有一点点担心。但是，我欣喜地看到《南方日报》改版一年来，建树良多，既弘扬了主旋律，又体现了鲜明的时代特色，在探索社会主义市场经济条件下办好党报的进程中迈出了坚实的步伐。

可以说，这些成就不是偶然的。在改革开放的历史进程中，广东报业最早借鉴了世界传媒发展的成功经验，按市场经济法则和新闻规律运作，引导着全国报业的市场化进程，率先结束生产导向阶段，迈入销售导向阶段，并向营销导向阶段转化。作为广东报业的典范，《南方日报》更率先迈出了改进党报工作的成功步伐。在全省加快发展、率先发展、协调发展的历史进程中，不但持续提升自身的经济效益，更义不容辞地承担了引导舆论的社会责任。

广东最具权威性的主流媒体

黄达人（中山大学校长）：在中大人眼中，我们一直把《南方日报》看成我们省最具权威性的主流媒体，我们中大的新闻愿意通过这样一张严肃报纸来向公众传递，对于这份报纸，我们非常信任。这几年来尤其是去年改版以来，《南方日报》凭着自己一个又一个的精彩报道确确实实做到了这一点，对于同一事件，不同媒体有不同感兴趣的地方，但《南方日报》切入的角度、看问题的视角总是与众不同，有一种档次、高度，而这正是我想说的关于主流媒体的社会责任问题，它的报道既体现政策性，又体现新闻性，更体现使命感。

我发现对于社会重大事件，《南方日报》都能及时、准确、深入地报道，特别是对于广东省在进一步发展进程中所遇到的大事，例如建设教育强省、文化大省，关于广东人精神大讨论，南方日报都呈现出一个负责任的媒体应有的关注和引导的姿态，既传递党的政策、精神，又能发出自己权威的声音，对问题有自己深入的看法。我们衷心祝愿《南方日报》越办越好，为大学的健康发展提供更宽松的舆论环境。

读者不可缺少的精神大餐

刘树道（华南理工大学党委书记）：《南方日报》改版，犹如一股扑面而来的春风，使读者精神为之一振。改版后无论文章内容取舍，版面安排，或者标题设计，图文质量，都给人耳目一新的感觉。首先，我感到变化最大的是内容的变化，以前长篇大论的文章、消息少了，代之而起的是重点突出、文字精练的文章和消息，信息量比以前增加了许多。比如关于建设教育强省、文化大省的讨论、调查和文章，很有分量，很有特色。其次是版面比以前丰富多了，照顾了各阶层读者的需要，体现了省级大报的风范。三是版面安排灵活，可读性大大增强，文章文采丰富，比较耐看。

开启中国报纸现代转型大门

任剑涛（中山大学政治与公共事务管理学院院长）：在国内报业中，《南方日报》率先采用国际通行的瘦身版式，给人耳目一新的感觉。在报纸版式的形式创新之外，也许南方日报使人感觉更为具有新意的地方还是她的新闻意识、高度观念和公共媒体定位。

《南方日报》的新闻意识引人注目。一方面，她将国内新闻的及时性放在第一位，将珠江三角洲的新闻及时传递给她的阅读主体——广东省的受众。另一方面，她将国际新闻真正作为新闻来做，而不是传递某种单一声音的传声筒。尤其值得肯定的是，新闻评论的版幅增大了，新闻评论的深度和力度都有相当的加强。新闻的类别也更为齐全，而不只是用政治类新闻支配我们的阅读神经。

《南方日报》的隶属关系是清楚的。但是报纸之作为报纸，还有她作为公共媒体的特质在。改版后的南方日报，对于报纸的公共性特质的反映是有突破的。超然于某种图解的理念，超然于某些官员的意志，超然于局部利益的限制，对于涉及公众共同利益的事件进行报道、评论和指引，使得她发出了重要的“公共”声音。

区域性与国际化相辅相成

张光华（广东发展银行行长）：改版后的《南方日报》更加焕发了活力，权威政经大报的优势更加凸显。新闻版块追踪时事热点，关注社会动向；“南方财富”几乎囊括了华南地区所有的财经热点，有高度，有深度。

《南方日报》提出要办成“区域性、国际化的权威政经大报”。对这个定位，我深表赞同，区域性与国际化是相辅相成的，《南方日报》的市场主要在广东，宣传广东，突出广东特色，服务广东建设；广东又是改革开放的前沿，正在加快与全球经济一体化的步伐，全球视野更加重要。

在厚重的报道中体现出深度

李刚（原广东移动总经理）：《南方日报》是我非常喜欢看的报纸。它的与众不同，不仅仅在于瘦长的报型，稳重、清新的版式，更重要的是它的内容——在厚重的报道中所体现出的深度。作为省委机关报，它忠实地传达着党和政府的声音，严肃而不呆板，作为一份追求“高度”的政经大报，它时时追逐着社会生活中的各种热点，前沿但绝不流俗。

形成独特办报风格

杨元庆（联想集团总裁兼首席执行官）：作为华南经济前沿地区的一份政经日报，《南方日报》锐意改革、与时俱进，形成了自己独特的办报风格，不仅在宣传党的路线方针政策及报道关系国计民生的重大举措方面体现了报纸的权威性，而且对国内外经济领域的现象也进行了及时和深入的报道，这些资讯对企业的经营决策都具有很大的价值。

改版后更具可读性

何享健（美的企业集团首席执行官）：我总的感觉是《南方日报》改版之后更具权威性，信息的可靠性更强，编排也更合理，版面里有很多我关注的内容，我很容易就能找到自己想看的东西。

改版拉近了与广大读者的距离

唐骏（原微软中国有限公司总裁）：《南方日报》一直锐意进取，2002年以来的改版进一步从内容和形式上创新，拉近了与广大读者的距离，在坚持党报权威性的同时，增强了报纸的可读性。面对激烈的市场竞争，《南方日报》以广大读者为中心，及时、准确地提供各类深度报道和大量有用信息。

这是我每日必读的一份报纸

杨小鹏（白天鹅宾馆董事总经理）：改版后的《南方日报》全方位展示其新颖大方、与时俱进的特点，尤其值得一提的是《观点》栏目。该栏目善于捕捉社会动态、经济热点、企改难点和治安焦点，发表了许多具有代表性的文章，冷静、理智、民主而又敢于反映不同观点，百家争鸣。这是我所欣赏的一种负责任的办报态度。

"高度决定影响力"，作为省委机关报，《南方日报》一直秉承高品位主流新闻的定位，"在深字上下工夫，在新字上做文章，在实字上出成效"，充分体现了"三个代表"重要思想的精髓，给予读者深层的精神荡涤。改版的成绩令人瞩目。祝愿《南方日报》越办越好！

财经报道有特点

李欣玉（人民网经济频道主编）：《南方日报》改版的定位是打造华南地区唯一一家主打高端主流读者的权威性政经大报。作为一直以来关注它的新闻编辑，我认为经过不懈的努力，《南方日报》的确做到了这一点。

以我所重点关注的财经类报道为例，每天的版面安排很讲究，专业而精致，内容丰富、权威，重点突出，对财经领域的焦点、读者关心的热点能够及时做深入透彻的报道和分析，服务性内容很有特点。

政经类报刊，《南方日报》是个例外

黄迅（诺基亚移动电话华南及华西地区资讯专员）：由于工作的关系，我有机会接触到全国各地的报纸。国内政经类报刊给人的印象大多是严肃有余，而亲切感不足。然而，南方日报是一个例外。

《南方日报》在历次的重大事件的报道工作中，以其专业专注的态度，强大的采编力量，独有的渠道和高度，向社会各界提供了准确及时实事求是的信息。这种高度，并不是居高临下令人敬而远之的高度，而是以其政策风向标的特殊身份，强大的信息量和可读性，让人自觉追随。

（以上关于《南方日报》的改版介绍和评价内容由南方日报行政部整理提供）

二　打造强势媒体品牌措施之二：独特口号

——以《南方都市报》为例

范以锦点评：

响亮的品牌口号，是媒体市场定位的宣言，是迅速建立品牌认知的有效工具。从1997年开始，南方都市报就有了自己响亮的品牌口号，而且随着时间的推移和市场竞争的需要，适时调整，口号变换与品格提升同步。

体现媒体核心使命、体现媒体品牌核心价值的品牌口号，有着持久的生命力。南方都市报在变换口号的同时，将已深入人心、不受时代局限的“办中国最好的报纸”这一口号，延续下来并交替使用。如今，“办中国最好的报纸”的宣传牌令人瞩目地悬挂在南都大楼的最高处，这一口号在许多场合仍被南都的经营者和社会人士反复提起。“办中国最好的报纸”，既是任何时候都应该有的意识和行动，也是永恒的目标，有很强的激励作用。“办中国最好的报纸”，实际上就是南都的核心价值宣言和品牌总口号。南都适应市场变化的需求创新其他口号，无疑可在“办中国最好的报纸”的统揽下展开。

一般来说，口号都是那个时代背景的宣言，有着深深的时代背景的烙印。《南方都市报》初创时代，不可能提出“办中国最好的报纸”的口号，因为她尚未站稳脚跟，做不到“最好”，受众能说个“好”字就满足了。因此，她的口号只能是“南方都市报，看了都说好”。如果脱离实际，过于拔高，就有哗众取宠之嫌，令受众生厌而失去市场。经过几年的努力，《南方都市报》已从“一般”

变成“特别”、从“小报”长成“大报”、从“非主流”提升为“主流”，在“办中国最好的报纸”的引领下，一路走来，越走越风光，当然风光背后也潜伏着危机和险阻。就在风光与危机、险阻之间，南都又以“改变使人进步”、“主流就是力量”、“成熟源自责任”、“品牌决定价值”的口号激励自己，也博得受众的认同。终于，险阻被排除，危机在化解，南都还是南都，风光还是风光，越来越风光。这，就是南方都市报品牌口号的力量。

庄慎之点评：

1997——南方都市报，看了都说好

这一口号，质朴而稚嫩，实际上体现了南都在这一草创阶段对可读性的追求，是一个市场新入者的典型诉求。

从1997年创办日报之初，《南方都市报》也经历过一段与当时新兴的都市类日报相同的发展阶段，因为在办报方法上要有别于传统的机关报，从尽快吸引读者打开市场站稳脚跟的着眼点出发，对报纸的可读性有较多的强调，对社会新闻较为重视，独家新闻如工厂老板要求职工打50只死苍蝇（还要分清公母）才能领工资等都曾轰动一时；在英国戴安娜王妃车祸遇难的第二天，《南方都市报》更是以四个版的规模报道了这一世界大事，这也成为广州乃至全国国际新闻报道的经典范例。像当时的独家连续报道《变性丽人的情爱悲歌》，就更有代表性，它所包含的猎奇色彩自然是不能讳言的。像对日本驻秘鲁大使馆人质事件、戴安娜车祸遇难报道、世界杯十强赛报道等等上可以看到，早期《南方都市报》既带有一般都市类日报的特点，但实际上又已表现出了与别不同的境界与追求，是要重新定义“新闻”与新闻价值，而不是简单的哗众取宠。

响亮的品牌口号，是媒体市场定位的宣言，是迅速建立品牌认知的有效工具。从1997年开始，南方都市报就有了自己响亮的品牌口号，而且随着时间的推移和市场竞争的需要，适时调整，口号变换与品格提升同步。

1998——大众的声音

这一口号，实际上反映了南方都市报在有那么一点“横空出世”、在市场上表现出了那么点与众不同的冲击力后，开始自觉地寻求市场定位、读者定位。这固然是显示作为一张都市报类媒体惯有的面向大众，放低身段的姿态，但其有别于前一个口号急于赢得读者喝彩的心态就是，它隐含了南都对媒体社会责任感的追求。

也正是在1998年3月份，《南方都市报》推出了揭露不法分子用泔水提炼潲水油供应食肆的舆论监督报道。该报道在广州引起了强烈的震荡，也引起卫生工商部门的高度重视，一时成为城中焦点话题。这组报道也成为早期南方都市报新闻舆论监督的代表作，初步显示出南方都市报关心市民生活为百姓说话的特质。也就在这一年，南方都市报在1998年抗洪之后率先做了为灾区大学生圆梦的大型策划。

而在当年的六七月份，南方都市报在国内日报中率先扩版制作世界杯特刊，这显示出南方都市报敏锐的市场触觉。作为一张有志于建立广泛巨大影响力的日报，《南方都市报》能够准确地把握读者的阅读诉求，将自己与大众联结在一起。从这一时期开始，《南方都市报》在广州的发行量得到大幅提高。而其实这样的一种市场嗅觉，说到底其实来源于与广大读者的“同声同气”。有个实际的例子很能说明问题：就在这一年的3月底，同城另一报业集团创办一份新的日报，直接争抢早报市场，而挟其财势，一开始可谓来势汹汹，几乎做到了一周之内全城皆知的效果（与南都的艰难起步完全不同），而它上来就标榜“中产”“白领”，而到今天，两条道路谁更成功，自然是有读者有市场作出最公正的评判。

1999——南方都市报，你要我也要

这口号也够口语的，好像又回到1997年那种层次了。但这却含有深刻的转变，就是南方都市报已自觉地从对可读性的单一诉求转向对必读性的追求。此时的《南方都市报》不想再游走于另类与边缘，不满足于个别群体个别人的欣赏与叫好，不想仅仅作为读者茶余饭后的消遣读物，而是希望介入社会各个层面并被更广泛地接受，成为人们的生活必需品。

1999年正值千禧交接之际，南方都市报推出了横贯全年，每天两个跨版彩版的历史回顾专题系列报道——《一日看百年特刊》。这一具有深厚历史与文化底蕴的专题，不仅吸引了大批的追捧的读者，而且也有力地提升了南方都市报在读者心目中的品格形象，南方都市报不再是一张只讲求趣味性可读性的“俗”的小报，它的雅的一面也得到充分的显现。在1999年8月27日，南方都市报更是以六个版的规模推出《广州小变大盘点》的专题报道，集中报道广州市在当时广东省委书记李长春的直接推动下进行的“一年一小变”城市建设与改造及整治脏乱差的成果。这是南方都市报首次以这样的巨大规模介入市政宣传报道，这也是南方都市报有意识地将正面宣传报道与都市报自身特色相融合的范例，这组报道比本地所有媒体包括市委机关报等都要领先一步。同年南方都市报还以近十个版的容量集中报道了广州地铁的开通，又开创了“天天财富”版，成为综合类日报中首先将经济报道独立出来的报纸。在这一年年底，南方都市报又作了十个版的《深圳：辉煌1999》的年终总结报道，对深圳在这一年取得的辉煌成就作了深入全面的报道。这一切不是偶然的，不是一招半式的博懵，而是向社会生活主流的自觉靠拢与介入，从这一年开始，年轻的南方都市报就已经有意识地在提升自己的报格，在拓展自己的办报思路，当内地许多都市报还依然以奸杀抢掠的社会新闻作为主要“卖点”的时候，南方都市报已经迈出了转型的步伐。巧合中可能也有必然性的是，就在这一年的4月起，南方都市报实现当月盈利，同时1999年也成为南都首个盈利年。

2000——我来了，我看见，我征服

恺撒大帝的豪言，展示出的是一个初尝成功的媒体新锐的张扬豪迈，以及一丝丝的志得意满。

在这一年，南方都市报将触须伸向深圳，开辟第二战场，在这里，将恺撒的名言演绎得淋漓尽致；而在这一年的底，南方都市报推出破纪录的228版、日广告收入达到800万元的财富白皮书，显示了强劲的上升之势。

2001——办中国最好的报纸

这最后成为南都的核心口号，成为南方都市报上下的崇高的目标，而这一目标也宣示着，南方都市报人将对自己对这份报纸提出更高的要求。南方都市报给自己作了长远定位，一言蔽之仍是“责任”二字。身处中国转型期的时代大潮，《南方都市报》作为一张已拥有了一定社会知名度与市场实力的媒体，并不只想做一份赚了钱吃香喝辣的“印刷品”，我们希望做一张真正的报纸，希望做中国报业新闻业中的最好的一个，成为这个社会进步的一股力量。其实，是不是“最好”并不是我们最关心的，我们最关心的是“办”。

2001年8月17日《南方都市报》以一整叠16个版的特刊作了《惊变广州——广州中变专题报道》，承继小变大盘点的思路，再次率先对广州三年一中变的成果进行全景报道，而且特别租用了直升机航拍广州新貌，再次轰动全城，并由此引出了一条“广州一日游”的新的游览线路。在建党80周年的伟大日子里，南方都市报充分体现自己的特色，将系列报道做得有声有色。就连娱乐版也连续一个月推出《红色感动中国》专题报道，通过对优

为刘德华颁奖。

秀文艺作品的贯穿回顾，展现了建党80年的光辉历程。而在这一年，对“9·11”的报道，《南方都市报》显然也是报纸媒体中的佼佼者。

2002——改变使人进步

这一口号是合乎逻辑的一种必然。这种改变1999年就已开始，此时实际上是南方都市报将自己向主流大报迈进的战略正式向社会向读者公开，也是南方都市报彻底改变传统意义上的都市报小报作风的宣言。在这一年，南方都市报建立起了自己对主流大报的完整认识，那就是一张有高度社会责任感，有巨大社会影响力，读者群体代表社会中坚力量，以对社会具有深刻意义的主流新闻为报道重点的报纸。

在4月份，南方都市报推出连续报道，揭露深圳南山计生中心“无病检出性病”欺骗患者钱财，并揭示非法医疗广告之危害。经持续数日的报道，最后完全戳穿南山计生中心的欺诈面目，南方都市报更进一步，主动向社会承诺拒登非法的医疗、快速致富、假征婚及情色声讯台四类广告。虽然此举令南方都市报每年减少广告收入逾千万元，但是这恰恰是南方都市报坚持正确舆论导向，勇于承担社会责任，对广大读者负责任的信念的表现。而所谓的主流新闻，像诺贝尔奖得主蒙代尔广州行，像广州地理的系列报道，像华语电影音乐大奖的创办都可算其中。在这一年，《南方都市报》还在全国日报中率先设立了每天都有的时评版，这是南方都市报有意识谋求其社会影响力的重要举措，同时也是整个报纸从单纯追求外在冲击力向追求内在吸引力转变的一个具体表现。

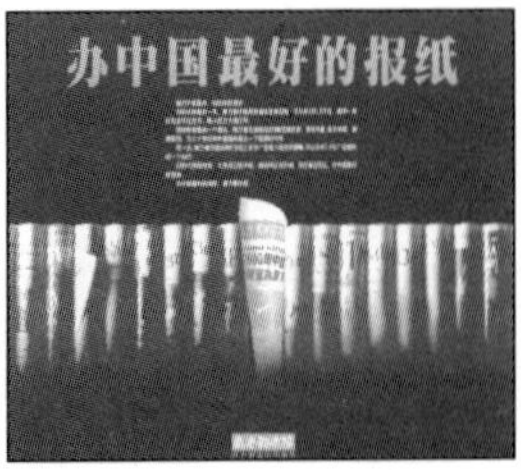

最具标志性意义的，可能要算2002年11月份的党的十六大的报道。《南方都市报》围绕十六大召开而作的中共一大至十五大的历史回顾系列、金婚老共产党员系列、广东公安英烈系列及十六大期间的系列等专题报道，都成为震撼读者的

主旋律报道。特别是在十六大闭幕当天,《南方都市报》出版了其出报历史上首份号外，以号外形式对中国政治大事作最及时的报道，这在地方非机关日报中是唯一的。一张“地方性小报”对国家最重大政治新闻的高度关注与全面介入，标志着南方都市报已和那些游离于国家社会生活核心之外的边缘的另类的“都市报”完全不可同日而语，完成了它的由蛹而蝶的蜕变。

2003——主流就是力量

我们不仅改变成功，而且显现了这种改变的力量。这张报纸，已绝对成为一张当今中国的主流大报。2004年底，当我有幸代表南方都市报在北京领取新浪、搜狐两大门户网站评出的年度传媒奖的时候，当孙志刚的老父亲握着我的手不断念叨着“谢谢”的时候，我真的感受到南方都市报的不可多得的价值与力量。

2003年上半年的三大报道，显示着南方都市报转型目标已经完成。年初，“深圳你被抛弃了吗”的连续报道,充分展现了南方都市报在捕捉新闻热点敏锐的同时对舆论导向又把握精准的水平。南方都市报在这一个本来对深圳整个城市来说都是有点负面影响的新闻报道中，拿捏到位，始终贯彻以正面的舆论引导人的思想,把这一重大思考引向只要深圳人不自弃就没有谁能抛弃深圳这一昂扬的主旋律上。而最终牵线搭桥成功，促成于幼军市长与网文作者呙中校的会面对话,更是显现了一份有影响力的主流媒体所应该承担的作为政府与市民沟通桥梁的这种良好的作用。而在非典暴发的数月里，南方都市报本着高度的社会责任感，与本省其他媒体一道及时报道疫情，对辟清谣言稳定人心起到了关键作用。而在此期间，南方都市报又表现出了一份负责任的主流大报所应有的独立求实的品格，在新华社发布北京专家对非典病因的判断后，南方都市报并不盲从，而是本着尊重科学对读者负责的态度，披露广东医学专家对此的不同看法。而事实证明广东专家是正确的。在“两会”期间南方都市报又采访了卫生部副部长朱庆军,独家披露了当时非典并未被有效控制呼吁全球合作的新闻。而事实同样证明南方都市报的报道是负责任的。最后就是孙志刚案的报道。2003年4月25日,《南方都市报》刊登了长篇通讯《被收容者孙志刚之死》。这篇报道翔实准确地叙述了湖北大学生孙志刚在广州因忘带身份证而被收容的三天里被殴打致死的事实。该篇报道在国内外引起了巨大反响，而最终直接责任人分别被判刑，相关责任人分别被作行政处分。更具意义的是，在6月18日，温家宝总理主持国务院常务会议，废止了行使20多年的收容遣送办法，改为救助办法。一篇新闻报道最终改变了国家一部法规，这在中国新闻史上是前所未有的。孙志刚案的报道，显示出了南方都市报勇于承担媒体所应有的舆论监督的职责。这三大报道说明，南方都市报在把握正确舆论导向上已相当成熟，已充分表现出一份主流大报在社会生活中的巨大影响力与推动力。

这种力量，还超出了南都自身。这一年，新京报诞生，恰恰接续了南方都市报已达到的发展高度，直接跳过了诸多的摸爬阶段，一出生就风华正茂。

2004——成熟源自责任

这是南都艰难的一年。这个口号，不是迫于压力的妥协表态，而是高峰之上的自省自节自制。成熟，既是对南都进入收获期的判断，更是对南都自身的期许。作为年度口号，“成熟”是中心词，但“责任”绝对是贯穿南都发展始终的核心，是立身之源、是苦难之源、是进步之源、是成功之源，是一切之源。

2004年，《南方都市报》时评版改版，可以说是南方都市报办报上走向成熟的标志。这是南方都市报又完成了一次升级换代。将原来的时评版改造成“社论”版与“个论”版，不是简单地换一张皮，社论版作为《南方都市报》唯一一个完全不接受广告的版面，全年日均一篇社论（甚至两篇），在报纸发展上又走在了前头，目前在国内也仅有《南方都市报》、《新京报》等少数媒体做得到，这种领先意义还不是最可看重的，我们更看重南都社论在社论委员会的架构下所体现出的报社的思想、立场及其旗帜性意义。同时，改版后在社论引领之下，街谈的亲民、推荐的眼光、来论来信的众说纷纭及个论版专家学者的精辟多元，共同搭建了一个公共言说思考的平台，这是其最大的对外的社会价值。而对内，整个评论版确立了南方都市报的“整体性格”，资讯本身是没有思想的，更无所谓性格，但报纸是有思想的，有性格的。我个人对此的感觉是，如果想要了解南方都市报现在的性格以及南都希望自己应有怎样的性格，就细细琢磨我们的评论版吧——公允而不中庸、包容而不纵容、智慧而不势利、成熟而不迟暮、内敛而不怯懦、开放而不狂放、深透而不尖刻、认真而不较真、幽默而不滑稽。这显然是一种成熟负责的性格特征。

而从整体意义而言，南方都市报在那么艰难的一年里，在集团强有力的支持下，在王春芙总编辑的领导下，人心没有散，队伍没有垮，脚步没有停，品质没有变，要说成熟，这就是真正的成熟。

2005——品牌决定价值

2004年底到2005年初，南都对创办日报八周年进行了庆贺与回顾，对南方都市报成败得失、核心竞争力进行了一番深入探寻。这一口号，便是这番探寻的高度浓缩。南都之“成”，根子便在其办报精神理念所打造的报纸品牌；我们的思考点还在于，南方都市报所建立的品牌与声望应该能给集团给南都报系带来更为巨大的经营价值。将2005年称为南都的“经营年”可能也并不为过。而南都在整个行业受整体环境影响而使成本急增、广告盘子缩减的情况下广告营业额“逆市飘红”，发行量更是大幅增长，正是对这一口号的最好注脚。

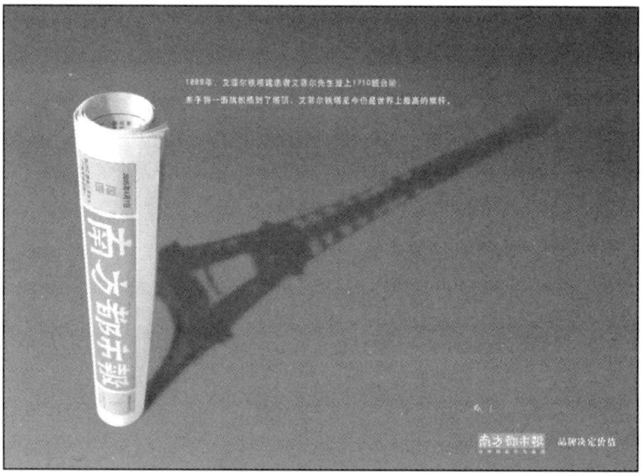

三　打造强势媒体品牌措施之三：打动人心

——以《南方周末》为例

动人的品牌形象设计，能够非常有效地激发起消费者的联想，强化品牌的忠诚度。报纸自身的形象广告，是一个报刊媒体产品市场定位、办报理念的集中表现，是报纸展示形象、媒体包装的重要手段。具有强势品牌影响力的媒体，其形象广告设计要反映媒体和市场、产品和消费者之间的深层次关系。媒体要得到社会和公众的器重，除了要有品质基础、通过响亮的口号有效建立品牌识别外，还要有能够深深打动消费者（读者）的品牌形象设计。我们要善于用它来解释、传播媒体的核心价值，强化读者的忠诚度，巩固媒体的品牌优势。

报纸自身的形象广告，是一个报刊媒体产品市场定位、办报理念的集中表现；是报纸展示形象、媒体包装的重要手段。具有强势品牌影响力的媒体，其形象广告设计要反映媒体和市场、产品和消费者之间的深层次关系。

进入上世纪90年代，报纸作为一种媒体产品，被赋予了其他形态产品的市场营销手段。一方面，作为目标消费者是读者和广告客户的媒体产品，南方周末的生产者和经营者，根据市场竞争的需要给她设计一个形象，用这个形象来打动消费者，在媒体市场中获得更好的差异化优势。另一方面，由于读者本身的文化素养、思维方式的千差万别，在不同的忠实读者心目中，南方周末有着不同的媒体形象。媒体的形象设计是媒体市场竞争的一种品牌营销手段，它的根本目的在于给一个媒体有别于其他媒体的形象，以激发消费者对这一媒体产品的消费欲望。因此，它必须来源于媒体消费者，并为大多数消费者所认同。媒体的形象设计要打动人，就必须找出读者千差万别的媒体印象中共通的元素，为更多的读者所认同。这种共通的元素，往往就是报纸办报理念的反映，是报纸的风格、定位甚至是核心价值本身。

南方周末编辑部认为："作为中国最早明确市场化营销路线的一份报纸，它的形象广告从一个侧面反映着南方周末的采编理念和经营思路，以及随时代和市场变化而动的战略轨迹。南方周末不断进行着多项重大改革，对报纸产品所进行的结构性调整。从南方周末发布的形象广告中，可以看出两条线索：一是文化本位的调性确立，二是知识型读者的定位确立。无论是强调报纸的商品属性，还是强调报纸的精神产品特征，都需要为报纸寻找一个内核。这种内核，即是平常所说的产品定位，对于报纸来说，还应该是它的价值观，尤其是《南方周末》这样一个以精神缘为纽带的严肃报纸。价值观决定了一份报纸的精神气质，决定了一份报纸的采编理念和经营思路及其关注点和出发点，从而决定了一份报纸的产品形态和风格追求。"报纸的价值观，报纸的精神气质、采编理念、产品风格等，都是读者认同的共通元素，是最能打动读者的媒体形象设计所需要表现的重点。

形象广告是报纸整合营销中的一个环节，纯粹的自我表白，已经越来越难打动日趋理性的受众。像《南方周末》这样有品位、有文化底蕴的报纸，应该采用更具穿透力的文字及图片来激发受众的联想、从对产品的联想上升到对生产经营产品的组织联想，强化其媒体品牌的忠诚度。南方周末每一次推出的品牌形象设计，都能够准确打动读者的心，让读者产生非常深远的联想，在读者中产生共鸣。这些形象广告设计在强调《南方周末》这个报纸产品的同时，更透过这个产品强调运营这个产品的编辑部及整个团队。

"用黑白的眼睛看多彩的世界"是《南方周末》"深入成就深度"采编视野的一种表现，这是读者心目中共同的《南方周末》，也是《南方周末》在媒体市场不可替代的个性化优势；这是《南方周末》的特征，也是南方周末编辑部的一种核心能力。"思想人生"、"记录历史进程"都是南方周末和读者共同的质朴追求，是南方周末的核心价值。南方周末的这几组形象设计，使读者产生的联想是《南方周末》这份报纸的高尚品质，是中国大批知识分子、精英阶层心目中完美报纸本身。更深层次打动人心，是南方周末的形象广告很有力地彰显了作为一个组织的南方周末团队的品牌魅力，让读者对南方周末的编辑记者更加信任、更加崇敬，因此也就对《南方周末》有了更深的感情。南方周末形象广告设计的成功，是能以此进一步提升周末读者对其媒体品牌的认同，提升他们对南方周末的忠诚度。

有良好品质、有准确定位、有一定品牌基础的媒体，才需要上升到用动人的媒体形象打动读者，用运营媒体产品的团队组织联想来强化品牌影响力。媒体的自身形象设计，还有统一文化、凝聚自身员工的功能，特别能使媒体核心团队内部产生很强的向心力。为广大受众认同的形象设计，饱含读者对《南方周末》和南方周末上上下下的期望和基本判断的特别元素，打动读者的形象设计本身也给南方周末的每一个员工带来荣誉感，增强着内部的感染力。南方周末除了用图片来表现自己的形象，还通过“南方周末希望小学”传播着自己的形象。这个“希望”的小学，寄托着南方周末的希望，也寄托着读者和师生对南方周末的希望。

附录：南方周末形象设计解说

1）记录时代进程系列

2）深入成就深度系列

标题：黑白的眼睛观察多彩的世界

内文：南方周末用黑白的眼睛观察多彩的世界

评述：这一系列始发于2001年10月到12月间，每期用半版的大幅黑白照片为背景，内容分别为《南方周末》刊登过的油井中挣扎的孩童的手，濒死的藏羚羊，皇城根下踢球的少年等，配以记者手写体的标签说明。引出文案“南方周末用黑白的眼睛观察多彩的世界”。这些文化情景多是社会关注的焦点问题。整个系列创意饱满，主题句让人想到顾城的名句，可视为变革中的《南方周末》对此前弱势关怀风格的精神呼应。

3）思想人生系列

标题：惑有所思

内文：在这忙乱的生活，惑，也是一种自我。惑，必有所思；思，必有所惑。一惑一思，无言中，思想找到理性的出口。南方周末，思想人生，思想新闻。

清有所见
在这精彩的世界，
清，也是一种坚持。
清，真实得以沉淀；
清，思想得以纯粹。
南方周末，思想人生，思想新闻。
南方周末
深入成就深度

静有所听
在这浮躁的年代，
静，也是一种责任。
在静中聆听最细微的声音，
在静中思想得到最真的感悟。
南方周末，思想人生，思想新闻。
南方周末
深入成就深度

恒有所得
在这多变的未来，
恒，也是一种信心。
曾经，多少次的妥协换回失落。
曾经，多少个梦想被遗忘。
思想守恒，只因希望在路上。
南方周末，思想人生，思想新闻。
南方周末
深入成就深度

惑有所思
在这忙乱的生活，
惑，也是一种自我。
惑，必有所思；
思，必有所惑。
一惑一思，
无言中，思想找到理性的出口。
南方周末，思想人生，思想新闻。
南方周末
深入成就深度

评述：这一系列的4个作品："清有所见"、"静有所听"、"恒有所得"、"惑有所思"，创意源于中国文化三个重要的辩证状态：思、恒、静，并以具有中国人文情趣的物器和构图将其具象化，表达了《南方周末》的功能、追求和风格。"思想人生，思想新闻"的主题提炼，反映了《南方周末》的独特产品定位，即思想性。

（以上部分内容由南方周末编辑部整理提供）

四 打造强势媒体品牌措施之四：整合营销

——以《21世纪经济报道》为例

有一次从北京开会回来，在飞机上听到身边两个素不相识的旅客在议论21世纪经济报道主办的一个论坛，除了对论坛议题的津津乐道，还可以看出，由于论坛举办很成功，《21世纪经济报道》这张报纸在他们心目中也赢得了信任和尊敬。我知道，21世纪经济报道所举办的这些论坛，只是报纸整体市场推广和营销活动的一个方面，论坛的成功举办，说明整合营销的理念和实践正在为报纸打造强势品牌发挥有效的促进作用。

整合营销是一种先进的市场营销理念，是指以目标客户的需求为导向，利用多种资源，通过多项途径，全方位地传播、服务和影响受众，从而树立起统一的品牌形象。从整合营销的角度来看，报纸既是有形的承载信息的纸张，又包含了无形的服务形式。这种无形的服务形式又有两种，一是向受众提供新闻和其他信息服务，二是向广告主提供媒介传播能力和影响力。所以报纸的品牌建设和品牌推广，不应仅仅着眼于报纸本身，也不应仅仅着眼于新闻本身，而应该以满足现实和潜在的新闻受众与广告客户的需求为出发点，把自

整合营销是一种先进的市场营销理念，是指以目标客户的需求为导向，利用多种资源，通过多项途径，全方位地传播、服务和影响受众，从而树立起统一的品牌形象。从整合营销的角度来看，报纸既是有形的承载信息的纸张，又包含了无形的服务形式。

己的产品和服务延伸到品牌所涉及的方方面面，从多个方面立体地完成品牌的塑造和影响力的提升。

财经类媒体作为社会经济活动近距离的观察者，实施整合营销具有近水楼台的先天优势。纵观国内几家主要的财经媒体，在市场营销推广中可谓是八仙过海，各有千秋。我认为，南方报业旗下的21世纪报系在这方面做得很有成效。从报纸创办之日起，他们就逐步探索出了一条整合营销的有效途径，除了对报纸本身精益求精的市场化运作，21世纪报系更加重视品牌建设，报系在市场推广部下面专门成立了常设的会展部。除了报纸越办越好之外，近年来他们还多次成功举办了各种论坛、峰会、对话、评奖、排行榜等有影响的大型活动。这一系列令人目不暇接的营销策划和营销活动，体现了对整合营销理念的深刻理解和熟练运用，不仅满足了读者和广告客户对信息服务的更高要求，而且扩大了自身的公信力和社会影响；不仅成功促销了报纸，而且对媒体品牌、报系品牌乃至南方报业的集团品牌建设起到了重要作用。

21世纪报系的营销活动形式多样，他们所举办的活动涉及经济生活的方方面面，例如他们所举办的“财富论坛”、“区域综合竞争力排行榜”，乍看起来

2003年8月出席21世纪经济报道举办的房地产论坛。

与报纸营销似乎关系不大，其实这正是整合营销的奥妙所在。

首先，整合营销关注于满足客户需求，给客户提供全方位的服务。设计营销活动的出发点不是自身的产品，而是给客户带来价值最大化。由于这些活动关注国内外政经领域的热点问题，从而引起了国内外学者、企业家和政府决策者的广泛关注，给报纸营销带来了远非直接促销可比的良好效果。

其次，这些活动体现了传播与营销的完美结合。在举办这些不像营销的营销活动的时候，报系的采编与经营部门各个岗位的人员密切配合，将内部资源有效地整合在一起形成一个有凝聚力的整体，在传播新闻、宣传理念的同时，推广了自己的媒体产品，这也是整合营销理念的精髓所在。

第三，这些营销活动紧紧围绕树立品牌形象这个中心目标。21世纪报系所办的活动，从议题到内容，从规格到嘉宾都是高端的，与报系所提供的媒体产品定位与品牌形象相得益彰。所有这些，都是在创造一个加强与目标客户沟通的平台。与目标客户的沟通和传播当中，实际上高端的嘉宾、知名的企业家和重量级的政府官员共同参与了对21世纪报系及其媒体产品的推广活动，21世纪报系成功地在造势中借势，使自己的品牌影响力不断辐射、品牌价值不断提升。也正是基于这方面的考虑，南方报业旗下媒体邀请我参加他们的市场推广活动和品牌营销活动的时候，我无论再忙也要抽时间参加，总是心甘情愿地充当他们的“工具”，以实际行动支持他们打造品牌。

附录：21世纪报系市场活动

2002年度

●罗博特·D·希斯瑞克教授中国巡回演说上海行

2002年3月，由《21世纪经济报道》主办的“罗博特·D·希斯瑞克教授中国巡回演说上海篇”成功举行，并特别邀请上海小企业（生产力促进）服务中心梅建政局长作演讲嘉宾。

●“21世纪高级经理人俱乐部”

●“哈佛管理论坛”之“知识与组织成长战略CEO研讨会”

●“2002菲利普·科特勒管理论坛”

2002年10月，由《21世纪经济报道》作为独家媒体主办“2002菲利普·科特勒管理论坛”成功举行。“现代营销学之父”、美国西北大学凯洛格商学院教授菲利普·科特勒作主题演讲。

●“中国资本市场与企业年金会议”

2002年11月27日，在上海国际会议中心隆重举行。这是中国第一次企业年金论坛，也是当时国内最高级别的金融论坛。

●“博鳌21世纪财富论坛”

2003年度

●“新机遇新举措CEPA与粤港经济合作研讨会”

●领导者论坛：首届企业公民的价值观百人圆桌会议

2003年8月21日，《21世纪经济报道》之领导者论坛：首届企业公民的价值观百人圆桌会议在上海举行。GE、微软、霍尼韦尔、福特等知名企业及CEIBS教授Geroald Fryxell、香港中文大学郎咸平和上海世博会副主任周汉民等参加了会议。

●“2003年中国外商投资企业发展报告会”

●“中国市长高峰论坛”

2003年8月30日至31日,《21世纪经济报道》参与合作的“中国市长高峰论坛”在北京举行。这是国内非典疫情之后第一次市级官员集中的高层论坛，全国人大常委会副委员长成思危应邀出席。

●“中小企业融资与新加坡上市高层研讨会”

●“高成长企业与金融市场国际论坛”

2003年9月12日至13日,《21世纪经济报道》协办的“高成长企业与金融市场国际论坛”在北京举行。欧元之父Robert A. Mundell, 纽约证券交易所亚太区董事长James Shaprio, 伦敦证券交易所国际总裁Charlotte Crosswell, 美国高盛亚洲董事总经理胡祖六等出席了会议。

●“中外精英企业管理论坛2003”

●“2003年度中国汽车工业发展”论坛

2003年11月24日至25日，由《21世纪经济报道》主力承办的，2003年广州国际汽车博览会官方论坛之“2003年度中国汽车工业发展”论坛在广州隆重举行。全国政协经济委员会副主任邵奇惠、广州市人民政府市长张广宁、国务院发展研究中心产业经济研究部副部长冯飞、中国机械工业联合会副会长张小虞出席论坛并发言。

●“21世纪经济论坛三亚年会”

2004年度

●中国区域综合竞争力排行榜

●“2004中国高尔夫运动发展论坛”

●“21世纪中国医院投资论坛”

●“2004成都西部投资论坛”

●“财富管理论坛”

由《21世纪经济报道》、中国金融业教育培训中心(香港)有限公司、香港财务策划师学会(IFPHK)联合举办的“财富管理论坛”于4月23日在上海召开。

● **“好事业，好生活”的品牌促销活动**

● **“2004中国经济高峰会”**

由《21世纪经济报道》与第七届中国北京国际科技产业博览会组委会办公室联合主办的“2004中国经济高峰会”于5月21～22日在北京召开。中国人民银行行长周小川、全国人大常委会副委员长成思危等国家部委领导，诺贝尔经济学奖获得者蒙代尔等世界重要经济机构及国内外著名专家学者、高成长企业CEO、金融机构总裁等莅临现场并发表演讲。

● **“红塔集团2004迈克尔·波特战略论坛”**

●**开创中国企业家辉煌世代**

——2004年杰克·韦尔奇与中国企业领袖高峰论坛的高层对话

● **“2004中国商业地产高峰论坛”**

● **“中美医院管理论坛”**

● **2004中国企业文化年会**

● **“梦想对话——动感地带21世纪高校论坛”**

● **21世纪财富广场论坛：“9 + 2”新局与珠三角再造**

● **“2004品牌价值管理论坛”**

由中国顶尖的财经传媒《21世纪经济报道》联合全球最大的并创造全球最有价值的100个品牌排行榜的综合性品牌咨询公司Interbrand，主办的2004年中国“品牌价值管理”论坛于2004年11月18日至19日在上海国际会议中心隆重召开。本次论坛邀请了Interbrand董事总经理Jan Linderman，微软公司大中华区市场战略部首席营销官吴世雄，宝马集团品牌和产品组合副总裁Juergen Pawlik博士，HSBC集团的营销总经理Peter Stringham等多位全球知名品牌管理专业人士。

● **21世纪经济报道2004年会**

● **2004首届中国最佳企业公民行为**

2005年度

● “重新定义广告公关业”思想沙龙

● 2005 中国商业与地产联动高峰会

●品牌沙龙

4月14日晚上，《21世纪经济报道》和21世纪精英俱乐部在北京奥迪品位车苑举办了品牌沙龙。全球品牌咨询公司Interbrand、世界权威品牌管理专家奥美广告和思科中国、用友软件、顺驰、IBM、方正集团、中信实业银行、国际航空公司、佳能、惠普、安捷伦、民生银行等40家国际著名企业的品牌经理人、企业公关经理人、企业市场部负责人管理者就“如何打开品牌的知名度”、“如何进行品牌推广”、“如何有效地评估品牌价值”等内容共同分享品牌智慧。

●中国酒店“金枕头”奖

2005年4月18日晚，由《21世纪经济报道》发起并主办的中国酒店“金枕头”奖颁奖典礼，在北京隆重举行。来自全国各地22家获奖酒店，以及这些获奖酒店的主要负责人共100多人齐聚北京，共同经历了难忘的颁奖过程。

● 21世纪汽车年度人物颁奖典礼

● 2005中国国际金融和资本市场发展论坛

● 2005年总经理论坛暨CBU第十届中国汽车工业国际研讨会

● 2005中国经济高峰会

●首届“21俱乐部主编晚宴”

●第五届“博鳌21世纪房地产论坛”

● 2005中国品牌价值管理论坛

2005年9月8、9日，由中国商业报纸领导者《21世纪经济报道》和全球最大的综合性品牌咨询集团Interbrand主办的2005中国品牌价值管理论坛在北京隆重举行。

会议还进行了中国品牌建设年度案例评选，它是《21世纪经济报道》与Interbrand联手，首度在中国境内推出排行榜性质的活动，旨在通过对中国品牌年度建设行为的嘉勉，鼓励和推动中国品牌的成长。

● **“红粉笔”乡村教育计划**

“红粉笔乡村教育计划”于9月下旬正式启动，9名志愿者到偏远山区为孩子们施教。

● **21世纪奢华品牌榜**

● **2005中国最佳企业公民行为**

由中国商业报纸领导者《21世纪经济报道》和其姐妹媒体《21世纪商业评论》主办的2005第二届中国最佳企业公民行为评选于9月开始启动。

评选范畴分为以下六个方面：公司治理水准和道德价值、员工权益保护、环境保护、社会公益事业、供应链伙伴关系、消费者权益保护。

● **“中国创造”年度系列活动**

活动宗旨是通过“中国创造”系列活动对卓越创新作品的嘉勉，能激励那些以创新和研发促进商业经济发展，并提升中国产品竞争力的企业及个人，创造出更高的生活品质，促进社会和谐发展。

（以上部分材料由21世纪报系提供）

第三章
从媒体品牌到报业品牌

一　管理与提升报业品牌价值的思考

品牌理念在企业中早就深入人心，而媒体这几年才开始重视品牌。国内的媒体中，南方报业是比较早引进品牌理念的。媒体品牌是媒体消费者对该品牌的持续的忠诚度，平面媒体消费者包括读者和广告客户，广告客户花钱在报上登广告也是一种消费行为。

早些年“南方报业”的媒体子品牌，就在读者中有了广泛的影响力，对发行市场有足够的冲击力，对广告市场有强劲的吸引力。我们在全面实施多品牌媒体发展战略的同时，就在不断致力于打造“南方报业”这一报业主品牌。业界有人简单明了地将品牌理解为，“消费者心中留下的‘烙印’”。可以说，在报业同行、广告客户和读者心中，“南方报业”已有深深的“烙印”；这“烙印”的背后，是对中国报业进一步改革发展的理解和期望。

南方报业主品牌由媒体子品牌整合提升而来

2000年以前，南方报业在全国同行、读者和广告客户中最深的“烙印”就是《南方周末》。我们的记者、广告业务员跑到北京、上海，和采访对象或客户说自己是“南方报业”的，人家最先反应到的就是《南方周末》。上世纪90年代中期，我们办起了《南方都市报》。到了2001年又办起了《21世纪经济报道》。以新闻创造价值的《21世纪经济报道》办得非常成功，它凭借着专业意见和深度报道迅速崛起，成为中国商业财经类的首席媒体。从此，“南方报业”的影响力就不再是单单指《南方周末》了。到了2002年10月，我在深圳高交会“全球经营管理大师峰会”上，发表了题为《国际化背景下的媒体多品牌战略》的演讲，“南方报业”作为众多品牌媒体的拥有者，才逐渐被人们了解和认知；“南方报业”这一报业品牌，才逐渐在报业消费者特别是广告主和广告代理商中确立起来，有了一定的知名度。

很显然，多品牌媒体发展战略培育了我们众多的媒体品牌，每一个都在细分市场中名声显赫，有几个还在全国同类媒体中稳居第一。面对一个个个性鲜明的媒体品牌，我们不能用“南方日报”涵盖它们，更不能用“南方周末”、“南方都市报”、“21世纪经济报道”这些媒体品牌来代表整个集团，在广东省进行文化体制改革时，报办集团转变为集团办报，南方日报报业集团更名为南方报业传媒集团，“南方报业”作为传媒集团的品牌就应运而生了。“南方报业”首先包括我们拥有的一系列“南方”字号及其延伸出来的“21世纪”等媒体品牌；第二，地理上把秦岭—淮河以南叫做南方，或把长江以南叫做南方，“南方报业”不仅是广东报业，在空间上有着非常广阔的前景；第三，中国的改革开放从南方开始，东南沿海是中国经济最活跃的区域，南方代表着开放、代表着迅速发展，“南方报业”有决心争当面对市场竞争、不断改革创新的报业代表。

“南方报业”首先包括我们拥有的一系列“南方”字号及其延伸出来的“21世纪”等媒体品牌；第二，地理上把秦岭—淮河以南叫做南方，或把长江以南叫做南方，“南方报业”不仅是广东报业，在空间上有着非常广阔的前景；第三，中国的改革开放从南方开始，东南沿海是中国经济最活跃的区域，南方代表着开放、代表着迅速发展，“南方报业”有决心争当面对市场竞争、不断改革创新的报业代表。

“南方报业”作为品牌意味着什么？“南方报业”是品牌媒体的创新力量！办媒体一定要创品牌，南方报业拥有多个全国一流的媒体品牌，南方报业还在不断地创造着全国一流的媒体品牌。我想不少同行有一点品牌联想，就是认定“南方报业”处于报业改革发展的前沿，当他们要办一个新的媒体或进入某一个市场的时候，会思考“南方报业”是怎么做的。而不少大企业广告主也对我们说，他们在选择媒体传播品牌、提升品牌价值时，“南方报业”是平面媒体的第一选择。为什么会有这样的看法？这不单单是“南方报业”拥有全国多个一流的媒体，更重要的是“南方报业”这个报业品牌本身。品牌管理要有品牌愿景，拥有多个媒体的“南方报业”在表现其品牌核心理念时，我们就责无旁贷地提出了“传播中华文化、承载民族记忆”！对内，我们认为可以涵盖《南方日报》的“高度决定影响力”、《南方周末》的“记录历史进程”、《南方都市报》的“办中国最好的报纸”和《21世纪经济报道》的“新闻创造价值”。对外，虽然我们没有“中国”、没有“第一”之类的先天性条件，但在中国报业市场中我们有这样的潜力、有这样的勇气，更有这样的责任去创造这样的品牌核心价值。

媒体子品牌延伸发展有利于报业主品牌的提升与维护

南方报业的主品牌，是南方报业传媒集团整体实力的体现，也是品牌媒体的出品保证。强大的报业主品牌，可以为媒体子品牌提供更强的差异化能力，令它们能以更优异的品质战胜对手；强大的报业主品牌，可以使集团培育新的品牌媒体获得更多更好的运营支持，降低启动成本，缩短初创周期。进入2003年，《南方都市报》首先在“孙志刚案”的报道中，进一步丰富了南方报业的品牌内涵，提升了南方报业品牌的美誉度。一个地方媒体，用自己的真实报道改变了我国的一项落后制度，这在中国的新闻发展史上没有，在中国的法制历史中可能也不多见。各个媒体子品牌的扩张发展，不断地维护和提升着报业主品牌的价值。到了2003年的11月，我们与光明日报报业集团合办的《新京报》在北京问世，“南方报业”的品牌实现了跨地域的扩张。北京不是一个省的概念，不单单是地方一个行政区域。除了令人羡慕的广告市场，首都更多的是代表着中国，代表着改革发展的方向，代表着五千年的历史文化。立足北京的品牌传播是全国性的，甚至是具有国际知名度的。我们这一立足于北京的成功创举，就引起了全行业甚至是跨行业的高度评价：南方报业不仅给北京报业市场带来了竞争发展的新动力，也确立了中国报业改革创新第一品牌的地位。《新京报》在北京市场的成功，以及它通过互联网在全国乃至在国外产生的影响，对“南方报业”的品牌美誉度产生了其他媒体难以产生的贡献。

作为党委机关报,《南方日报》这几年的改版扩版，也不断地提升着广东地区读者和面向广东市场的报刊传媒消费者对南方报业主品牌的忠诚度。这些年来，在激烈的市场竞争中机关报受到了很大的冲击，发展碰到不少困难。南方报业作为有思想、有实力、有责任的报业传媒集团，面对困惑一直没有犹疑，一直都坚定不移地推动着省委机关报走向市场、直面竞争。从2002年开始,《南方日报》连续四次进行改版扩版，力求引领机关报改革创新的潮流。《南方日报》的成功，也体现着南方报业的成功；机关报和子报同时走向市场并赢得各自的发展，这一点南方报业做到了，而且仍继续努力。

进入2003年,《南方都市报》首先在“孙志刚案”的报道中，进一步丰富了“南方报业”的品牌内涵，提升了“南方报业”品牌的美誉度。一个地方媒体，用自己的真实报道改变了我国的一项落后制度，这在中国的新闻发展史上没有，在中国的法制历史中可能也不多见。

这两年，我们成立了21世纪报系、南方周末报系、南方都市报报系，在报系里面又培育了一些新的媒体。大家熟悉的21世纪报系里除了《21世纪经济报道》外，2004年就培育出了《21世纪商业评论》，今后可能还会有进一步的创举；而南方周末报系在2003年和2004年也都分别培育出了《名牌》杂志和《南方人物周刊》。这些媒体品牌在细分市场中迅速发展起来，支撑着报系的品牌，也维护着集团主品牌的认同。也就是说，南方报业的品牌管理从2003年开始，已经从报业品牌和媒体子品牌的二级品牌家族结构管理模式，发展成为报业主品牌、报系品牌和媒体子品牌的三级品牌家族结构管理模式。

不管是跨地域的品牌扩张还是纵向的报系品牌延伸，都很好地提升了南方报业的品牌价值，使南方报业走向强盛，力促自己往中国报业第一品牌的方向发展。

提升品牌价值是我们与国际品牌共同的追求

品牌价值是一种超越企业实体和产品以外的价值，它是与品牌的知名度、认同度、美誉度、忠诚度等消费者对品牌的印象紧密相关的，能给企业和消费者带来效用的价值。品牌价值需要通过企业的长期努力，使其在消费者心目中建立起一定的价值，再通过企业与顾客之间保持稳定的联系加以体现。在当今中国的传媒行业内，“南方报业”这个品牌已经具有相当的市场知名度以及美誉度，现在我们需要思考如何在已有的基础上提升品牌价值。从品牌的价值理念、背景文化、产品利益诉求点和目标消费群关联度等方面出发，寻求和构筑品牌与社会公众、目标消费群近距离接触、沟通、交流的平台。

首先，我们将追求报业品牌价值和消费者品牌价值的统一。报业品牌是存在于读者、广告客户的心目中。广告客户在使用媒体的品牌价值时，有一个目的是通过对其企业或产品品牌的传播，实现品牌价值的提升。我想不管是进入中国市场的国外品牌，还是走向国际化的中国品牌，都会接受立足于“传播中华文化”的报业价值取向；而不管是国际品牌还是中国品牌，都愿意通过拥有这种价值理念的传媒集团来传播它们的品牌，来提升它们的品牌价值。如何整合我们多个媒体品牌资源，为消费者提供更具价值的优质服务，使国际品牌获得更好的传播效果是我们当前要重点考虑的问题。我们相信，能够提升国际品牌价值的报业集团，肯定是一个非常有能力、有实力的报业集团，它的品牌也一定非常有价值。

第二，“南方报业”主品牌整合于媒体品牌，也必将提升发扬于媒体的运营。我们要把媒体品牌的核心价值延伸到媒体运营的产业链上，在媒体运营的过程中全面提升“南方报业”的品牌价值；总结南都报系“华语传媒”系列奖项评选、21世纪报系“经济峰会”等品牌营销活动的经验，拓展“南方报业”的品牌价值。我们将着手筹办“南方报业”国际传媒论坛、“南方报业”经济（商业）论坛，合作发布“南方（报业）”经济（或消费、质量）指数、上市公司的公司治理指数等等，把“南方报业”强大的品牌价值，直接转化为媒体的竞争优势、报业的竞争优势和集团的经济效益。

第三，我们要进一步提升“南方报业”作为雇主品牌的品牌价值。南方报业要进一步发展就必须吸引优秀的人才。和在座的许多知名企业一样，“南方报业”也是中国著名高校毕业生的一个重要选择。我们今年招聘应届大学生100多名，报名的有5万多人。和世界500强在中国开办的外资名企业相比，我们还有一定的差距，但在国内报业我们绝对是前列的。这是因为，我们能够为年轻人的成长提供机会、创造条件，今天到会的《21世纪经济报道》的沈颢、刘洲伟就是其中的代表。我们要提升这雇主品牌，吸引更多的名记者名编辑和传媒职业经理人，使“南方报业”成为中国报业传媒优秀人才的第一选择。

第四，我们正尝试加强在资本运营和其他项目的强强联合，提升“南方报业”的品牌价值。知名的国际级大企业往往很善于利用其在各自行业中的强大品牌号召力和市场优势，与其他行业的领导者进行“强强”品牌联手，以期在更大的市场深度和广度上进行扩展，来强化自己的品牌形象。面对逐渐开放的国内传媒市场，“南方报业”在寻找战略合作伙伴的同时，将选择在其他区域或行业知名度较高的国际品牌进行合作：一方面可以拓展新的业务领域，使“南方报业”能够覆盖到更广的市场范围，提升“南方报业”在各个行业领域的品牌价值；另一方面，通过与合作伙伴进行有效积极的品牌合作，可以吸引合作品牌的忠诚消费者，最终实现与合作方或多方的品牌共赢。

我希望今天见到的在座的各位朋友，能成为明天的良好合作伙伴。

（本文是作者在“2005中国品牌价值管理论坛”上的演讲）

在当今中国的传媒行业内，“南方报业”这个品牌已经具有相当的市场知名度以及美誉度，现在我们需要思考如何在已有的基础上提升品牌价值。从品牌的价值理念、背景文化、产品利益诉求点和目标消费群关联度等方面出发，寻求和构筑品牌与社会公众、目标消费群近距离接触、沟通、交流的平台。

二　图解南方报业战略

南方报业传媒集团挂牌的时候，战略运营部组织美编制作了三幅宣传图片，提供给我选择。原定选一幅，我细细品味后，觉得各具特色，难以割舍。再连接起来思考，眼前一亮：三幅图片拼在一起，对南方报业的理念、价值、核心竞争力的理解，岂不是留下丰富的联想吗？

第一幅是1998年长江抗洪一线，本集团记者的经典作品；第二幅是一句话"传播中华文化、承载民族记忆"；第三幅是"南方报业"号的航空母舰。应该说，因为对南方报业的认识、了解和感情的差异，每一个人看到这一组图片或其中一幅图片，都会有自己的理解和联想。最普通、最简单的理解就是：我们走出泥泞，我们秉承使命，我们走向世界！

解释可能产生很多种联想的这组图片的含义是多余的，这里我们只是谈谈为什么选这几张图片，或者说我们想通过这一组图片表达什么意思。

我们是什么（我们干什么）？

南方报业是什么？和全国另外38家报业集团相比，"南方报业"最主要的特点和优势，是拥有一股"品牌媒体创新力量"，这是我们核心竞争力（组合）的概括。我们特别善于打造具有强大品牌影响力的媒体，并不断地推动媒体和媒体品牌的创新，以更具差异化的优势赢得持久的竞争，实现集团价值的最大化。熟悉全国报业市场的同事都知道，在全国同行和消费者（读者和广告客户）心目中，"南方报业"就是专门创造和运营品牌媒体的，是不断致力于提升媒体

和媒体品牌价值的。什么可以支撑我们打造强大的媒体品牌，什么可以推动我们不断创新？第一幅图片上，我们想表达一线记者的专业精神、责任意识和不懈努力，图片上一目了然：这是一个不畏艰险、勇往直前的记者。正是一个个这样的记者，用文字、用图片，用辛勤的劳动传播着新闻，创造着价值，推动着社会的进步。正是这种精神、这种意识和这种努力，才创造出我们强大的媒体品牌。有人说这幅图片就是《南方周末》，有人说是《南方都市报》，在报社时间更长一点的人甚至说是当年“三个拳头”（产品）横扫广东各地的《南方日报》，这些都对。我们认为，这张图片、这个身躯，可以满足人们对最优秀新闻工作者、最优秀媒体的所有联想。正常人看到这幅图片联想到的是什么，南方报业就是什么！

我们走出泥泞，我们秉承使命，我们走向世界！

我们要达到什么？

南方报业报业结构最合理、读者覆盖面最全面、综合运营能力最强，这是同行面对国内报业市场的现状对我们的评价。在集团第六次职工代表大会上，集团明确了南方报业的

成长路径，制定了南方报业短期、中期、远期的战略目标。我们要达到什么？实际上就是我们的长期战略目标：“把南方报业最终发展为国际文化传媒（传播）集团”。我们的第三幅图片是“南方报业”号的航空母舰，我们想用这张图片表达南方报业的长远战略目标，表达“我们要用实力、特色和感情来抵御西方文化的冲击”。航母是军事实力和国际威慑力量的象征，强大的航母舰队使美国成为“超级大国”。比航空母舰更时刻覆盖全球的，是欧美的几个传媒集团，它们在传播全球的新闻、财经信息、体育娱乐节目的时候，把美国的价值观、把美国的文化也传播到了全世界。像新闻集团这样的传媒航母，其对一个地方潜移默化的影响，可能比“尼米兹”级的核动力航空母舰舰队的威慑力量还要强大得多。我们的目标是新闻集团这样的国际传媒集团，所以我们要打造可以辐射全球的传媒航母编队；我们用“航母”，还表明集团是各个媒体、各种媒体的母体，强调集团的母合优势。新闻集团打造传媒航母用了40年，我们现在才刚刚起步，“我们相信，再经过几代南方报人的努力，这一长远战略目标一定能够实现”。

为什么（我们凭什么）？

什么可以驱使我们不断努力，最终达到长远的战略目标成为“国际文化传媒集团”？或者说，我们从做一个个媒体，到以后我们发展成为国际传媒航母的过程中，我们必须始终坚守什么？支撑我们奋斗的信念是什么？

“传播中华文化，承载民族记忆！”这就是我们的核心价值。我们如果要传播中华文化，承载民族记忆，我们就必须从一个媒体做到国际文化传播集团；我们只有很好地传播中华文化、承载民族记忆，我们才有可能成为国际传媒航母。中华文化、民族记忆非常博大、非常厚重，我们无法用图片来表达，只能用最简单的文字来传递。原来的设计中希望把用第二幅图片（核心价值）来联结第一幅和第三幅图片，所以左边用了和抗洪背景颜色类似长城的砖墙，右边用了现代化网络泛化出来的色彩与蓝色的海洋对接。但是因为整个图片不够长，传递这种意境有一定的难度。实际上，我们希望能

什么可以驱使我们不断努力，最终达到长远的战略目标成为“国际文化传媒集团”？或者说，我们从做一个个媒体，到以后我们发展成为国际传媒航母的过程中，我们必须始终坚守什么？支撑我们奋斗的信念是什么？

够有更加厚重一点的背景，能够更好地支撑这一博大的追求。

集团的战略，解决的是集团层次的成长方向、业务组合和价值追求，要凸现集团的持久竞争优势以保证长期利益的最大化。从“我们是什么”、“我们要达到什么”和“为什么”这三个角度，我们实际上所想要表现的就是集团的战略：包括我们的使命，我们的愿景和我们的核心价值。同时，我们还希望能够表达出从媒体、有品牌影响力的媒体，到国际文化传媒（传播）集团的发展过程。

前面提到的这三幅图片，也是一组南方报业的品牌宣传。从下面这张示意图中我们可以看到，品牌宣传是有层次的，从一般促销的卖点，到品质、风格，再到明确消费者需求的产品定位，最后到核心价值。

现代消费者行为学的一个基础前提是：人们购买产品通常不是为了它能做什么，而为了它意味着什么。对于报业和媒体营销的宣传，我们也要分清不同的层次不同的重点。一个策划、一个特刊的促销，要突出它适应市场变化的“卖点”；一个版块、一个“杂志”（观察），可以表现它的“品质、风格”；而一个媒体，一个面对细分市场的媒体，应该强调它的“定位”，告诉这群消费者这个媒体最能满足他们的特殊需求。对于集团，显然我们更应该传播集团的核心价值；用集团的“核心价值”，集团的品牌才能统领整个集团的品牌家族结构（集团—报系—媒体）。

我们的每一个媒体都在自身的品牌推广上做得很好，集团正试图和每一个子品牌共同努力做得更好。

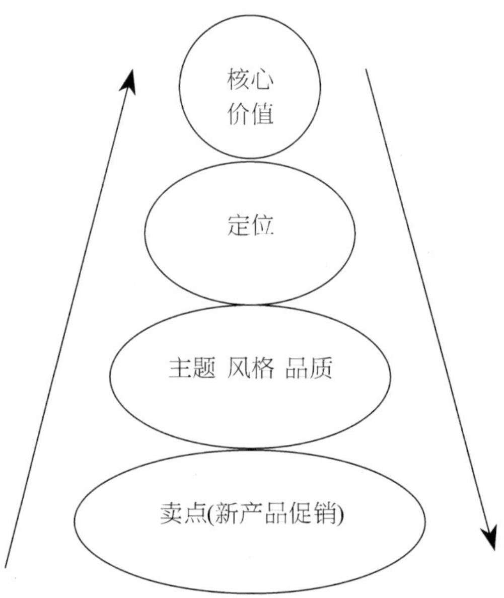

示意图

第三部分

报系运营

增创价值的整合战略

STRATEGY OF NANFANG MEDIA GROUP

整合：是利用系统科学的原理，将两种或两种以上不同但是有关联的事物，通过动态组合的方式融为一个整体的思维和方法。

所谓整合，是指发掘、结合且有创意地运用来自各方的资源、资讯和能力，并使各方的决策与流程能与整体目标配合。简言之，就是使各方的目标与资源共同创造价值，实现 1+1>2。

继承型整合：继承学习和运用已有的各项管理成果，进行消化吸收，发展转化成为自身的核心竞争力。

选择型整合：面向形成核心竞争的资源有所为有所不为，对资源进行有选择的整合，提升自己的核心竞争力，凸显自己的比较优势和竞争优势。

报业的整合，是报业战略实施的重要环节。这里讨论的包括：报业集团（以及传媒集团）的组织运营模式和治理架构，报业配套产业的价值链一体化，报业特殊资源、（媒体）战略资源的转移。

第一章

集群力量放大媒体价值

一　市场机制面前报报平等

——构建媒体、报系、集团三个层次的市场主体

作为一个拥有多个品牌媒体，特别是拥有多个全国有影响力的品牌媒体的集团，我们常常需要思考：报业传媒集团的出现、报刊以集团化的形式发展的动因是什么？在拥有读者认知度高的《南方日报》、《南方周末》、《南方都市报》、《21世纪经济报道》等品牌媒体的同时，我们要不停地回答：到底报业传媒集团对所属报刊媒体的成长和进一步发展有什么作用？

1998年5月中宣部和新闻出版署批准成立南方日报报业集团的时候我们都很清楚：组建报业集团是世界报业发展的一个规律，是报业发展到一定阶段的必然趋势；组建报业集团，是加强正确舆论导向的需要；组建报业集团，是壮大我国报业经济实力的需要；组建报业集团，是强化报业管理的需要；组建报业集团，是推动报社内部改革的需要。这里有报业发展的趋势、有上级主管部门的要求、有报社改革的需要，但是我们认为作为集团最不能忽视的，是构成报业传媒集团的每一个媒体本身的需求：让构成集团的每一个媒体，在集团下运作能够比其单独存在时获得更好的成长和进一步发展的空间。只有这样，报业集团化才有存在的基础，报业传媒集团才能实现价值的最大化。

今天我们要探讨的是在报业全面实施市场化改革运营的新形势下，报业传媒集团与各媒体的关系，其中包括我们以前常讲的"母报（主报）与子报"的关系，也包括机关报改革与子报市场竞争的关系。我认为，报业集团化发展有几个阶段，它们分别是机关报报办集团的初级阶段，报业集团集团办报的中级阶段，传媒集团报刊产业化战略运营的高级阶段。不同的发展阶段有不同的集

团结构需求和资产联结方式，不同的市场分类方法也就存在着不同层次的竞争主体。推动报业集团化从初级阶段向高级阶段发展，集团就必须为所属媒体的成长和发展创造更大价值！这是我们以资产为纽带构建报业市场主体的原则，是集团成立集团公司、子报子刊成立经营公司的依据，也是报业集团化的责任与追求。

报业集团化发展有几个阶段，它们分别是机关报报办集团的初级阶段，报业集团集团办报的中级阶段，传媒集团报刊产业化战略运营的高级阶段。不同的发展阶段有不同的集团结构需求和资产联结方式，不同的市场分类方法也就存在着不同层次的竞争主体。

报办集团的缺陷与“子报养大报”的尴尬

机关报组建报业集团是我国报业集团的开始。根据党的新闻事业的需要，组建报业集团的目的首先是为机关报本身服务——通过集团化的发展扩大党报的影响力，增强党报的经济实力，确保党报在新闻宣传中的地位。此外，当然还要通过组建报业集团推动改革，真正实施企业管理，取得更大

在报业竞争力年会上。

的经济效益。因此，从机关报组建报业集团的目的和实际功能上分析，我们称这一时期的报业集团为报办集团。由于机关报和子报子刊之间更多的是业务的联结，缺乏资产特别是产权的纽带，不直接面对市场的机关报不是主体，报办集团辖下的子报子刊也不是完整的市场主体。

和很多报业集团一样，南方日报报业集团成立之初，是与南方日报社并列的一块牌子，集团更多的是一个相对现代化的、与国际接轨的名词；集团的主要职能和运作，都是在南方日报社的框架下实现的。比主要靠行政授权、行政划转捏合起来的报刊组团幸运的是，南方日报报业集团所属的报刊媒体，都是过去几十年积累逐步办起来的。我们这些用“龙生龙，凤生凤”的方式创办出来的系列品牌媒体，每一个都有着南方报业独特的遗传基因。1984年春，我们创办《南方周末》的时候，主要考虑到面临读者市场的扩大只靠一家党报无法满足读者的需求，无法适应市场竞争。创办《南方周末》体现了南方报人的市场意识和竞争意识，但在“利润全上交，固定资产添置靠拨款”的那个年代就说报社先知先觉有子报养主报（母报）的设想，绝对是天方夜谭。而得益于广东改革开放的先行一步，《南方日报》在上世纪90年代的辉煌发展后虽然面临机关报市场的萎缩，但不断的创新依然让她保持着良好的盈利水平。所以，尽管我们的《南方都市报》、《南方周末》、《21世纪经济报道》对集团利润的贡献大，但我们并没有子报养主报（母报）的困境。有的地方出现机关报的困境之后，提出“子报养主报”的口号，我认为这是机关报的悲哀，不可取。

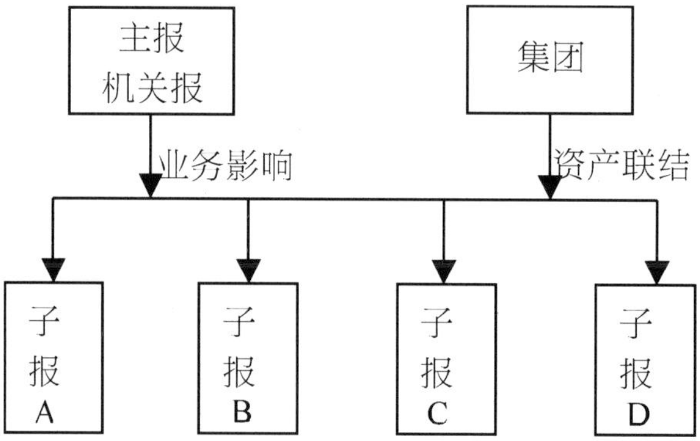

虽然我们没有出现“子报养主报”的困境，但南方日报报业集团从机关报《南方日报》刚刚演变出来的初期，是替代“南方日报社”职能管理子报子刊和报纸运营部门（印刷、发行等）的专门机构，是南方日报社用来管理控制机关报以外的其他媒体及相关事务的管理总部。这就存在着报办集团这一初级阶段的普遍困惑和缺陷：集团对下属媒体的控制主要体现在行政上更换领导班子、财务上调整二级核算指标，实际上就是管理和控制，很难创造集团整体价值。在初级阶段，报业集团存在的目的更多是有利于管理子报子刊、提高上级主管部门加强舆论导向引导（控制）的效率：上级管理集团、集团管理媒体；上级控制母报的舆论导向，母报引导子报子刊的舆论导向。

南方日报报业集团成立之初，是与南方日报社并列的一块牌子，集团更多的是一个相对现代化的、与国际接轨的名词；集团的主要职能和运作，都是在南方日报社的框架下实现的。

时至今日，有的报办集团，仍然充当着母报和子报的中介角色，它对母报的一个重大作用就在于调配子报的利润。这种制度设计使母报对子报在经济上的依赖性越来越强，是“子报走市场，机关报守阵地”思想的体现，实际上没有把机关报当作报业市场竞争的主体，而是通过集团化的形式使机关报以最小的代价获得最大的回报。报办集团组建的第一个目的虽然是提高机关报的质量，但是轻易获得的利润使大胆创新面对竞争的目的成为多此一举。所以，报办集团不但无益于机关报的长远发展，也不利于子报子刊的导向把握和健康成长。对于子报子刊而言，集团往往只是被当作政治风险的挡箭牌。几年前，我们结合自身实际并认真分析研究报业集团同行的一些现象发现：

报办集团组建的第一个目的虽然是提高机关报的质量，但是轻易获得的利润使大胆创新面对竞争的目的成为多此一举。所以，报办集团不但无益于机关报的长远发展，也不利于子报子刊的导向把握和健康成长。

尽管子报子刊都是集团出资、合资创办的，集团是子报子刊资产的拥有者和控制者，但如果集团只能作为子报子刊的利润管理中心，不断地提取子报创造的利润去填补母报、其他亏损媒体或历史的窟窿，不但会极大地打击子报子刊创新发展的积极性，还容易造成子报子刊与集团和母报产生敌对

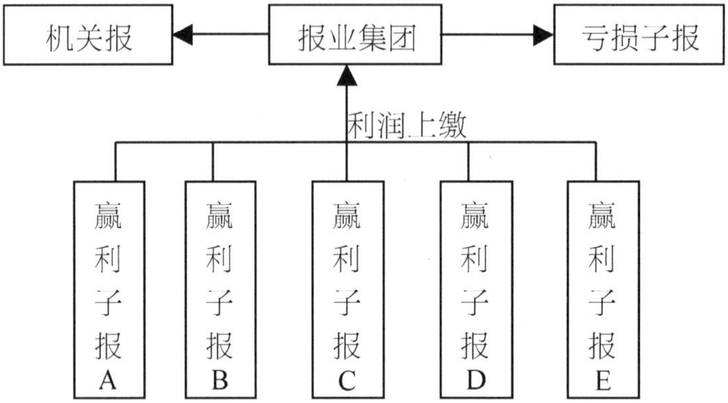

情绪。这种被动局面，子报子刊对集团整体利润贡献大是一个方面，而集团不作为、母报在市场竞争中的懦弱是更重要的一面。去年我说过，“没有读者，没有市场，就没有阵地可言，更没有导向可言”，所谓“子报闯市场，主报（母报）守阵地”的空想，不过是报业集团想用更多的刊号资源获取利润，并对机关报加速衰退极不负责任的谎言。如果任其发展下去，实在是机关报的悲哀。南方报业对此认识比较深，觉醒比较早。

报报平等的集团办报与资源管理配置

正是洞穿了不负责的谎言，在面对报刊组团和报办集团的集团初创期，我们没有急功近利地把集团设计成为子报子刊利润管理中心，也不苟同机关报市场弱势不可逆转的判断。我们坚信，在媒体竞争细分市场中，具有法人地位的机关报（主报、母报）是竞争主体，而因为市场机制不完善、管理体制落后而不具有法人地位的子报子刊，同样也是竞争的主体，市场机制对子报和主报（母报）的作用是均等的。面对集团统一拥有的不同细分市场的主体，我们强化媒体多品牌战略，并同时配套实施集团财务委派等一系列制度，力图走出一条从报办集团到集团办报的成功路径。在集团办报的阶段，集团首先应该是集团所有资源的管理中心，根据不同细分市场的竞争态势，有效地配置集团的资源，推动各媒体在各自细分市场的竞争和发展，为它们的成长创造价值。

这里所说的市场机制，是相对于行政手段而言。行政拨款直接获得收入，或通过行政定高价强制完成征订任务获得收入，都是行政手段而不是市场行为。我们认为市场机制面前报报平等，是说每一张报纸要在媒体细分市场中赢得竞争生存发展，都必须按照市场经济规律办事。我们集团大多数报刊，不管是影响力实现还是广告盈利，都遵循从市场到产品再到市场的基本模式（如图）：我们的《南方周末》、《21世纪经济报道》是这样的模式，《南方都市报》是这样的模式，省委机关报《南方日报》也是一样。脱离了市场，得不到广告投放，也不可能履行党交给的舆论导向的职能。

我们认为市场机制面前报报平等，是说每一张报纸要在媒体细分市场中赢得竞争生存发展，都必须按照市场经济规律办事。我们集团大多数报刊，不管是影响力实现还是广告盈利，都遵循从市场到产品再到市场的基本模式。

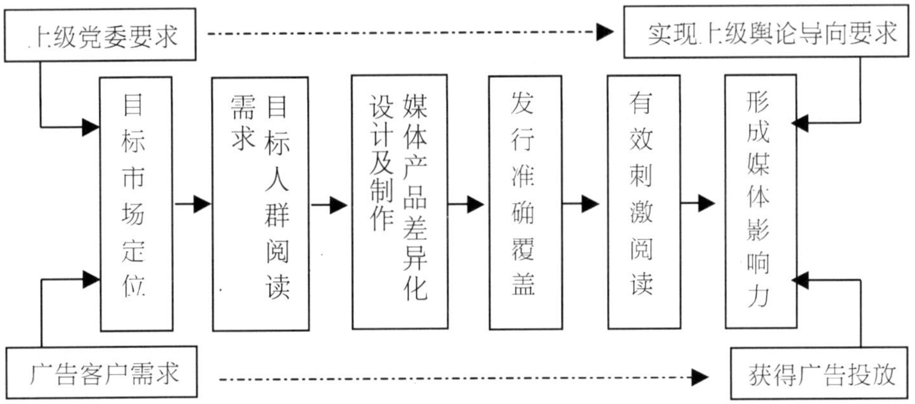

报刊媒体影响力实现和广告盈利模式

集团资源配置

政治地位和行政级别不能代替市场机制，机关报是细分市场的主体，各报刊、各媒体也是细分市场的主体。这种市场机制面前报报平等的观念，并不是说要削弱机关报的政治地位。机关报是主流龙头媒体，其在集团各报乃至本区域范围内的报纸中的主导地位，是不能动摇的。报报平等是市场机制和各媒体在市场上的成功，极大地推动着机关报的改革发展。我们的机关报《南方日报》在长期的改革探索的基础上向市场要数据，向读者要意见，向实践要答案，提出以“高度决定影响力”的理念实施再造。从2002年8月6日起，《南方日报》多次改版扩版，以打造华南地区权威政经媒体为目标，以国际化报型和版式创新思路和形象，以做主流新闻、争主流读者来提升报纸质量。持之不懈的改革使南方日报的经营有了突破性的进展。2004年广告实收1.19亿元，比上年增加25%，创造了历史最高水平。机关报在市场上的创新和进步，从根本上增强了影响力，提升了经济效益，同时也从根本上赢得了各报系的尊重，赢得了引导舆论的市场基础，巩固了政治地位。

南方报业多年来的实践证明：办报刊媒体一定要创品牌，成为一个细分市场的品牌媒体才能更好地生存和发展；已经创立品牌的媒体，则必须不断创新才能赢得持续竞争。报业集团作为多个品牌媒体的母体，首先要为各媒体提供新闻技术、采编广告发行联动及品牌创新能力的支持。集团要为下属媒体创造价值，就是要为它们提供资源、知识、技术和能力的支持，推动它们大造媒体品牌，不断地影响、引导和激励品牌媒体不断创新。除了对新媒体成长中的市场引导、技术和运行的支持，集团为子报子刊成长发展创造价值的贡献更多地就在于：一、对报业竞争趋势和媒体价值创造的洞察力；二、媒体成长和进一步发展所需要的投资和追加投资；三、高层次的、媒体核心层次的人力资源；四、媒体生存的预警机制；五、推动媒体不断创新的集团文化影响；六、集团品牌影响力的支持。

这里特别要强调的是，预警机制、人力资源和品牌影响。新办媒体的政策水平和对重大问题的把握能力较低，集团要为媒体的生存提供预警机制，通过有效的舆论导向控制保证媒体的生存发展。舆论导向问题会牵涉政治问题，问题媒体可能会遭到灭顶之灾。我们有一个媒体休克了，对集团而言它没有价值可言，当然更谈不上为它创造价值。它的唯一价值可能就是对其他媒体（包括我们的竞争对手）的警示作用，从集团整体利益上说，我们实在不需要这种警示价值，我们也不希望兄弟集团拥有这种价值。我们更愿意在竞争中共同进步和发展，靠竞争对手突然死亡获得市场份额，不是南方报人的追求。人力资源方面的支持主要是机制上的影响，集团抽调最优秀、最适当的人创办新报纸，或者是调配一些更专业的人员来充实管理团队并不难，我们认为对各报系、各媒体而言最有价值的是人才竞争机制本身。再优秀的人才本身也存在着惰性，只有通过良好的竞争机制才能促使他们不断创新推动媒体发展。集团的品牌影响力则直接为媒体创造着价值。南方报业的主品牌，是集团整体实力的体现，也是品牌媒体的出品保证。强大的报业主品牌，可以为媒体子品牌提供更强的差异化能力，令它们能以更优异的品质战胜对手；强大的报业主品牌，可以使集团培育新的品牌媒体获得更多更好的运营支持，降低启动成本，缩短初创周期。

除了对新媒体成长中的市场引导、技术和运行的支持，集团为子报子刊成长发展创造价值的贡献更多地就在于：一、对报业竞争趋势和媒体价值创造的洞察力；二、媒体成长和进一步发展所需要的投资和追加投资；三、高层次的、媒体核心层次的人力资源；四、媒体生存的预警机制；五、推动媒体不断创新的集团文化影响；六、集团品牌影响力的支持。

报系结构运营与媒体发展的协同效应

在报办集团的摸索阶段，南方日报报业集团每年盈利水平较低。进入集团办报为媒体的市场竞争配置资源后，子报子刊蓬勃发展，集团盈利水平连年翻番，到2002年集团纳税9600万元、创利6000多万元。进入2003年后，南方报业集团办报开始了报系运营阶段，用资产为纽带联结几个媒体形成的报系结构，共同参与多个同质化细分市场的竞争并获得协同效应。报系运营阶段每一个媒体还是细分市场的竞争主体，而报系结构则是局部市场的竞争主体。报系结构运营使集团发展上升到一个稳步增长期，2003年纳税1.39亿元、创利1.49亿元；2004年集团虽然由于新闻纸涨价增加成本近6000万元，创税利仍然与上一年基本持平。

靠竞争对手突然死亡获得市场份额，不是南方报人的追求。

经济学家认为，企业从市场与组织之间的关系出发，考虑“交易成本”的大小而决定企业的便捷、决定企业的集团化发展。企业集团能够替代一部分市场的功能，降低集团内企业之间的交易成本。研究企业战略的管理学家则认为：企业组织结构变迁服从战略变动，战略的演变则是对环境变化的反应。企业的集团化是企业在动态环境下组织资源、创新发展和维护市场竞争力的结果。在企业内部进行业务组合设计，可以进一步改善母公司对资源的配置和目标设计，更好地提高资源配置的科学性和整体的使用效率。

2003年，集团相继成立了“21世纪报系”、“南方周末报系”和“南方都市报报系”。在报业集团内部成立报系，就是在集团内部进行高效科学的业务组合设计，通过文化理念统一、市场战略协同和内部资源整合，获得强大的协同效应，为报系内媒体的成长和发展创造价值。报业集团的核心价值理念和企业文化，对集团各品牌媒体的发展起着不容忽视的作用。由于集团下属各个子报的市场定位不同、办报风格不同、融资结构不同、运营体制不同，在集团的主文化下面必然存在既密切相关又各具特色的子报亚文化。成立报系后，各个报系内部办报理念是统一的，并逐步培育出相对一致或接近的亚文化群体，在促进各报系亚文化协调发展的同时，有效地推动各报系内部各个媒体的全面发展。比如，南周报系利用南方周末的品牌效应，及她所拥有的人力资源、作者资源、广告资源、发行资源办起《名牌》杂志、《南方人物周刊》。但是，了解南周报系这几个产品的人都可以清晰地认识到，维系南周报系的最重要力量是“南周”的文化、“南周”的办报理念。

除了文化和理念统一产生的影响外，报系结构的运行还通过战略协同和资源整合为报系内部的媒体成长和发展创造价值。21世纪报系包括《21世纪经济报道》和《21世纪商业评论》。为了打造中国经济报道首席媒体组合这一战略目标，集团不但明确为报纸的运行创新机制，还为期刊的运营提供大量的支持。《21世纪经济报道》和《21世纪商业评论》，在市场上是互补的、协同的。《21世纪经济报道》注重新闻信息，以政经、产经新闻报道反映政府决策和产业走势见长，追求“新闻创造价值”。而《21世纪商业评论》更专注于企业的案例研究，做实证的案例报道，通过国际商业理论对中国企业的分析，为企业的实际操作提供参考。我们的南都报系资源共享的有《南方都市报》、《新京报》和正在筹办的一张新的都市类报纸。这三张报纸虽然不在同一个城市但风格相近，有相当部分的版面（内容）资源可以直接共享，报纸的运行成本大大降低。

在集团办报资源管理的中级阶段，集团要以资产为纽带，促使集团各媒体之间的资源流动、资源调配；同时，更要以资产（产权）为纽带，加强更能为各报系、各媒体创造价值的职能部门建设，使报业集团更加和谐地为媒体成长发展服务。报系的运营有效地降低了集团的管理成本，提升了集团的资源配置效率，也就加快了报系内部各媒体的发展。原来集团直接面对各个媒体的扁平结构，使有限的资源在各媒体之间的配置过程中常常产生这样那样的矛盾，为寻求相对的平衡而浪费效率；集团管理报系后报系内部可以协调，集团更能够“把好钢用在刀刃上”。报系结构运行之前，原来各媒体之间的极大差异，使集团内部竞争缺乏统一的标准；报系结构运行之后，一个团队与另一个团队你追我赶，内部竞争推动了报系的发展，也就推动了各媒体的发展。

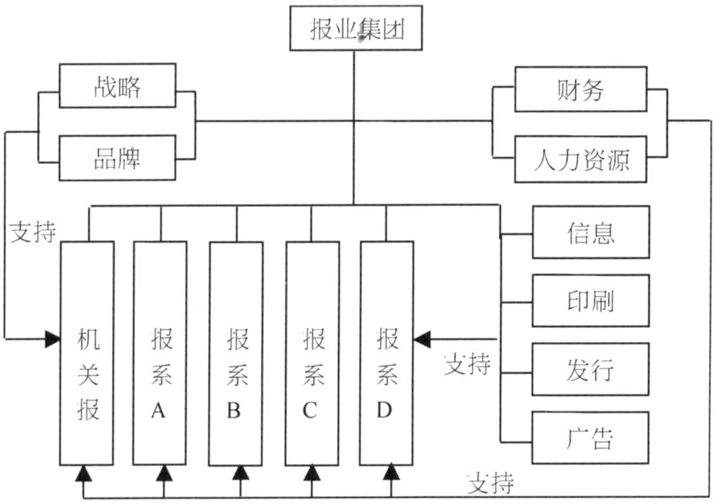

在报业集团内部成立报系，就是在集团内部进行高效科学的业务组合设计，通过文化理念统一、市场战略协同和内部资源整合，获得强大的协同效应，为报系内媒体的成长和发展创造价值。

报业集团不是我们最大，发展不一定我们最好。但是在为下属媒体提供更多的全面的支持和帮助、提升它们的价值并赢得竞争方面，我们应该是走得比较早的一个。在完全市场竞争的条件下，南方报业希望能够成长为最能够促进媒体成长发展的母体，具体地说就是：给我们1个亿和一个全国刊号，我们要在第三年让它开始产生两位数的回报率，并在五到十年内上升到一个相对稳定的平台持续发展；和我们现有产品市场不重叠、不冲突的媒体产品，如果因为共同的需求划入到我们集团内部运作，要在一年内创新准确切入市场的发展思路，形成创造和运营品牌媒体的团队，探索出最适合这个媒体产品的盈利模式。

传媒集团产业化战略运营的价值创造

2005年7月18日，南方日报报业集团又在全国率先从“报业集团”迈向“传媒集团”，成立南方报业传媒集团。在传媒集团挂牌的同时，明确提出了集团的核心理念和成长战略。集团提出了“品牌媒体创新力量”的核心理念宣言，南方报业本身就是品牌媒体的创新力量！我们认为，激励南方报人坚毅前行奋斗不息的核心使命是：传播中华文化、承载民族记忆。我们的成长路径希望从报业集团发展为传媒集团，再发展到文化传媒集团，最后发展到国际文化传播集团，以实力、特色和感情来对抗西方文化的冲击。明确的成长路径和催人奋进的愿景，使集团各报系、各媒体有了更加清晰的发展思路，并根据集团的整体方向制定了更加全面持久的竞争战略。比如，《南方都市报》的新闻网络沟通平台已经进入运作，21世纪报系、南周报系境外拓展计划也在加快推进。

随着报业竞争的推进，单靠报业集团内部的资源已经很难整合出更新更大的竞争优势。不断变化的市场环境对报业集团化发展提出了新的要求，只有更多的外部的资源，才能突破以媒体细分市场为基础平台的媒体竞争规则，用创新的方式领先报业竞争。报业集团化发展的高级阶段是传媒产业集团，传媒集团根据报刊产业发展的需要，通过清晰的产权纽带，从战略运营的层次联结报业发展所需要的更多资源，并根据市场竞争的不断变化将各种各样的资源调配成为最佳的资源组合，保证集团在动态发展的变化中获得持久的竞争优势。在这个阶段，媒体仍然是细分市场的竞争主体，报系结构是局部竞争的主体，而传媒集团则是报业综合竞争的市场主体。

在报业集团化的高级阶段，传媒集团为报刊媒体的成长发展创造价值最突出的表现为如下几个方面：

第一个方面，传媒集团可以更好地打造并适度延伸一体化的配套产业价值链，通过降低报刊媒体的市场运营成本，来为其创造价值。这两年，新闻纸的价格一直在上升，有一些媒体增加发行赢得了更多的广告投放，但是到年终一算，大家的努力最后都是为造纸厂“打工”，广告增收刚好填补纸价上涨带来的成本增加。报业集团、传媒集团的专业是制作和运营媒体，自己开办一个纸厂是不明智的，但是能延伸参股新闻纸企业，制约纸张价格或者通过战略联盟影响纸张价格，都将为媒体带来实质性的利益。

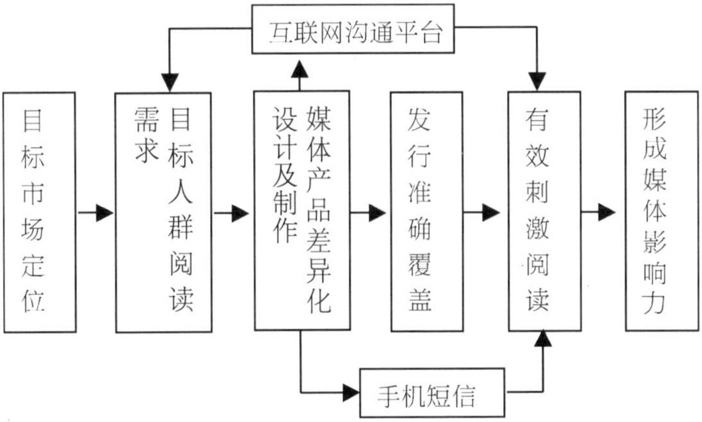

第二个方面，传媒集团可以通过跨媒体的拓展为报刊媒体创造价值。报纸的基本运作模式是根据广告主对细分市场的指向，分析细分市场人群的阅读需求，根据读者需求制作媒体产品，把媒体产品准确覆盖到相应读者群刺激阅读形成影响力，广告主为实现广告影响实施投放。如图，跨媒体的运作可以改变报刊传媒价值实现的流程：比如通过利用互联网上的沟通平台，可以达到更加有效的影响；而手机短信、电台立体化的刺激，也可能改变报刊媒体原来设计的覆盖人群，达到更奇妙的影响效果。新闻话题比如足球或其他比赛赛事的竞猜，媒体激发发短信讨论既可以和运营商分享效益，又可以使在报刊媒体投广告的广告主获取更大的影响，增加投放。

第三个方面，传媒集团可以通过媒体营销和媒体延伸产

给我们1个亿和一个全国刊号，我们要在第三年让它开始产生两位数的回报率，并在五到十年内上升到一个相对稳定的平台持续发展；和我们现有产品市场不重叠、不冲突的媒体产品，如果因为共同的需求划入到我们集团内部运作，要在一年内创新准确切入市场的发展思路、形成创造和运营品牌媒体的团队、探索出最适合这个媒体产品的盈利模式。

品开发为报刊媒体创造新的价值。目前我们的报刊大都靠广告盈利，但国外的主流传统媒体这方面的收入只占百分之六七十，媒体的品牌经营、增值服务已经成为报刊媒体新的收入来源。只有传媒集团才可能跳出报刊产业，应对新的产业成长，开发报刊媒体新闻和信息的延伸产品，形成新的价值。

第四个方面，获取更多的外部资金和其他资源的支持。更多的资金是更多媒体资源的基础。一个媒体，特别是正在培育期、成长期的媒体要获得外部资金的支持，有这样那样的困难和制约，而有实力、有信誉、盈利稳定的传媒集团，这方面有着更多的优势。另外，传媒集团除了拥有平面形态的报刊媒体外，还拥有其他形态的媒体，立体化的结构对国际传媒更有吸引力和竞争力，更有利于与国际传媒集团以平等的方式合作并获得国际资源，为报刊媒体的发展服务。

市场要求我们发展，竞争推动我们进步。市场产生了报办集团，市场造就了集团办报，市场也必将推进传媒集团产业化的战略运营。我们说为报刊媒体的成长发展创造价值是对报业集团化的责任和追求，实际上也是对更加完善的报业市场机制的追求。我们现在有较好的媒体细分市场，有广告市场、发行市场，也有人才的交换和流动，但是还没有健康、完善的报业市场。报业层次难以实现资源交换，有供求但没有价格。随着中国报业市场机制尽快建立健全，我们希望与兄弟集团一起竞争成长走向世界，追求中国报业的共赢。

二 南方报业的报系运营

报系这个概念，是2003年初提出的。在中国所有的报业集团中，提出报系运营的构想，并在集团管理实践中成功实施，南方报业是头一家。

作为南方日报报业集团的社长，我在提出南方报业多品牌发展的构想以来，一直在实践中思考实施多品牌战略的有效途径。2003年，在全面总结报业集团多品牌发展经验的基础上，我们决定进一步深化多品牌发展战略的理论内涵，提升多品牌发展战略的实施水平。在这种情况下，我经过慎重的思考，首先提出了在集团管理框架下的报系结构的理论构想，即“集团——报系——子报子刊”的业务管理架构。在这种理论构想的指导下，南方日报报业集团于同年相继成立了“21世纪报系”、“南方周末报系”和“南方都市报报系”，开始了报系运营的实际探索。两年多以来南方报业的发展实践证明，在报业集团内部成立报系，对集团多品牌战略的促进作用、对报业集团实现快速协调的扩张发展的促进作用是十分明显的。

报系这个概念，是2003年初提出的。在中国所有的报业集团中，提出报系运营的构想，并在集团管理实践中成功实施，南方报业也是头一家。

南方报业实施报系运营的内在需求

在几年来的办报实践中，通过实施“龙生龙，凤生凤”的媒体多品牌发展战略，南方报业正在逐步走上一条扩张发展的快速通道。集团每年的广告营业额都迅速上升，集团的子报子刊扩张速度也日益加快。虽然在全国的报业集团当中，南方报业不是最强最大的，但我们的发展势头、发展后劲，以及我们的无形资产的价值，是非常令人瞩目的。依靠“龙生龙，凤生凤”的滚动发展模式，集团的子报子刊越来越多，家族越来越庞大，事业越来越兴旺。

随着集团事业的发展，南方报业的市场经营已摆脱了低层次竞争，赢得了中层次竞争，并逐步提升到高层次的竞争上来。要想在高层次的竞争中取得胜利，就必须培育好更多的品牌，尤其是强势的品牌；我们要开发、利用好这些品牌，挖掘它的品牌价值，扩大集团品牌的影响力，将我们的品牌资源优势转化为市场优势和经济优势。同时，随着集团品牌子报越来越多，集团对子报子刊的管理方面也面临一些新的情况，这就促使我们思考集团一组重要的管理课题：在报业市场竞争日趋激励、集团多品牌战略顺利实施的条件下，如何建立行之有效的集团业务架构，进一步提升品牌媒体的运营水平，整合集团内部资源，培育以品牌为核心的无形资产，进而建立持续的市场竞争优势？

首先，随着集团事业的不断拓展，子报子刊越来越多，在子报基础上发展起来的“孙报孙刊”也开始出现，集团对旗下业务单元的管理层次和管理跨度问题越来越凸现出来。如果对所有的子报子刊都在一个层次上进行管理，势必会使集团层面的管理跨度日益加大，进而增大集团管理的边际成本，降低决策和管理的效率。由于集团下属子报子刊的市场定位不尽相同，办报方向各有侧重，读者分布各有特点，因此对不同子报子刊的管理内容各不相同。假如集团平行管理越来越多的子报子刊，集团社委会就不得不在日常管理控制方面投入大量的精力和时间。把时间和精力都投入在这些方面，不仅低效，而且会没有时间研究对集团发展至关重要的战略问题。有没有可能找到一个可行的办法，在保证集团统一管理的前提下，设置合理的管理层次，形成合理的管理跨度，确保管理的有效性，并降低管理成本？这就要求我们大胆进行体制创新，研究适应大型报业集团的业务管理架构。

其次，由于集团实行“龙生龙，凤生凤”的滚动发展模式，我们鼓励优质子报子刊的扩张发展。集团内部的南方周末、南方都市报和21世纪经济报道等优质报刊内部创办新报刊的愿望非常强烈。近年来，这些子报的管理者和业务骨干经常会研究报刊市场上的竞争态势，追踪市场上新出现的读者需求，寻找市场空白点，研究有发展前景的潜在业务方向，在此基础上向集团社委会提交关于创办新的子报子刊的计划和设想，其中许多想法具有相当大的可行性。如何正确引导子报子刊的扩张冲动，并且科学地管理子报子刊的扩张行为，建立适应现代报业竞争需要，同时又符合南方报业管理实际的业务扩张平台，成为我们集团领导层面临的重要课题。

第三，集团的品牌管理问题摆在我们面前。通过实施多品牌战略，集团已经培育出了在国内传媒市场上具有越来越强大影响力的一组媒体品牌。在南方报业大品牌之下，各个媒体品牌的理念和形象是有所不同的。例如南方周末的品牌形象与南方都市报的品牌形象既有南方报业所特有的“关注社会、关注民生”的相同之处，又有各自不同的特点，南方周末深厚大气，具有鲜明的精英意识和人文关怀，而南方都市报则更像一个初出茅庐的平民小伙子，有一种无所畏惧的锐气和闯劲。同样是把现代都市年轻人作为主要的目标读者群，城市画报和南方体育的品牌理念虽有新潮另类的共同特点，但也是各有侧重各有特色的。如何对这些强势品牌进行有效的品牌管理，把不同的媒体品牌整合到南方报业的主品牌下面，形成在南方报业的主品牌领导下各个子品牌交相辉映、相得益彰的良好局面？有没有必要根据不同品牌的理念与形象的相似程度来整合品牌，以集团内部的优质品牌报纸为龙头，在南方报业主品牌旗下形成既统一又各有特色的品牌集群？

在报业市场竞争日趋激励、集团多品牌战略顺利实施的条件下，如何建立行之有效的集团业务架构，进一步提升品牌媒体的运营水平，整合集团内部资源，培育以品牌为核心的无形资产，进而建立持续的市场竞争优势？

第四，报业集团的内部业务管理问题，在很大程度上也是一个资源整合问题。资源整合包括人力资源整合、品牌资源整合、采编资源整合、营销渠道整合、内部管理整合等各个方面。在南方报业内部进行科学合理的资源整合，是优化集团内部资源配置、实现集团子报的协同优势、获取持久的市场竞争优势的一个必要的手段。可以说，合力出自整合，综合竞争优势出自整合，品牌效益出自整合。在报业集团内部的资源整合，应当综合运用市场和行政这两种配置资源的手段。由于集团不同的子报子刊在资源占用和资源需求上既有多样性又有相似性，在集团总体管理架构下，如何有效地提高资源整合的效率，最大限度地把资源整合的效益发挥出来？这在客观上要求我们解放思想，大胆实践，探索建立有利于资源整合，并能够在集团范围内充分发挥协同优势的业务管理模式。

南方报业报系运营的探索实践

目前在国内报业集团当中，对于子报子刊的管理体制总体上还处在一个相对原始的状态。许多报业集团仅仅是简单地成立一个“子报子刊管理部”（或子报子刊管理处），负责整个集团子报子刊的创办与管理。这种对子报子刊的管理模式的弊端主要表现在两个方面：一是对子报子刊的管理还停留在行政管理的层面，即主要通过行政手段进行管理，缺乏市场化的管理手段，其结果不是“统得过死”就是“放得太乱”；二是报业集团旗下子报与子报之间缺乏建立在市场纽带基础上的资源整合，其结果或者是各自为战、影响协同效应的发挥，或者是自己人与自己人打架，更遑论在媒体市场上形成合力。如果说，在集团规模不大、子报子刊数量不多，或是市场竞争不那么激烈的情况下，这种相对简单的内部管理体制的弊端还表现不明显，随着集团规模不断扩张、市场竞争日益激化，报业集团既管“子报”又管“孙报”，各子报子刊结构松散、“貌合神离”的弊端越发突出，亟待寻求新的更有效的管理模式。

在南方报业多品牌发展扩张过程中，我们意识到，报业集团内部成立报系，正是解决集团发展中面临的上述问题，进一步整合集团资源，培育强势品牌，发挥品牌优势的有效途径。于是我们在国内报业集团中先行一步，率先探索了报系运营的成功模式。2003年，集团以多年办报过程中培育起来的优质品牌子报为龙头，整合内部资源，创新管理模式，相继成立了21世纪报系、南方周末报系和南方都市报报系。成立报系，在集团与子报之间形成了一个新的管理层次，集团和报系在管理上分工明确，集团管大事、管战略、管办报和经营方向，报系管具体执行集团的战略方针、管具体的采编和经营管理，从而使整个报业集团的管理架构和管理流程更加明晰，有效解决了集团社委会的管理跨度等问题。在集团统一管理的架构下，报系内部实行相对独立的采编、经营和人力资源管理，报系的管理权限比原来的子报有所增加，同时管理的范围扩大到报系所管辖的若干个子报子刊。

通过组建报系，三大报系迅速成为南方报业开拓媒体市场的三把尖刀，成为集团业务管理和业务扩张的三大平台，成为集团战略发展的三台强力发动机，为集团实施多品牌发展战略做出了积极的贡献。三大报系成立后，南方报业迎来了一个子报子刊创立的高峰期。2003年，南方周末报系利用其品牌优势、人力资源、作者资源、广告资源、发行资源创立了

成立报系，在集团与子报之间形成了一个新的管理层次，集团和报系在管理上分工明确，集团管大事、管战略、管办报和经营方向，报系管具体执行集团的战略方针、管具体的采编和经营管理，从而使整个报业集团的管理架构和管理流程更加明晰，有效解决了集团社委会的管理跨度等问题。

向企业界和读者介绍21世纪报系运营模式。

《名牌》杂志，填补了国内男性精英杂志的空白。办刊取得初步成功后，南方周末报系总结经验，于2004年又成功创办另一份杂志《南方人物周刊》，仅用短短一年多的时间，就在市场上站稳了脚跟，目前运营势头良好。南都报系已经具有了操作都市类报纸的能力，办报和营销手段相当成熟。2003年底，集团从南方都市报系选派采编和经营骨干北上办报，与光明日报报业集团合作创办《新京报》。目前《新京报》运营良好，被称为中国报业的又一个奇迹。2005年9月，集团又把《南方体育》并入南方都市报系，由南方都市报系进行整合，打造一份新的周刊。21世纪报系也利用自己的品牌效应、核心能力与优质资源，于2004年创办了一份新杂志《21世纪商业评论》，定位于财经高端读者，目前运营状况良好，处于可喜的上升势头中。

成立三大报系，不仅在集团内部形成了新的管理平台和扩张平台，而且在南方报业的主品牌下形成了不同的品牌集群。这三大强势的品牌集群与南方报业的其他子品牌相互配合，成为在国内媒体市场上拱卫和维护南方报业主品牌的强大力量。由于南方报业品牌集群的迅速崛起，南方报业在国内传媒市场上的“江湖地位”也更加快速地提升。2005年，在国内举办的“中国最具价值品牌500强”评选中，南方报业旗下四家报纸榜上有名，这四家报纸恰好分别是集团主报《南方日报》以及三大报系的龙头报纸《南方周末》、《南方都市报》和《21世纪经济报道》。这并不是巧合，它从一个侧面说明集团报系运营两年来的实践，已经对报业品牌的提升发挥出巨大的推动作用。在刚刚进行的“最具影响力的中国企业”评选中，南方报业又被推选为“最具影响力的传媒企业”，成为中国唯一获此荣誉的报业集团。这些荣誉不是我们主动求来的，它们代表着社会对我们集团办报和运营水平的肯定，代表着市场对我们南方报业及其旗下品牌的认可。这些荣誉告诉我们，几年来南方报业所走过的多品牌发展战略的实施之路，以及我们所进行的创新报业运营管理模式的有益探索，已经初步得到了社会的认可、市场的认可、同行的认可。

南方报业报系运营的成功逻辑

报系运营是南方报业多品牌发展战略内涵的重大提升，是南方报业对中国报业集团管理体制和运营模式的一个重大贡献。南方报业对报系运营探索为什么能够取得这样的成功？关键原因在于它是基于外部市场环境和报业集团内部管理实践的共同选择。它既适应了报业市场竞争的需要，又满足了报业集团内部管理和资源整合的要求，因而能够成为报业集团业务管理的一种成功模式，对报业集团的扩张发展起到很大的促进作用。因此，报系运营之所以取得成功，有着自身的内在逻辑。

（一）报系内部各个子报子刊目标市场相近

市场的相似性是报系内部品牌报刊形成品牌合力的基础。对于现代报业竞争来说，早已从无差异市场竞争转化为差异化的竞争。媒体集团相互竞争的形式之一，就是市场定位策略的比拼。报刊媒体之间的竞争也日益表现为特定细分市场上的争夺。在市场上获得成功的媒体，究其原因，无一不是源于市场定位的成功。同样，南方报业传媒集团旗下报刊之所以在市场竞争中取得优势，首要原因在于在目标市场上的成功定位。对于南方报业来讲，我们既有主打广州本地的报刊，也有主打全国市场的报刊，既有面向高端读者的报刊，也有面向普通市民的报刊，既有吸引商务型读者的报刊，也有吸引城市知识青年的报刊。对于南方报业这样一个在多元市场上参与竞争的报业集团，各个报刊所面对的细分市场各不相同，同时集团旗下不同报刊的细分市场又具有不同程度的相似性。成立报系，正可以针对相对一致的市场提供多元的媒体产品，既有利于报系内部的密集型成长战略，同时由于在报系内部的统筹规划，有效避免了同质化产品在同一个市场上相互打架的现象。以南方周末报系其中的两份报刊为例。《南方周末》的主要目标读者群为大中城市中受过良好教育，在工商企业、机关单位和高等院校中从事较高层次工作，关心社会、积极生活的高端知识型读者。从文化程度来看，绝大部分读者受过中等以上的文化教育，从读者的生活区域来

成立三大报系，不仅在集团内部形成了新的管理平台和扩张平台，而且在南方报业的主品牌下形成了不同的品牌集群，这三大强势的品牌集群与南方报业的其他子品牌相互配合，成为在国内媒体市场上拱卫和维护南方报业主品牌的强大力量。由于南方报业品牌集群的迅速崛起，南方报业在国内传媒市场上的“江湖地位”也更加快速地提升。

看，主要分布在大中型城市和区域性中心城市当中。这种相对高端的读者结构与本报系的另一份新创办的刊物《南方人物周刊》的目标市场非常相近。正是由于面对的市场相对一致，《南方人物周刊》和《南方周末》这两种差异化的媒体产品能够在同一个市场上相得益彰，互相促进。这种目标细分市场的相似性，构成了集团内部报系存在的基本原因。

（二）报系内部各报刊品牌理念追求相对统一

《南方周末》的品牌理念是："南方周末，记录时代进程。坚持以开放的态度观察世界、以深入的眼光研究社会、以科学的精神揭示发展，与600万知识型读者共同分享生存的智慧、发展的智慧、认知的智慧。"而属于同一家报系的《南方人物周刊》的品牌理念是："作为中国第一本综合类人物周刊。记录对国家进步和社会生活产生重大影响的人物，关注在与命运抗争中彰显出的向善力量和人性魅力。南方人物周刊，记录我们的命运。"上述两者无论是关注的兴趣和价值的诉求都具有相对的一致性。又如《21世纪经济报道》的品牌理念是："立足国际通行的经济法则，透视中国经济、观察行业动态、引导企业发展。以专业、独立的新闻精神，以锐利、独到的新闻品质，服务中国最优秀人群。21世纪经济报道，新闻创造价值。"而《21世纪商业评论》的品牌理念是："关注本土实践，传播国际理念，提供关于全球商业的洞见、创见和远见；推动中国商业精神的成长和成熟。21世纪商业评论，商业思想家。"两者同样具有相对统一性。这种报系内部各个媒体品牌理念的相对统一，同时与报系外部其他媒体品牌理念的明显区别，使得报系在其自身及其所辖报刊的品牌推广中如鱼得水。由于有了报系作为品牌推广的载体和平台，无论是对于品牌识别，还是对于品牌价值的传播，都可以起到强大的促进作用。

（三）报系内部亚文化相互协调

报业集团的企业文化对集团品牌的发展起着不容忽视的决定作用。由于集团下属各个子报的市场定位不同、办报方向不同、运营体制不同，在集团强势的主文化架构下必然存在既密切相关又各有特色的亚文化。报系内部各个媒体之间的亚文化，同样具有相对一致性，而同报系之外的媒体相比则存在明显的差别。成立报系后，各个报系内部将会进一步培育出相对一致或接近的亚文化群体，从而促进报业集团主文化和各子报亚文化之间的共同协调发展，进而对集团多品牌发展起到举足轻重的促进作用。例如，南方人物周刊由于是在南方周末报系内部孵化产生的，它的采编与经营团队主要来自南方周末，因此两者之间的企业文化极其相似。南方周末报系内部已经初步形成了以宽松和谐、相互尊重为主要特色的独特企业文化。在南方周末报系内部，无论是南方周末还是名牌杂志，从主编到记者编辑一律以“老师”相称，这已经成为报系内部人际关系的特色。新京报由于主要管理骨干和业务骨干都来自南方都市报，对新闻的狂热追求、冲破束缚的强烈冲动以及快速紧张的工作节奏感构成了这两个报纸内部企业文化的主要共同特征。而同属21世纪报系的《21世纪经济报道》与《21世纪商业评论》的企业文化则带有明显的客观、理性、规范的色彩。这种报系内部企业亚文化的协调性，使得南方报业旗下的各个报系在集团强势的主文化下面，派生出与报系媒体产品相协调的亚文化群体，成为报系运营成功的主要内在逻辑之一。这种亚文化的协调性，不仅给在集团旗下成立报系提供了一个充分的理由，而且有助于使报系内部的管理更加顺畅。

有了报系作为品牌推广的载体和平台，无论是对于品牌识别，还是对于品牌价值的传播，都可以起到强大的促进作用。

（四）报系内部媒体之间的竞争策略协同

如前所述，报系内部所属的各个报刊之间细分市场的相似性，客观上给报系媒体在市场竞争中充分发挥协同作用带来了极大便利。当其中一种报刊在市场上采取进攻或防守的竞争策略的时候，处在同一市场上的报系内部其他媒体的配合行动要比集团旗下其他媒体来得更加直接和更加方便，同时也能起到更好的效果。例如当《21世纪商业评论》刚刚创刊，进行快速市场渗透的时候，《21世纪经济报道》利用原有的资源优势，给予这份新杂志强大的支持，使它能够很快在市场上成熟起来。《南方人物周刊》创刊仅仅一年，就在市场上取得了骄人的业绩，与“南方周末出品”所带来的协同效应也是分不开的。三大报系的媒体在举办会展、策划重大报道等活动的时候，在同报系其他媒体上发动相关的宣传攻势，也是实现协同作用的一种常用方式。另外，报系也可以利用所属的媒体资源，统一行动，步调一致，统筹进行重大采访报道和大型营销策划活动。从目前情况看，发挥报系内部的战略协同有一个逐步探索逐渐总结经验的过程，报系内部乃至集团内部各媒体之间的战略协同效应还远远没有发挥到应有的水平，还有很大的潜力可挖。

（五）报系内部资源整合便利

我曾经不止一次地指出报业集团内部整合资源的重要性。可以说，整合就是增值，整合就出生产力，整合就产生竞争优势。通过有效整合集团内部资源，可以迅速形成并提高集团旗下各媒体的社会影响力、集团强劲的经济实力、集团所营造的凝聚力，以及集团对下属部门强有力的控制力。在报系运营的集团内部业务管理模式下，由于将资源需求与资源占有相对一致、资源共享程度大的子报子刊纳入同一报系管理，可以通过在报系内部整合人力资源、采编资源、营销渠道资源和资产资金等有形及无形的资源，有效地提高资源整合的效率，迅速形成报系各媒体在市场上的持久竞争优势。其中最有效的是报系内部人力资源的整合。一份报刊的核心能力，主要体现在报刊所拥有的人的能力，尤其是报刊所拥有的领军人物与核心员工的能力。由于报系内部较充足的人力资源储备，我们在创办新媒体的时候，几乎可以不用从外部挖人，不仅可以从报系内部找到堪当大任的领军人物，而且从报系内部选派采编、经营、管理等人员，就能迅速全面组建起一支高质量的工作团队。南方周末所属的名牌杂志创刊时向熹领军的工作团队、南方人物周刊创办时以徐列等业务骨干为核心的工作团队以及新京报创刊时从南方都市报系抽调的以杨斌等为骨干的300人的工作团队，证明了报系在进行人力资源整合时的高效率和低成本。除此之外，报系在整合采编和营销等资源方面所表现出来的能力和效率也是令人满意的。这在三大报系运营实践中都得到了充分的证明。

南方报业报系运营的前景展望

这种被我们成功探索出来的报系结构的运营与管理模式，被同行誉为是报业运营的一大创举，是多品牌战略的一大发展，使南方日报报业集团的未来发展明确了方向，标志着南方日报报业集团的多品牌战略进入了一个全面提升、全方位提速的报系运营阶段。

报系运营不管是对于南方报业还是发展中的中国报业集团来说都是一个新生事物，两年多来的实践证明，报系运营的路子走对了。通过报系运营，我们探索出了一条实施多品牌发展战略的有效途径，走上了一条报业传媒集团业务管理的成功之路。由于报系成立时间不长，其管理与运营都在逐步探索、逐步磨合的过程中，因此报系运营给集团发展所带来的促进作用还远没有充分发挥出来，报系运营的管理模式和实施路径还需要进一步深入的探索。有一点可以肯定：只要我们坚定不移地走多品牌发展的道路，持之以恒地大胆探索新形势下报业集团的管理创新和体制创新，南方报业报系运营的道路将会越走越宽广，报系运营将会为南方报业的多品牌发展发挥越来越强大的促进作用。

我曾经不止一次地指出报业集团内部整合资源的重要性。可以说，整合就是增值，整合就出生产力，整合就产生竞争优势。通过有效整合集团内部资源，可以迅速形成并提高集团旗下各媒体的社会影响力、集团强劲的经济实力、集团所营造的凝聚力，以及集团对下属部门强有力的控制力。

三　分而不断，联而不乱

——创建采编与经营两分开机制初探

当前各报业集团正根据宣传业务与经营业务两分开的原则，积极探索既有利于加强和改善党对新闻工作的领导，又能适应社会主义市场经济要求的领导体制和运行机制。报业是一种特殊的产业，“两分开”是新形势下报业为适应新闻宣传规律和市场规律所进行的一种新探索，无前人经验可供借鉴。新闻产品与一般的企业产品有很大不同，新闻最终产品——报纸，是采编人员与经营人员（包括印刷、发行、广告人员）共同制作而成的。在体制和机制的创新中实行“两分开”时，决不能将生产产品完整过程的产业链条割断。如何做到采编与经营既分开又分而不断，既实现采编与经营的联动又联而不乱，值得我们认真研究探讨。

（一）实行宣传业务与经营业务两分开，是遵循新闻宣传规律与市场规律的必然选择，既有利于办好报纸又有利于做强做大报业

报业要发展，必须适应市场经济的要求；报业要巩固意识形态的阵地，又必须建立适应新闻宣传规律要求的规则。早期创办的报业集团尽管也力图在这方面进行探索，然而领导体制没有进行创新，始终不能有突破性进展，甚至由于职权和职责不明晰以及未成立公司董事会，致使部分报业集团一直不能进行注册登记。就南方日报报业集团而言，多年来我们仍然以南方日报社的名义登记。南方日报报业集团是我国第一家由省级党委机关报组建的报业集团。1998年，经国家新闻出版署考察批准，南方日报报业集团在南方日报社基础上组建，并于当年5月18日正式挂牌运作。南方日报报业集团的领导机构为社委会，是从南方日报社的领导班子延伸下来的，既是报社的领导班子，又是集团的领导机构。它是“四合一”的班子——党务班子、行政班子、采编班子和经营班子。虽然成立了报业集团，但领导体制仍原封不动地实行“四合一”的体制。几年来，集团事业得到较大发展，目前已成为以报业为主体，横跨出版、信息、印刷、广告、物流配送和实业拓展等产业的媒体集团，成为广东传媒行业一支举足轻重的力量。然而，由于新闻传媒具有强烈的意识形态属性，长期以来，我们对新闻传播的认识，忽视了其产业属性的一面；在组织形态和资本形态上，报社实行宣传和经营两种功能合一。因此，上述这种具有明显计划经济特征或痕迹的“四合一”领导体制以及相关的运行机制，与报业集团的架构不适应，尤其是在我国市场经济日趋成熟的条件下，不仅使报业的采编业务受影响，经营业务的发展更是步履维艰。这种领导体制，与改革发展、做大做强报业的要求很不适应。

新闻产品与一般的企业产品有很大不同，新闻最终产品——报纸，是采编人员与经营人员（包括印刷、发行、广告人员）共同制作而成的。

为了遵循新闻宣传规律和适应市场规律的要求，从2003年9月起，南方日报报业集团根据省委办公厅关于《广东省文化体制改革试点工作方案》精神，按照“建立党委领导与法人治理结构相结合的领导体制，建立宣传业务与经营业务相对独立的组织结构”的要求，积极进行创新领导体制和运作机制的探索。在此基础上，形成了《南方日报报业集团体制改革方案》，并已于2004年6月，报经省文化体制改革和文化大省建设领导小组批准实施，逐步理顺领导体制和运行机制，报业集团化运作迈入规范化的轨道。

（二）建立新的领导体制和运作机制，为宣传业务和经营业务两分开创造新的运作平台

为实现“两分开”，必须在领导机构、业务职责、运作方式等方面进行创新，明晰活动范围，各尽其职。

领导体制上分开，使其责任明确且到位而不越位。

为了实现从报办集团到集团办报的转变，省委决定创新南方日报报业集团的治理结构，创立集团党委领导与法人治理结构相结合的领导体制。南方日报报业集团更名为南方报业传媒集团，这一更名不是换汤不换药，而是有着特殊的意义。从南方日报社到南方日报报业集团，表明南方报业不只是办报，还要将报业当作产业来经营；现在又将南方日报报业集团更改为南方报业传媒集团，展示南方报业已实现从报办集团到集团办报的根本性的转变，也表明南方报业要从报业往其他传媒业跨越（目前已有网络媒体南方网），正向广度和深度发展。在领导体制改革中，保留集团的龙头报纸——广东省委机关报原有的南方日报社社委会（实际上就是机关报的党委会），并重新组建南方报业传媒集团管委会、党委会和编辑委员会；新组建南方报业传媒集团公司，列为省管企业，设立董事会及经理班子。集团党委会和管委会作为集团的最高领导机构，总体把握集团报刊的舆论导向和集团资产的保值增值。集团的重大决策，必须经集团管委会和党委会讨论批准后方能付诸实施。南方日报社社委会和集团新组建的编辑委员会负责新闻采编业务，具体承担把握集团报刊舆论导向的任务。南方报业传媒集团公司根据《公司法》的要求，建立规范的法人治理结构。南方报业传媒集团公司作为母公司，通过建立规范的母子公司体制，形成以产权为纽带的企业集团。集团的日常经营业务和经营管理方面的决策，由南方报业传媒集团公司董事会决定；属于重大的经营决策和投资决策，在董事会通过之后，还必须经集团管委会和党委会讨论批准。从一套班子变成几套班子之后，为了避免扯皮内耗，集团党委会和管委会的一部分成员可以通过法定程序进入南方日报社社委会、集团编辑委员会和公司董事会，但从事采编业务领导工作的党委会和管委会成员不能进入董事会，同样，从事经营业务领导工作的党委会和管委会成员也不能进入编辑委员会。这种机构设置，比较清晰和充分地体现“两分开”的特点，实现集团党委领导与法人治理结构相结合的新的领导体制，从而为“两分开”创造了新的运作平台，做到到位而不越位。

经营机构和采编业务机构分开，把报业中的经营性业务剥离出来实行市场化运作。

根据采编与经营两分开的原则，将广告、印刷、发行等经营性部门或业务机构组建公司转制为企业，实行市场化运作，更有利于国有资产的保值和增值。

为此，我们逐步将南方日报、南方周末报系、南方都市报报系、21世纪报系、南方农村报、城市画报等经营性资产，按《公司法》转制为由集团母公司（南方报业传媒集团公司）独资或控股的企业法人。比如，作为集团的子公司，南方日报经营公司全面代理南方日报的经营业务，南方周末报系经营公司全面代理南方周末报系的经营业务，南方都市报报系经营公司全面代理南方都市报报系的经营业务，21世纪报系经营公司全面代理21世纪报系的经营业务，南方农村报经营公司全面代理南方农村报的经营业务，城市画报经营公司全面代理城市画报的经营业务。如果政策允许，待时机成熟后，我们还要将意识形态属性不强的报刊社直接转制为企业，建立现代企业制度，实行自主经营。集团公司对这些子公司下达经营指标和分配政策，进行产权管理。

南方日报报业集团更名为南方报业传媒集团，这一更名不是换汤不换药，而是有着特殊的意义。

运作机制上分开，使从事采编业务和经营业务的领导层及从业人员都集中精力进入角色。

从报业集团内部的工作运作来看，过去只有“四合一”的一套班子，什么事都拿到社委会上来决策，既不能达到适时、高效决策，又分散了领导层的精力。新体制使领导层各司其职，能集中精力做好自身工作范围的决策和组织实施工作。从对外运作来看，过去我们对外谈判、签合同等，都以社委会（实为党的机构）的名义，不合规矩，难与市场经济接轨，也不符国际惯例，对外交往中诸多不便。实行“两分开”之后，对外开展经营活动或者经济合作，就可以打出集团公司的名义，签订合同以公司的名义签，避免了以往那种以社委会的名义签约的尴尬情形。实施“两分开”领导体制后，采编系列与经营管理系列的目标责任管理和运作机制更加明确、清晰和顺畅。对从业人员的行为规范，从制度上明确规定，从事新闻采编的人员，不得拉广告或搞广告经营；搞经营的不得采编新闻稿件，或借新闻采访名义搞广告经营，从而使新闻采编业务和经营业务的从业人员，都能集中精力搞好各自领域的业务，使新闻宣传业务较前得到巩固和加强，也使报业的经营业务更加适合市场经济运作的要求。

（三）新闻采编业务与经营业务是一条有机的完整的链条，必须实现有效的联动，做到分而不断，联而不乱

报业传媒集团与其他国有企业比较，最大的不同特点在于：其所生产的是精神产品。从这一产品的生产过程来看，采编、印刷、发行、广告等环节，就是生产同一产品的不同作业车间，连起来就是一条完整的生产流水线。因此，如果每个环节或“车间”没有明确分工和定位，就不能进入角色；哪个环节缺少或出问题，都会直接影响这一产品的生产。所以，在实行“两分开”之后，我们还十分重视两者之间的内在有机联系，做好联动的保障工作，使其产生分而不断、联而不乱，形成合力的最佳效应。

“一把手”几肩挑，建立形成合力的核心领导机制。

“两分开”之后，能否产生应有的效益，其中的一个重要条件，就是要看集团高层对两者的黏合作用发挥得如何。为了确保这联动不发生问题，我们将传媒集团的董事会与其他国有企业董事会作比较，根据集团的特点对其行使职权的范围作了明确的定位。其他国有企业董事会是最高决策机构，而传媒集团的董事会上面还有传媒集团管委会和党委会，另外作为企业经营者还有一个如何为采编服务的问题，因而所受到的制约会比其他国有企业的董事会相对大一些。制约与独立操作的矛盾始终存在，因此必须通过一定的机制将大家黏合在一块。针对这一情况，集团第一把手实行党委书记、管委会主任、社长和董事长一肩挑；编辑委员会总编辑和传媒集团公司总经理都担任党委副书记和管委会副主任，让他们既针对不同业务，行使不同的职权，同时又共同做到既过问采编又过问经营的重大决策，协调好方方面面的关系，确保坚持正确的舆论导向和国有资产的保值增值。

营造沟通渠道，建立形成合力的联动机制。

搞采编的离不开经营者从市场（如读者市场）反馈信息，搞经营的离不开报纸这个载体的质量。只有两者信息互通，优势互补，保持联动，才能保证和提高报纸这个精神产品的数量和质量，也才能有效地将产品推向市场。因此，我们要求采编、印刷、广告、发行专业部门，都要树立联动意识，坚持联动制度。比如，集团层面坚持每周“一会”制度，几套领导班子成员和各行政、采编、经营部门主要负责人与会，通报来自各方面的信息，分析研究报业的情况，协调解决急需解决的问题。各报刊也分别召开采前会或编前会，以及不定期召开业务情况通气会，负责采编业务和经营业务的分管领导和相关人员参加，及时通报采编和经营的情况或问题，共商对策。南方日报社还成立由采编和经营人员共同组成的运营委员会，从组织形式上确保联动的顺畅。这样做，使采编与经营之间，形成一种默契的联动或互动效应，增强主动性，减少盲目性，让采编和经营之间在最大程度上形成合力。

平衡各方利益关系，建立形成合力的激励机制。

为了使采编、经营两不误，还要认真解决好“两分开”后采编与经营从业人员的利益关系和激励机制问题，建立一套协调、平衡，形成合力的机制。一是具体制订不同类型从业人员的考核体系，建立体现公平、协调、平衡和激励的分配机制，最大限度地体现采编、经营和行政人员之间分配的合理性和激励性。二是淡化、模糊员工的身份，消除人为的或制度本身的缺陷而造成重采编轻经营，或者重经营轻采编的“跛足”的、失衡的择业倾向。有的地方成立新的领导机构和公司董事会之后，对谁属于事业干部、谁属于企业干部的问题，争论不休。我们认为各地有各地的实际情况，应从实际出发。由于南方报业早就实行事业单位企业管理，在生产经营和分配上已经实行企业化的做法，全体员工也都参加了社保，因此，我们从本集团的实际出发，淡化和模糊了“身份”界限，不应硬将从业人员分成事业和企业两种身份，保持集团改制后员工从业的稳定性和保证人力资源的最佳配置。正如前面所说到的，新闻产品是由各个生产环节的采编人员，经营人员共同生产出来的，把好导向大家都有共同的责任，党管干部、党管导向应贯彻在各个环节中，从这个角度来看，大家都应按事业单位的要求来约束自己；如果从报业经营、从我们的分配制度等激励措施，以及像企业一样已参加社保的角度来思考，我们又是企业的经营者。所以，从南方报业的实际出发，我们不人为地去划分谁是事业谁是企业干部。而且，有相当一部分有经济头脑的采编人员会源源不断地调到经营部门工作，如果划死身份，不利于内部人才的流动，不利于经营队伍的成长壮大。

附录1：南方日报报业集团体制改革方案

（说明：此方案经批准后，在实际操作中稍有变动。比如“党组”改为“党委”；未成立“经营委员会”，但组建了“经理班子”）

根据省委办公厅关于《广东省文化体制改革试点工作方案》（粤办发〔2003〕15号）文件精神和对报业集团改革试点工作的要求，我们结合本集团的实际，特制定此改革方案。

一、改革的指导思想、基本要求和总体目标

改革的指导思想：以发展为主题，以体制机制创新为重点，积极探索、大胆实践，逐步建立起有利于加强和改善党对新闻工作的领导，适应社会主义市场经济发展要求的报业集团领导体制和运行机制。

改革要把握的三个要点：一是坚持党管意识形态，包括牢牢掌握本集团重大事项的决策权、资产处置的控制权、宣传内容的终审权、主要领导干部的任免权。二是坚持把社会效益放在首位，努力实现社会效益与经济效益的有机统一。三是塑造合格微观市场竞争主体，包括深化报业集团内部改革，搞活机制。

改革的总体目标：要进一步增强党对新闻宣传的宏观控制力，保证导向正确。初步建立适应社会主义市场经济体制要求，富有经营活力的微观运行机制，实现管理体制和运行机制创新，逐步发展成为以优势品牌为龙头，以产权为纽带，主业突出、创新能力和核心竞争力强的跨媒体、跨行业、跨地区的大型的媒体集团，巩固和发展党的舆论阵地。

通过这次改革，要使南方日报报业集团实现“四高”：

一是高素质的队伍。采编、经营、管理、技术、政工等领域都拥有一批素质高、年龄层次和技术层次构成合理的人才，努力培养一支政治强、业务精、纪律严、作风正的新闻队伍。

二是高质量的报纸。建立以《南方日报》为主体，系列报刊、出版社为重要组成部分的多种类、多功能、多层次的宣传舆论阵地。《南方日报》及其系列报刊力求在质量、发行、影响力等方面继续居全国可比类别报刊前茅。其中，作为报业集团的核心——《南方日报》不仅发行量要继续保持在全国的领先地位，而且要以“高度决定影响力”的办报理念——办高端报纸，抓高端读者，占高端市场，提升报纸质量，将其打造成为华南地区最权威的主流政经媒体。

三是高标准的设备。采编、资料检索、办公、出版、印刷、人财物管理都要实现电脑化、网络化、现代化。南方日报印务中心要成为全国报业系统印量最大、技术和印刷质量一流的印刷基地。

四是高效益的管理。集团达到一流的效益，成为运行有序、经营多元、实力强劲、全国一流的现代化报业集团。

二、改革的重点

（一）南方日报报业集团治理结构创新

1. 理顺管委会、社委会、董事会、监事会、经理层的关系

从报办集团转变为集团办报，相应成立南方报业传媒集

团管委会（党组）。集团管委会（党组）作为集团的最高领导机构，总体把握集团报刊的舆论导向和集团资产的保值增值。集团的所有重大决策，必须经集团管委会（党组）讨论批准后方能付诸实施。

南方日报社社委会负责把握集团报刊的舆论导向。集团管委会主任（党组书记）兼任南方日报社社长。

登记注册“南方报业传媒集团公司”（企业法人，有限责任公司）。依照《公司法》设立南方报业传媒集团公司董事会和监事会，建立规范的法人治理结构。南方报业集团公司作为母公司，通过建立规范的母子公司体制，将形成以产权为纽带的企业集团。

集团的日常经营业务和经营管理方面的决策，由南方报业传媒集团公司董事会决定；属于重大的经营决策和投资决策，在董事会通过之后，还必须经集团管委会（党组）讨论批准。

董事会是公司经营发展的决策机构，而监事会则是行使监督职能。监事会的职能是负责对财务检查、董事会经理层经营活动及业务执行情况进行监督，以保证集团的各项决策和计划能得到正确的贯彻执行，防止董事会和经理层滥用职权以损害集团及其他人的利益。监事或监事会不参与集团的经营决策或经营管理活动，只起到董事会、经理人员的“检查员”的作用。董事、经理及财务负责人不得兼任监事。

编辑委员会具体负责集团的新闻采编业务。经营委员会是集团经营管理的执行机构，负责董事会公司发展战略、年度经营计划的实施，并接受董事会的监督和控制。

集团管委会（党组）成员可以通过法定程序进入南方日报社社委会、董事会、监事会、编辑委员会或经营委员会，以充分体现集团管委会（党组）领导与法人治理结构相结合的领导体制。

董事会中可设独立于公司股东且不在公司内部任职的独立董事。由集团管委会主任（党组书记）兼任董事长，以加强集团管委会（党组）对报业经营管理工作的领导。董事会可以设立战略、审计、提名、薪酬与考核等专门委员会，以便使更多的董事只参与自己擅长领域的事务决策。专门委员会成员全部由董事组成。各专门委员会对董事会负责，各专门委员会的提案提交董事会审查决定。

战略委员会的主要职责是对公司长期发展战略和重大投资决策进行研究并提出建议。

审计委员会的主要职责是：监督公司的内部审计制度及其实施；审核公司的财务信息；审查公司的内部控制制度。

提名委员会的主要职责是：研究董事、高层经理人员的选择标准和程序并提出建议；广泛搜寻合格的董事和高层经理人员的人选；对董事候选人和高层经理人选进行审查并提出建议。

薪酬与考核委员会的主要职责是：研究董事与高层经理人员考核的标准，进行考核并提出建议；研究和审查董事、高层经理人员的薪酬政策与方案。

南方报业传媒集团挂牌。

南方报业传媒集团现有的组织架构图

（说明：有待以后不断完善，比如成立公司监事会等）

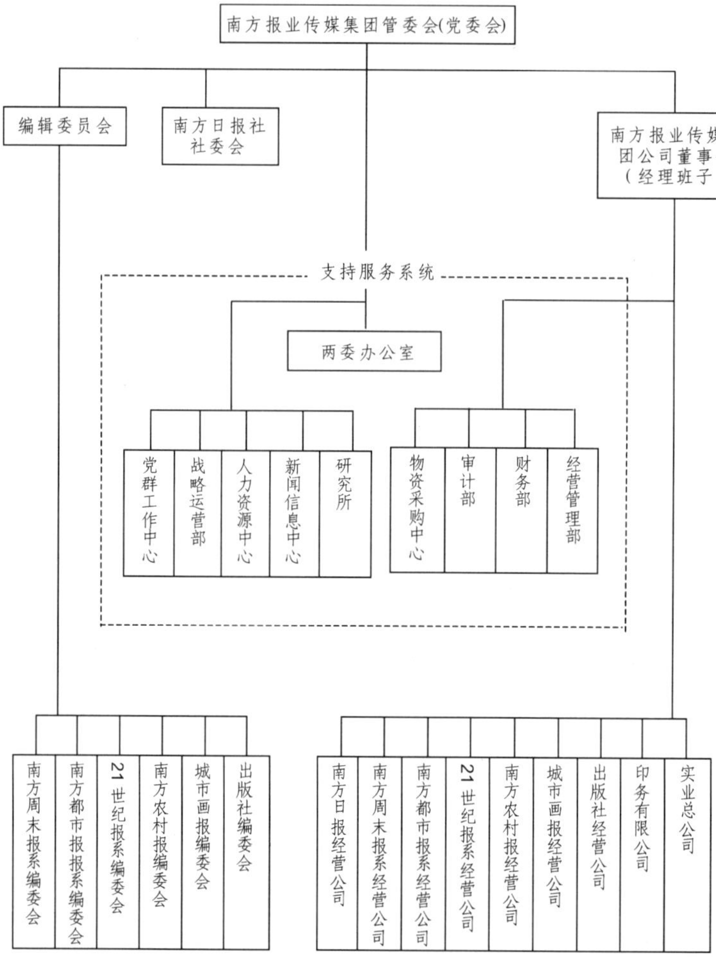

总编辑出任编辑委员会主任，分管新闻的管委会成员、集团相关职能部门和主要新闻单位负责人任委员，负责全集团的新闻宣传业务。突出重点办好《南方日报》，努力办好《南方周末》、《南方都市报》、《21世纪经济报道》、《南方农村报》、《南方体育》、《新京报》、《城市画报》、《名牌》、《南方人物周刊》、《21世纪商业评论》等系列报刊，以及南方日报出版社。

总经理出任经营委员会主任，分管经营的管委会成员、集团相关职能部门和主要经营业务单位负责人任委员，负责围绕广告、发行、印刷、信息、实业等支柱产业开展经营业务活动。在确保国家控股的前提下，可吸收社会资金，推进报业经营社会化、市场化。在此基础上，可进一步组建股份制公司，并争取上市。

支持服务系统设有：

集团管委会（党组）办公室：负责文秘、协调、参谋、机要、档案、保密、法律、外事、接待、会务、通信、交通、医疗及日常行政事务；负责集团新闻采编业务的综合、协调和管理；负责集团经营管理业务的综合、协调和管理；承办集团管委会（党组）、南方日报社社委会、集团公司董事会和编辑委员会、经营委员会交办事项。

战略运营部：负责制订人才发展战略、经营发展战略等战略规划；调研集团各部门的运营状况，会同有关部门评估集团及下属各单位的资金运用、经营业绩等，为集团管委会（党组）、南方日报社社委会、集团公司董事会决策提供事前的论证和依据；参与集团多品牌战略管理；对集团及下属单位提供战略、经营管理的咨询。

财务部：全面分析掌握集团各部门的运营状况，参与评估集团及下属各单位的资金运用、经营业绩等，为董事会决策提供事前的论证和依据；参与审核集团及下属部门的投融资决策及重大经营决策；实施集团资本运营和产权管理；负责集团国有资产管理；负责集团日常财务核算，编制财务报表；提供财务数据；管理、调配集团资金；制订、审核经营单位业绩考核办法及其他有关内部控制制度；统计、分析集团经营管理数据。

人力资源中心：负责集团队伍建设、人力资源开发以及组织、人事、劳动等人力资源管理工作。掌握集团及下属企业人力资源状况，根据集团发展战略和投资经营计划的要求制定集团人力资源发展策略和人力资源规划；提出并主导实施集团员工招聘计划；组织协调集团员工培训工作；制定和调整集团员工考核与激励政策，制订和调整集团员工的各项薪酬福利政策；负责集团职能部门所有人员以及各类下属单位中层以上管理人员、采编等关键岗位人员的招聘、考核、任命、调整；指导集团下属单位的人力资源管理工作。

审计部：设立审计部，贯彻执行国家审计法规，制定集团的审计工作规章制度；负责对集团下属部门和子报刊进行审计监督，包括财务收支情况审计、经济效益审计、主要负责人任期及离任的经济责任审计、资产审计、财务内控制度审计以及其他专项审计。

新闻信息中心：负责制定集团信息化建设和发展的战略规划并组织具体实施；为集团整体协调发展提供科学决策依据；从技术上和管理流程上切实保障集团各项事业在信息化、网络化的平台上高速、安全、有序地运行、发展；创建报业集团在互联网领域上的强势媒体；利用卫星通讯技术推动报业集团跨地域发展。

物资采购中心：负责全集团物资采购计划的制订、实施、审核、监督，以及参与招投标工作。通过建立适应报业集团实际的、科学的、高效的现代供应链体系，运用各种现代采购方式方法，提高采购供应工作效率，降低采购成本，保证集团物资供应，增强集团的竞争力。

新闻研究所（含博士后科研工作站）：借助集团的优势平台，利用集团人才密集的知识积累，积极开展对内对外业务的探讨和交流，关注前沿实践经验的总结梳理和提升，通过主办的《南方新闻研究》双月刊和不定期出版的《办报参考》等，为集团领导决策提供信息和发挥参谋作用。日常还承担各项新闻类评奖的组织工作。博士后科研工作站职能：按照国家博士科研管理的有关规定，根据集团发展的实际需要，引进、培养、管理、使用博士后科研工作人员，开展科研活动，提高集团科研能力和创新能力，强化集团核心竞争力。负责制定集团博士后科研工作的规章制度；联合高校博士后科研流动站，共同确定博士后科研课题，遴选、招收博士后科研人员；会同集团有关部门，办理博士后科研人员的进、出站手续，并负责博士后科研人员在站期间的日常管理与考核；

负责博士后科研项目的立项、控制与评估。

党群工作中心：负责集团党务、纪检、监察、共青团、教育和思想政治工作；负责离退休干部的学习、休养和生活管理工作；负责职工福利、妇女、职代会、计生、退休工人管理工作。

2. 由广东省政府将南方报业传媒集团的国有资产授权集团管委会经营

省政府将南方报业传媒集团国有资产授权集团管委会经营后，南方报业传媒集团公司对所属子公司的全资、控股、参股的有关国有资产和国有股权行使出资人权利，对子公司中国有投资形成的国有资产和国有股权依法进行经营、管理和监督，并相应承担保值增值责任。在省政府宏观调控和监督管理下，集团公司依法自主进行各项经营活动。

3. 各媒体分别组建经营公司

剥离南方日报、南方周末报系、南方都市报报系、21世纪经济报道报系、南方农村报、南方体育、城市画报、出版社等集团报刊的经营性资产，按《公司法》转制为由集团母公司（南方报业传媒集团公司）独资或控股的企业法人。即：作为集团的子公司，南方日报经营公司全面代理南方日报的经营业务；南方周末报系经营公司全面代理南方周末报系的经营业务；南方都市报报系经营公司全面代理南方都市报报系的经营业务；21世纪报系经营公司全面代理21世纪经济报道报系的经营业务；南方体育报经营公司全面代理南方体育的经营业务；南方农村报经营公司全面代理南方农村报的经营业务；城市画报经营公司全面代理城市画报的经营业务；出版社经营公司全面代理出版社的经营业务。

将南方体育、城市画报、名牌、南方人物周刊、21世纪商业评论这些意识形态属性不强的报刊社直接转制为企业，建立现代企业制度，实行自主经营。

集团新办的同类型报刊也按上述方式处理。这些经营公司依托媒体独立自主开展经营。集团公司对这些子公司下达经营指标和分配政策，进行产权管理。

原印务中心改制为印务有限公司；原实业总公司改制为集团子公司；继续探索集团信息产业市场化的道路，拓展新闻信息增值业务。

集团改制后母公司和子公司的人事制度、财务制度、分配制度等将依据《公司法》按市场化方式运作。集团母公司将通过向子公司委派董事、专业负责人等形式进入到子公司董事会、经理层，参与子公司的经营决策和日常的经营管理过程。

4. 建立新型融资体制

通过引入战略投资者，适当吸收社会资金，实现投资主体多元化，进而优化产业结构，推进报业经营社会化、市场化。在此基础上，可挑选一些优质的经营性资产，组建股份制公司，并进而谋求上市。同时，通过以产权、资本为纽带，将为报业集团实现跨地区、跨媒体、跨行业经营创造基础。

5. 进一步改革集团利益分配和利益驱动机制

这一改革的具体思路是：将各级员工的薪酬收入与工作性质、岗位职责、本人业绩和组织绩效直接挂钩，适当拉大收入差距，进一步建立起重绩效、重贡献、适应不同层次特点、向优秀人才和关键岗位倾斜的分配机制。

推行职工持股计划（包括管理层持股计划）以及期权奖励计划，让职工进行产权参与，使职工与报业集团结成利益共同体，让经营者和每个员工的利益追求与集团对战略目标的追求相一致，人人关心集团的经营和发展，从而激发全体职工的积极性和创造性，保证人力资本在集团生产要素构成中的主导地位。

我们将继续总结21世纪经济报道、城市画报等集团下属报刊在这方面探索的经验，进一步建立健全管理层持股等计划的相关制度。

（二）南方日报报业集团管理制度创新

1. 进一步完善集团年度管理程序

首先把中长期发展战略与近期规划结合起来，根据形势变化搞好3—5年滚动发展规划的编制，并进行适时调整。将年度发展计划的制定与经营业绩考核指标结合起来，把实现国有资产保值增值的任务落到实处。

将战略规划的年目标转化为一个详细的经营计划以及相应的财务预算计划，作为集团（母公司）和各业务单位负责人之间的管理合同。这个合同同时也是各业务单位负责人的责任以及权力的依据。集团领导通过对各业务单位经营/预算计划的严格质询和考核，指导各业务单位的经营运作。

根据年度经营/预算计划对管理者进行业绩考核，确保集团战略的成功实施并为未来发展培养中坚力量。制定有效的薪酬及激励系统以吸引并保留高素质人才，发挥员工积极性。

同时，制定严格、明确的流程和组织结构上的职责分工，使资金的预算、分配、使用以及资金的筹集按标准化的程序高效地运作；降低集团整体融资费用和风险，保证全集团资金供应的及时性和有效性，使整个集团和各下属部门、子报刊利益最大化。

南方报业传媒集团年度管理程序表

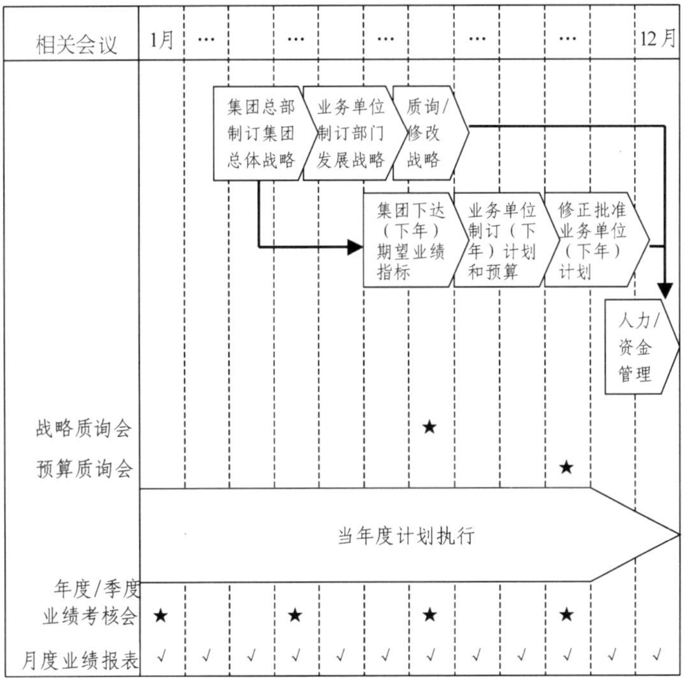

2. 进一步完善母子公司管理制度

南方报业传媒集团在产权明晰的治理结构框架下，内部制度化管理将主要从战略管理、资产管理、人事管理、财务管理、审计管理、信息管理等方面，对母子公司的责、权、利进行界定，从而保障母子公司在程序化、规范化、法制化的环境下处于良性运行，规避子公司的机会主义和道德风险。

3. 加强投资管理

今后，集团对重大投融资活动主要从投融资方向和投融资规模两个方面加强管理，同时建立重大投融资项目的后评估制度。

集团要加强投资风险控制，建立健全科学决策机制，完善投资决策程序，建立重大投资决策责任追究制度，把投资风险控制到最低程度。合理确定投资规模，科学安排投资节奏，调整投资资金构成，加强投资项目管理，努力缩短周期，降低成本，提高效益。

三、改革实施步骤

按照先易后难、循序渐进的原则推进。从总体来说，这一改革分三步到位。

第一步：制定具体实施方案（2004年6月至7月15日）。根据省文化体制改革领导小组批准的《南方日报报业集团体制改革方案》要求，制定与其相应的可操作的具体实施方案。

第二步（2004年7月16日至8月15日）。召开全集团员工动员大会，宣布集团体制改革方案和具体实施方案。与此同时，按体制改革方案要求，调整和组建新机构。通过实施集团第三轮竞争上岗，将机构的人事安排落实到位。

第三步（8月16日至9月30日）：按照新的治理结构和管理制度，将《南方日报报业集团体制改革方案》提出的改革目标、任务等改革项目或内容进行分解，按新的领导体制和运行机制正式付诸实施。

南方日报报业集团社委会

2004年6月23日

附录2：集团改制批复及领导班子任职通知

粤文改办[2004]16号

关于南方日报报业集团体制改革方案的批复

南方日报报业集团：

省文化体制改革试点工作领导小组第五次成员会议审议并原则通过了你集团报送的《南方日报报业集团体制改革方案》。希望你集团按照中央关于文化体制改革试点工作的精神和《广东省文化体制改革试点工作方案》的部署，精心组织，抓紧实施，按时完成体制改革任务。

在实施《南方日报报业集团体制改革方案》的过程中，要尽快根据《方案》制定相应的可操作的具体实施办法。成立南方报业传媒集团公司和各媒体分别组建经营公司、将《南方体育》等意识形态属性不强的报刊社转制为企业、实行国有文化资产授权经营、吸收社会资金、实行经营者持股等重大改革举措，要形成具体方案，专项报领导小组审批后按有关程序办理。在剥离经营性资产和业务组建经营公司过程中，要严格按照国办发[2003]105号文以及中央和省的有关政策规定，加强国有资产管理，做好资产清查、审计和资产评估等工作。

此复。

省文化体制改革和文化大省
建设领导小组办公室
2004年6月24日

南干字[2005]13号

关于转发中共广东省委组织部《关于设立南方报业传媒集团管理委员会及范以锦等同志任职的通知》等有关文件的通知

各部门:

日前,中共广东省委组织部宣布了关于南方报业传媒集团组织机构及范以锦等同志任职通知，现将有关文件转发给你们，请予以传达。

1. 粤组干[2005]361《关于设立南方报业传媒集团管理委员会及范以锦等同志任职的通知》

2. 粤组干[2005]362《关于成立南方报业传媒集团党委、纪委及范以锦等同志任职的通知》

3. 粤组干[2005]363《关于成立南方报业传媒集团编辑委员会及杨兴锋等同志任职的通知》

4. 粤组干[2005]364《关于江艺平等同志任职的通知》

5. 粤组干[2005]365《关于范以锦同志任职的通知》

6. 粤组干[2005]366《关于成立南方报业传媒集团公司党委及范以锦等同志任职的通知》

7. 粤组干[2005]367《关于钟广明等同志任职的通知》

8. 粤组干[2005]368《关于钟广明等同志任职的通知》

中共南方报业传媒集团委员会

2005年7月19日

第二章
资源整合提升媒体价值

一　媒体品牌战略与资源整合

近年来不少报业集团或者已经具备一定规模的其他报业，都在考虑如何对外扩张的问题，力求在激烈的市场竞争中占有一席之地。跨区域经营战略、跨媒体战略成为热门话题。我认为，对外扩张之前必须把自己内部的资源先整合好，要培育出品牌报纸，储备充足的核心竞争力，只有这样，对外发展扩张才有坚实的基础。

（一）报业内部资源的整合，要达到四个目标——影响力、经济实力、凝聚力、控制力

报业集团必须做到“报业结构优化，读者覆盖面合理，综合运营能力强”。要做到这一点，集团与子报的关系应是紧密型的，而不是松散型的。有的报业成立集团之后，“嫌贫爱富”，效益好的爱护有加，对效益不好的子报不理不睬，让它自生自灭，要人不给人，要钱不给钱。如果子报办起来之后，不管它死活，让它自找生路，就有可能走向两个极端：一是办不下去，走向死亡；二是可能发展起来了，但由于得不到集团的关爱而想另立门户。这都有违办集团的初衷。集团框架的加大，不是各子报、各部门“貌合神离”的撮合，做大需要，更重要的是做强，这不是量的简单的增加，重要的是质的提升。在资源的整合中做大做强要达到四个目标：集团各媒体的广泛的社会影响力，集团强劲的经济实力，集团依靠团队精神营造的凝聚力，集团对下属部门强有力的控制力。

首先是集团各媒体的社会影响力。报纸的影响力不是看一时的轰动效应，而是要靠精心经营主流新闻，营造持之以恒的影响力。二是经济实力。实力体现在集团的营业额、广告、利润、资产的增值、负债率，还要看是否保持良性循环，发展后劲如何。南方日报报业集团自1998年5月18日成立以来，经济总量迅速增加，每年的广告营业额都以1.5亿—2亿元的速度发展。南方日报、南方周末、南方都市报、21世纪经济报道、新京报的广告营业额均超亿元。虽然在全国的报业集团当中，我们不是最强最大，但我们的发展势头、发展后劲，我们的无形资产的价值，还是非常令人自豪的。三是凝聚力，员工奋发向上为集团的事业出力，同时在人才的流动方面始终保持顺差状态，要求走的少，想进来的多。我对此很自信，现在即使要办10份报纸，我们也可以在集团内找出10个总编辑来。

最后是控制力。这种控制力，包括运用必要的行政手段和通过有实质性的感情投资将大家维系在一块，构建利益共同体。在行政手段方面，集团拥有投资收益权和财务委派权，不能由子报自己投资自己收益，只有这样才能控制财权和充分利用财源进行资本运作。拥有重大事项（包括报纸定位、办报人员的选任）的决策权，也正是因为这样，我们才能从集团的发展战略出发，对每一张子报进行差异化的精确定位，使集团内办的报纸内部不互相打架，只对外竞争。权力该集中的要集中，该下放的要下放，要赋予各分支单位一定的权限，包括普通员工的用工权、日常的财务开支权，完成上交任务之后的分配权等。在“感情投资”方面，要明确各成员都是一家人，要给人安全感，并给予大力扶持，使各成员看到发展前景，各成员能自觉为集团谋利益，为集团的发展卖力。要做到这一点，理应积极扶持子报及其他下属单位的发展，进行实质性的感情投资。对亏损的报纸不要当作包袱，而是要看作是发展的潜力，把潜力挖掘出来了，扭亏为盈了，也就成了新的经济增长点。要舍得投资，人员的工资原则不能低于集团的平均水平，留住人才才能改变面貌。报纸的问题是人的问题，报纸老亏损，要么不办，要么就换人，有了人就要

现在即使要办10份报纸，我们也可以在集团内找出10个总编辑来。

舍得投资。把它挂在集团不生不死，这是真正的包袱。

现在有的地方一谈到控制权，就将发行、广告经营都统起来了，有的效果并不好。我认为，必须从实际出发。在报纸的广告仍处于开发阶段，而不是完全靠广告商或广告客户自觉投放广告的情况下，各报必须有自己的广告开发人员。采编、发行、广告要实现有效的联动，各子报也必须有自己的发行广告队伍。靠集团的统一广告队伍来统一经营集团的所有报纸，在市场开发阶段显然是行不通的。正如许多企业集团，不会将下属工厂的产品都交给集团统一销售一样。从南方日报报业集团的运作情况看，主报和系列报都具有相当的活力，并且占有了较大的市场份额，如何把现有的影响力真正转化为市场优势，在保持各自活力的前提下加强集团的控制力，理顺组织架构和生产运作流程，保证内部沟通协作的顺畅高效，正在实践中进一步探索和完善。比如在新闻资源方面南方日报与南方都市报基本实现了共享，发行资源进行了整合，有分有合。

（二）在资源整合中，精心培育品牌，以品牌产品作龙头组建报系，充分发挥好资源优势

通过资源整合，要培育好更多的品牌，尤其是强势的品牌；要开发、利用好这些品牌，挖掘它的品牌价值，扩大这个品牌的影响力，将品牌资源优势转化为市场优势和经济优势。

在南方日报报业集团这些年的发展中，我们提出了“多品牌战略”、“报系结构”、“‘龙生龙，凤生凤’的滚动发展模式”。首先是培育出品牌报纸，品牌报纸培育出来之后，以品牌报纸为龙头成立报系。现在我们南方报业已经形成了自己的三个子报系列：南方周末报系、南方都市报报系、21世纪报系。然后采取“‘龙生龙，凤生凤’的媒体多品牌滚动发展模式”，用优质品牌为龙头的报系来孵化新的子报。说到底，是利用优质报纸的核心竞争力来传宗接代。比如，南周报系利用南方周末的品牌效应，用其所拥有的人力资源、作者资源、广告资源、发行资源办起《名牌》杂志、《南方人物周刊》；21世纪报系，有了自己的品牌效应，有了自己的核心竞争力了，便办起了《21世纪商业评论》；南都报系已经具有了操作都市报的能力，办报的营销手段也已经相当成熟，也就是说已经形成了办都市报的核心竞争力，所以集团在与光明日报的合作中，派他们去北京操办《新京报》。集团管大事、管战略、管办报和经营方向，报系管具体操作，将集团的多品牌战略往广度和深度推进。

（三）整合之后必然发展、扩张，但只有储备了人才，核心竞争力才能在集团共享和流动

2003年，我们与光明日报报业集团联合创办《新京报》。这是全国第一家得到国家批准的跨地区、跨媒体经营的报业。《新京报》的创办，可以说是我们集团多品牌发展战略的一种延续。这种延续，并不是盲目的扩张，而是建立在对自身核心竞争力的充分判断基础上的。如今的报业经营，核心竞争力指的是什么？我的理解是，开发培育优质报纸品牌的能力和运用独特的营销手段把产品推向市场的能力，这种能力由一个成熟的团队承载。核心竞争力，是多元化经营的基础。核心竞争力形成和培育得怎么样，决定了你的多品牌战略的成功与否，决定了你的多品牌战略的广度和深度。回到若干年前，我们是不敢想到北京去办报的，因为我们没有这个核心竞争力，或者说我们的核心竞争力不能流动到北京来，不能在南方都市报和新京报之间共享。现在，新京报办起来后，也有人问我是不是还要搞第二个、第三个“新京报”，我的回答是，只有等新京报站稳了脚跟，形成了新的核心竞争力，有了核心竞争力的储备，我们才会办第二个、第三个像新京报这样规模的报纸。

我们现在采取的战略，什么跨媒体战略、跨区域战略、资本战略等等，贯穿到始终的，还是人才战略。人才战略是多品牌战略的关键，人才优势是最重要的优势。

媒体的核心竞争力由团队承载，其核心就是人的能力，是一个能力强的团队。我们现在采取的战略，什么跨媒体战略、跨区域战略、资本战略等等，贯穿到始终的，还是人才战略。人才战略是多品牌战略的关键，人才优势是最重要的优势。没有人，你的品牌不可能去培育和拓展。有了人才，一旦品牌形成，又会形成一个磁场，不断地把人吸引过来。所以，报刊品牌的形成与人才是一个互动的关系，有人才就会有品牌，有品牌也必然会有人才。

我们集团这几年一直坚持到全国各高等学府去发掘优秀

毕业生。不管人够不够用，每年都要进一批人。我认为人才存在一个老化的问题，你别看现在一些年轻骨干思想很活跃，业务很精通，但到了一定的年纪，他们也会老化的。所以我们必须一代一代接上。建立内部人才流动制度，也是对人才的整合、利用、挖掘和开发。我是十分赞成内部人才流动的，员工如果想换一个岗位，只要他想去的部门愿意要他，那么，他原来的部门原则上就要放他走。我的原则是这样，我不想强迫我们集团的员工去干他不愿意干的事情，应该鼓励他去干他愿意干的事情。当然，那些吊儿郎当、无理取闹的不属此列。我还有一个原则，就是“谁出主意，就让谁来干。当然，前提是德才兼备”。

此外，对于人才的对外流动，我也是采取宽容的态度。只要是想走的人，我一般都是先挽留，如果他坚持要走，我决不卡他，就让他高高兴兴地走。因为他出去转一圈以后，说不定又跑回来了。

二　发行整合营销增创媒体影响力

作为报业集团负责人，对报业如何经营，产品能否推销出去，自然十分关注。当今中国报业已跨进新的发展时期，由过去的报业经营转向经营报业，市场的风潮把报业推上了前所未有的高度、广度与深度。媒体之间的角逐愈演愈烈，报纸发行市场发育日趋成熟，伴随而来的报纸营销手段又多了一个名词——自主发行。多样化的营销方式，应对竞争的种种促销手段，使得传统的发行模式受到严峻的挑战和冲击，加强对发行工作的研究，积极整合发行资源，势在必行。

发行是报纸价值实现的重要环节

市场、产品（内容）、发行、广告，是报纸价值实现的基本环节。广告商为什么要往我们的报纸版面上投广告？是看中了报纸的影响力，希望借助报纸的影响力来提升产品或服务的知名度。报纸要有影响力，就要有准确高效的发行。从产品（内容）到广告市场，有一个重要的发行环节。传统报人总是认为“酒香不怕巷子深”，非常重视内容而比较容易忽视发行环节。

发行理念和营销手段，要注重结合报纸的属性和办报规律进行。我们都知道，报纸具有商品的属性，但又是一个特殊的商品；报纸发行已经成为一个市场，但却是一个特殊的市场。这“两个特殊”源于我们的报纸同时起着信息载体与宣传功能的双重作用，既讲新闻规律又强调宣传规律，既讲社会效益又追求经济效益。这两者相辅相成不可偏废，忽略其中的一种，报纸的发展都会陷入困境甚至被淘汰出局。基于报纸与报业市场的这种特殊性与复杂性，这就要求我们的报纸发行人员既要把握好办报的基本规矩，又必须学会了解市场，融入市场并掌握市场发展的规律，也只有这样才能做好发行工作。这是新世纪报业发展对于报纸发行人员的要求。发行人员的市场敏锐度、发行技巧与工作作风直接决定发行的效果，而发行效果决定报纸的市场份额与经济效益，决定报纸的发展前途与命运。

采编、广告要了解发行支持发行。广告在某种意义上来说，广告商和广告客户是报纸的最大消费者，因为他们天天在花钱买版面，许多报纸的广告收入超过了发行收入。但广告离不开发行，发行的质量与广告的投放量往往是成正比的。报纸的广告经营人员必须了解发行市场，经常与发行人员沟通，促进发行质量的提高，力求广告经营得到理想发行效果的支撑，使之相得益彰，齐头并进。随着中国改革开放的深入，报业的蓬勃发展，人们文化素质的提高，办报人的新闻观念也必须随之而变。报纸必须了解、尊重读者，新闻与读者的价值要体现“双赢”。只有与读者想到一块，真正做到“三贴近”（贴近实际、贴近生活、贴近群众），采写能打动读者甚至有震撼力的新闻，才能体现出新闻与读者真正的价值观念。这就要求报纸新闻要尊重读者阅读要求和阅读品位的变化，尊重读者阅读习惯和购买习惯的变化。报纸发行的行情能直接反映出这种变化。我们的采编人员如果不了解发行工作，是无法体验这种变化的。

流程整合提高效益增强影响力

集团层次的发行整合，是我们要着重考虑的问题。发行服务于广告，与广告采编的联动，要求每个媒体的发行都有自己的个性。不管各报系、各媒体的具体运作中发行如何操作，认真分析一下发行的流程，我们就可以找到集团整合的空间。

打包 → 装车 → 运输 → 卸货 → 夹报 → 送摊投递 → 读者

从工厂的生产线把报纸印出来，到报纸送到报摊或者是客户的手中，包括“打包”、“装车”、“运输”、“卸货”、“夹报”、“送摊和投递”共6个环节。需要与广告联动的，是广告客户最关心的终端表现，是到了发行站以后具体操作的两个环节——“夹报”、“送摊和投递”。而最后真正配合整个媒体或广告营销活动的，就是“送摊和投递”，这个方面确实需要每个媒体都有个性的东西。从“打包”到“装车”再到“运输”最后到“卸货”这四个环节，是我们通常意义上讲的物流配送，这四个环节的流程是完全可以实行集团层次的整合的。从目前的现状看，越靠近工厂生产线的环节，因为适应工厂（主要是先进生产设备）的要求，集团整合的程度就越高。而越往终端，整合的水平就越差。“打包”基本上是机械化了，分发“装车”的机械化程度还很低，浪费了大量的时间。这方面可以设计传送带，搞智能化的分发装车。从“运输”开始就基本上各自为政了，有我们自己的车队，有别人的车队，有上门拉货的“直销”车辆，这方面的整合，要有科学的运输线路设计，要有服务时效的车辆高度和运量安排。不能以运输车辆、个人和单位的利益出发，要以媒体营销的整体效益出发。既能够提高效率，又能够获得规模效应。这里要特别强调的是“卸货”的环节，没有标准化的东西，整合的难度很大。这里有两个问题：一是车辆停靠点的问题，要尽量做到车辆小、停靠点少，停靠点不能过多，这样卸货投送速度快。二是卸货的操作规范。

传统报人总是认为“酒香不怕巷子深”，非常重视内容而比较容易忽视发行环节。

发行的物流配送，关键在于发行信息系统的管理。从生产线到客户的整合，关键在于横向流程和终端数据变化间的适应和调整，全面的、动态变化的发行全程信息，是我们实现整合的基础。基于完善的发行信息系统，我们可以通过整个流程向我们的客户（零售读者和订阅读者），提供增值的服务，让更多的读者感受到集团品牌的价值。除了信息系统的整合本身，我们还可以利用整合的终端客户（读者）资源，开发新的业务，比如针对特殊人群的市场调查等等。

渠道为霸与发行前向一体化

从上面我们可以看到，到“卸货”这个环节后，我们要送摊，要把报纸投送到户，就有可能受到垄断“报摊”和“报箱”的“渠道霸主”的制约。因此，自办发行的重要环节、突破渠道霸权的关键手段，就是要加强报刊营销网络的建设。我们在广东省有从地级市到县、到镇三个层级的发行站管理网络，但这还不够，特别是不能适应珠三角报刊媒体竞争的需要。我认为，这个报刊营销网络还应包括报刊亭、特约销售店和展示点。

报刊亭。除了广州、深圳这两个中心城市外，要利用集团独特的资源，在珠江三角洲的各地建起“南方报业”报刊亭网络。这个网络要争取能遍布珠江三角洲各镇的人口密集区，在零售报纸的同时可以展示集团和各媒体的品牌。除了本集团的产品外，报刊亭还可以经营其他的报刊产品。只要在整个渠道中存在我们一定强度的力量，我们就不会受到原来（或本土）的渠道霸权的制约。

特约店。这是更新的，更准确的延伸。报亭在闹市区、商业区，特约经营店更多的是在住宅小区。现在很多超级商场，有很多连锁店（如“7-11”），除了做日用品、生活消费品，还卖很多报纸、杂志。高端人群很少上报摊买报纸了，这种替代是趋势。集团有几家报纸、杂志在特约销售上做得不错，关键要整合起来，要有更好的统一配送，有更大的规模效益。

展示点。如果只是销售，到报刊亭、到特约销售店（点）就可以了。但是做发行营销就不一样了，营销的精髓就是在消费者心目中建立品牌，所以我们要有一个品牌展步系统。高级酒店，机场“易登机”，一些高端的俱乐部、会所，都是我们品牌展示的重点。报刊的发行，是影响力的经营管理和提升创新，系统地展示品牌，提升品牌的认知，就是影响力的管理。

我们有多个极有影响力的媒体，我们要在整合中提升整个发行营销网络，这不但可以降低媒体的运营成本，还能令媒体品牌赢得差异化优势。另外，有了一个完善的网络，还可以向相关客户提供新的服务，创造新的价值。

注意新技术的整合发行和整合服务

发行竞争的新一步升级，肯定会对渠道的霸权提出挑战。我们要建设渠道，掌握发行的主动权，并不等于我们有了渠道就可以一劳永逸。市场是不断变化的，我们要从自办发行真正变为自主发行，就要及时整合营销渠道，特别是十分关注新渠道，准确切入新渠道的关键环节。

网络发行。互联网媒体和移动媒体可能是传统报刊媒体的替代品，随时威胁着我们，正因为这样，我们更应该研究网络的特点，为我所用。这里说的网络发行，不是网络版、电子版的发行，而是借助网络与网友接触的特点，开拓我们一些报刊的发行、销售，探索手机订报。现在因为网络配送能力不够快，可以先尝试周报、周刊，同时我们也可以利用互联网、用手机短信来处理客服信息，提升发行的服务质量。

发行新服务。有些市场动向我们要关注，以前我们的读者现在不断细分，不一定能够继续成为我们的稳定的订户。他们只要一部分信息而不要全部信息，比如只收藏《南方日报》的理论版，或者是《南方都市报》的“地球周刊”，非常个性化的要求。发行是与读者的沟通，是读者需求信息的收集，读者有这些个性化需求，我们一定要想办法推出新的服务项目来满足他们。零售报纸回收整理，就可以解决这个问题，旧报纸销售的收入肯定比废报纸处理要高。这是读者市场的争夺，也是发行服务的延伸。

广州日报当年迅速崛起，与自办发行有关；南方报业摆脱困境，也要重视自办发行。自办发行搞了这么些年了，发行上的竞争五花八门，每每到十一二月大家就都一门心思对付发行。竞争使大家都在进步，是该认真探索学习国外专业的报刊发行经验了,是该认真研究一下什么样的发行才能最大限度地提升媒体（和多个媒体）的影响力了。

三　引进战略投资者重在机制和资源的整合

关于资本运营的问题，集团专门召开了研讨会，大家都有共识：资本运营不是要不要进行的问题，而是怎么做得更好的问题。集团在引进战略投资者方面，实际上有三个试点：21世纪报系的合作是成功的，城市画报的合作成功了一半，南方体育的合作没有成功。

21世纪报系的成功体现在：1. 经营的成功。21世纪经济报道创办第二年赚了600多万元，第三年2300多万元，第四年2900万元。2. 引进的不仅是复星集团的资金，还引进了丰富的资源。最重要的资源是老板资源，把一大批老板，一大批企业家，优秀的企业家，吸引到21世纪的周围。有了老板资源就有了广告资源。利用的资源还有发行资源。我们利用复星的发行渠道，对21世纪报系打开上海的市场起了很大的作用。3. 运行的机制。21世纪报系既是组织运行的机构，又有一条维系运行的经济纽带。报系成立了公司，这个公司既有南方报业的股份，也有复星和21世纪报系经营团队的股份。通过这个公司进行不断地拓展业务，包括各类论坛等等。经济纽带把他们的经济利益牢牢地捆绑在了一起。4. 21世纪报系高层的团队比较稳定。

21世纪报系办报之初我们集团每年的利润还是很低的，当时如果没有复星投资，集团也不可能有那么大的投入，那么21世纪报系肯定没有现在的发展。复星非常有眼光，它成功了，我们也成功了，这是一个双赢。未来21世纪报系的发展目标是要真正成为中国的第一财经媒体。这几年21世纪报系的崛起对我们南方报业品牌有很大的支撑作用，一讲到南方报业的品牌人们就会想到南方日报、南方周末、南方都市报、21世纪经济报道。

城市画报的合作成功了一半，是因为合作方最终离开了。为什么离开呢？因为对方认为有更好的项目。当时集团的资金也是有限，画报是利用合资方的800多万元进行改革发展的。去年，合资方要求退出。不过退出我们也很高兴，因为城市画报开始盈利了；他们当时退出，对于城市画报来说有短期被动，主要是团队搞经营的力量不足。现在我们已在这方面作了加强，城市画报的经营势头正在上升。

南方体育的合作是不成功的。当年的这个合作，从资金上来说集团是没有吃亏的。用了合作方1000多万元的资金，后来还有广告补偿700多万元。南方体育总共用了他们的钱物2000多万元。但是发行权给他们拿过去以后，把我们南方体育的发行渠道给搞乱了。这是一个教训！对南方体育我们要客观分析，合作没有成功、这个报纸运营状况不好有客观的因素，首要原因是行业的不景气。一个很有实力的体育报，去年就说亏了，《球报》也停刊了。体育类报纸的报道被都市类、日报大量的体育版面给冲掉了；互联网快速的信息，也抢走了一批体育读者；越来越多的电视体育频道现场直播，又吸引了一批爱欣赏现场比赛的观众。总的来说，体育类报纸所剩下的受众消费能力弱、广告商不看好，所以每况愈下。南方体育没有成功还有一个重要原因是团队不齐整。南方体育的领导者，有相当的业务水平，有相当的忠诚程度，工作也相当投入，但是能力不全面，在经营管理方面不全面。之前经营存在一些问题，所以合作方找理由把经营权给拿过去了，但是合作方也没有搞成功。有人说，集团没有给团队配经营人才。这不应该完全由集团来配置，而是在经营的过程中注意物色人才，靠市场配置。需要领导者自己组建团队，吸引经营人才。

这三个试点，我们应该很好地总结一下优势和劣势，为什么成功为什么不成功。我觉得我们现在应该积极稳妥地引进战略投资者，推动运行机制本身的转变。再不推进就丧失时机了。为什么要稳妥呢？因为在报业资本运营的过程中，很多问题要想透。要合法合规，要权衡得失。

报业集团的发展和其他企业一样，资金来源无非两个渠道：一个是靠自己的积累，用自己赚的钱来投资发展壮大自己；另一个是通过市场融资、贷款，用别人的钱来投资发展壮大自己。过去我们比较倾向于选择用自己的积累投资发展，虽然比较稳妥，但是没办法跟上市场激烈竞争的要求。用市场的资金来发展，用别人的钱来发展我们集团的事业肯定要付出代价：贷款要利息，投资要分红；然而用别人的钱虽然说有代价，但可以赢得发展速度、抢占市场先机。我们现在面对的是空前激烈的报业市场竞争，南方报业集团的几个品牌媒体都在广州、深圳、北京、上海和实力雄厚、资源丰富的媒体或报业集团竞争，在个别市场甚至可以说是到了关系生死存亡的竞争。这样的竞争拼的是人才、品牌和资金。打造和维护媒体品牌需要资金，吸引和留住人才也需要资金，靠我们自己的积累肯定不能适应报业市场不断升级的竞争发展的需要，所以集团的发展一定要利用好市场的资金。

打造和维护媒体品牌需要资金，吸引和留住人才也需要资金，靠我们自己的积累肯定不能适应报业市场不断升级的竞争发展的需要，所以集团的发展一定要利用好市场的资金。

资金有时间价值，投资不一定有好的收益但肯定有风险。贷款是一个解决投入资金缺口的好办法，但过高的资产负债率，又会给集团的健康发展带来相当的风险和压力。虽然传媒企业和其他企业不一样，有投入少回报高的特点，但运营成本的不断提升使它也不再旱涝保收。从严格意义上说，我们现有的净资产也不可能去担保很多的贷款；如果资产负债率太高，集团的发展就可能像在钢丝绳上走那样一不小心就有摔下来的危险。我们要看到，南方都市报和强势媒体在接下来的一两年还会有一场激战，即将新办的一些报刊也要钱，南方新闻数码中心（新的南方报业大楼）的兴建也需要投入。从集团发展和可能发生的资金危机上分析，我们集团还需筹集一大笔资金才能从容应对。银行贷款可以再要一点，但一下贷太多肯定不行。

资本运营有多种方式，资金的筹措有直接上市、间接上市和引进战略投资者，等等。“北青传媒”香港上市后，传媒上市的话题被炒得很热，我们冷静一点来看，在国内排队上市最快要三年，等到那个时候再拿到资金，市场早就改变了，南方报业在中国报业市场的领先优势可能不复存在，摆在我们面前做强再进一步做大的机会也可能就没有了。借壳上市能圈回钱来也是好办法，但花一大笔钱买个壳回来先要搞清楚它有没有包袱，没有包袱再考虑增发、配股，运作下来也要两三年。长远来说要上市，但远水救不了近火，引进战略投资者应该说是我们当前最能解决集团发展的迫切需要，又最具有实际操作意义的选择。

和大多数国有企业一样，我们集团面临的最主要的问题其实不仅仅是资金的问题。制约我们加速发展的有一系列的问题，包括产权结构、治理结构、运营机制以及跨媒体、跨行业运作经验等问题。引进战略投资者不但可以解决报业传媒集团发展所需要的资金问题，还能够在上述这几个方面为我们带来直接或间接的帮助。

（一）引进战略投资者可以有效完成资金筹措，尽快把集团的事业做强做大

引进战略投资者可以为产品和产业发展提供充足的资金，我们将在更高的起点上启动新的品牌媒体，占领市场，获得更大的利益；我们将更快形成强大的产业价值链一体化能力，保证媒体赢得竞争。大家都看得到，印刷能力是当前制约集团发展的一个瓶颈，解决不了这个问题我们就不能及时拿出好产品和对手竞争；时效的不足带来发行的被动，发行的被动往往就造成了广告竞争的弱势。

（二）引进战略投资者有利于加快体制创新，推进集团建立现代企业制度

引进战略投资者实际上是在政策允许的范围内实现产权主体的多元化，形成合理的股权结构可以促进集团下属企业建立科学的法人治理结构，根本上解决领导体制和用人机制、激励机制与监督机制等问题。这样的企业更能顺应优胜劣汰的市场经济规律，在竞争中不断发展壮大；更多这样的企业才能使集团充满活力，确保正确的舆论导向，确保国有资产保值增值。

（三）引进战略投资者，可以获得资金以外的战略资源推动集团加速发展

战略投资者的意义在于“战略伙伴合作”，战略投资人（特别是国际战略投资人）所携带的市场视野、产业运作经验和战略资源可以帮助我们集团和我们的媒体更快地成长和成熟起来；具有良好管理经验、专业技术和市场（渠道）优势的战略投资者，可以提高我们的管理能力和技术水平；为适应或配套战略投资构建的内部激励与约束机制，又可以促进我们运营效率的提升。引进有实力的战略投资者，将进一步增强我们原来没有或极其薄弱的风险化解能力、国际合作能力，推动集团扩张发展。

南方都市报和强势媒体在接下来的一两年还会有一场激战。

（四）引进战略投资者可以进一步规范管理，防止集团国有资产在项目建设和实际运行过程中的流失

战略投资者虽然分享投资收益，但这一过程也使集团自身的投资收益有了更好的保障。我们的许多干部都是好干部，在相信大家发扬风格讲求奉献的同时，我们更希望用好的制度来规范各级管理层的行为。为什么有的项目一亏再亏，而21世纪经济报道第二年就开始赚钱？上海复星带给我们的不仅仅是合作资金！如果没有战略投资者在资源上的输入和财务上的制约，我们能不能花几千万元办出一个全国有这么大影响力的报纸来？能不能用2004年度的广告实收获得2900万元的利润？我看很难。

和大多数国有企业一样，我们集团面临的最主要的问题其实不仅仅是资金的问题。制约我们加速发展的有一系列的问题，包括产权结构、治理结构、运营机制以及跨媒体、跨行业运作经验等问题。引进战略投资者不但可以解决报业传媒集团发展所需要的资金问题，还能够在上述这几个方面为我们带来直接或间接的帮助。

（五）引进战略投资者也是引进风险投资者，战略投资者可能分享我们的长远利益，但也实实在在地分担了我们的投资风险。

不管是我们目前讨论中的项目，还是我们今后要着手实施的项目，肯定都有风险：包括政策的风险（如税收政策，今年的房地产政策），行业的风险（南海基地建好后纸价状况，投资回报高还是低），产品生命周期的风险（个别媒体进入衰退期，核心竞争力无法再生而退出市场）等等，都是客观存在的。引进战略投资者和我们共同分担风险，同时也可能获得更多的资源和能力辨识风险、防范风险、规避风险。

在明确一定要引进战略投资者之后，选择什么样的战略伙伴是我们要认真考虑的问题。我们引进战略投资者应该着重考虑以下几类目标投资人：

一是全球领先的传媒产业巨头，前提当然是政策允许。我曾与东南亚一家报业的总裁聊过，他们的经营回报率为44%，而我们不到10%。如果能够引进，他们既是我们的奋斗目标也是我们自身改革发展提升的参照标准，他们在经营方面的参与对“南方报业”在资本市场的价值能够起到巨大的拉升作用。

二是港台地区急于进入大陆市场的同行，比如香港一些在海外上市的印刷业同行，它是我们开展商务印刷业务的竞争对手，也肯定是我们加速发展报刊印刷业的潜在合作伙伴。

三是同我们报业印刷、发行的产业价值链有上下游关系的投资者如有实力造纸集团，或者虽然没有上下游关系但是在资源和业务上能够形成互补的企业或投资者，从协同效应的角度看可以为我们集团以后的发展作出独特的贡献。

四是一些正在进行业务布局，有实力有资源又有意进入文化产业的大型企业集团。

自己贷款和引进战略投资的比例，是集团的投资组合也是集团的风险组合，要有一个科学共赢的设计。不同的项目有不同的风险、不同的收益和不同的成长空间，战略投资的比例太高不利于今后进一步的资本运营，太低没有吸引力找不到有实力有资源的战略伙伴。怎样的组合设计最好，具体项目要请集团财务部和战略运营部好好论证，争取尽快探索出一条高效可行的资本运营的路子来。

集团已形成了一个共识，就是要尽快引进战略投资者。通过引进有实力的战略投资者，综合利用好它们拥有的所有资源，把“南方报业”发展成为一家更具规模和价值的传媒集团，是我们的根本目的。

四　耀眼过后的战略转移

——就南方体育的整合与龚晓跃主编的通信

休刊启事

经南方报业传媒集团批准，本报已并入南方都市报报系，并准备进行改版。为此从9月1日起暂时休刊。

南方体育编辑部

2005年8月30日

从集团战略层面来讲，将《南方体育》暂时休刊，并入南方都市报报系重新整合，是集团范围内整合资源的一种手段，是实施多品牌发展战略的必要举措，是一项积极的战略决策。

《南方体育》是一份颇有影响力的体育类报纸，因此，这则启事在业界引起较大的反响，也招来网上议论纷纷，是必然的。如何看待这个问题？从《南方体育》本身来讲，一份办了五年的报纸，品尝过初创的艰辛，经历过巅峰的辉煌，如今走到了休刊的结局，的确是令人遗憾的。在宣布休刊的那一期，南方体育同仁们所表现出来的悲壮与无奈，我们是充分理解的。但是，从集团战略层面来讲，将《南方体育》暂时休刊，并入南方都市报报系重新整合，是集团范围内整合资源的一种手段，是实施多品牌发展战略的必要举措，是一项积极的战略决策。

有人说，《南方体育》之所以休刊，是因为近年来这份报纸亏损太多，集团难以承受。这不能说完全没有道理，但说实话，这不是休刊的主要原因。凭南方报业近年以及今后的总体盈利水平和筹资能力，负担南方体育这些亏损没有什么困难。将其并入南方都市报报系，是经过周密调查和慎重研究后作出的决定。

首先，将《南方体育》暂时休刊，是集团整体战略的需要。在《南方体育》的办报过程中，成功培育了南方报业体育类报纸的品牌，并获得了较大的市场影响力，对南方报业的主品牌发挥了重要的支持和维护的作用。随着市场条件的变化，国内体育类报纸普遍出现下滑的不利局面，不是某一家报纸，而是体育报纸市场的整体萎缩。《南方体育》身处这样的市场环境中，报纸亏损难以避免。与此相对照，南方报业旗下的其他报纸则经营势头良好。集团根据旗下业务单元的具体情况，妥善处理报纸的局部利益与集团整体战略的关系，果断决定退出某些业务领域，这并非被动的撤退，而是主动调整自己的业务组合，是

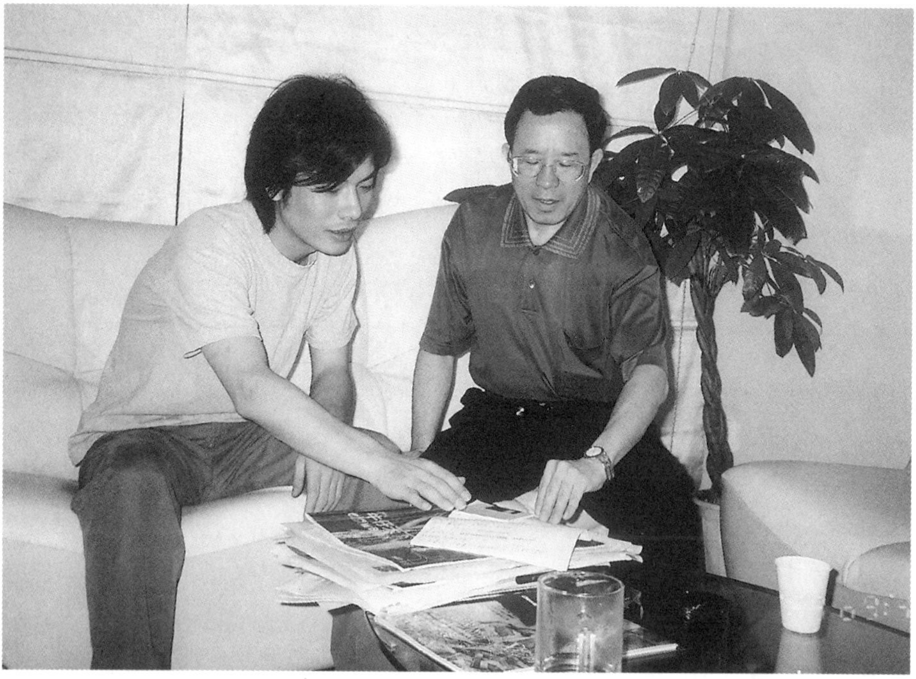

与龚晓跃一起盘点南方体育的得失。

依据南方报业整体战略作出的积极决策。

其次，将南方体育的资源和团队并入南方都市报报系，是集团资源整合的需要。退出某些不具发展前景的领域，是为了把资源用于能够为集团整体发展最大限度发挥作用的地方，集中优势力量，在更广阔的领域内求得更大发展。在《南方体育》办报过程中，获得了运作体育新闻的宝贵经验，培养和凝聚了一批高素质的员工队伍，尤其是高素质的体育新闻采编队伍。这支队伍专业化水平高，对报社的认同感和归属感强烈，加以整合，必将在集团及下属报系日后的办报实践中发挥重要作用。

我们有充分的自信，将《南方体育》并入南方都市报报系，盘活其存量资源，办出新的媒体项目，并取得成功。到那时关心南方报业的人会发出这样的感叹：南方报人有眼光、有魄力！

我和南方体育主编龚晓跃关于《南方体育》休刊的通信，可以看作对这个问题的进一步说明。

龚晓跃致范以锦的信

范社长：

以下内容，是我担任南方体育主编职务五年来的一些认识。写下这些认识，我秉承的是有所担承、有所交代的原则，尽可能做到知无不言，言无不尽，希望有助于集团领导决策，不当之处，我个人负责。

南方体育的现状

独立运作5年之后，《南方体育》进行了一次被团队认定是“置之死地而后生”的改版，目的是在整个体育纸媒普遍低迷的当下走出一条新路，拓宽经营平台，丰富经营手段，赢取市场的信任和回报。

按新方案运作了近5个月，虽然业内从技术层面出发，对新形态的《南方体育》给予高度评价，但在营销上我们做得很吃力，事倍功半——几乎是为对体育有兴趣的客户度身订做的《南方体育》，在北京、上海的4A广告公司中，处于叫好不叫座的尴尬境地，除了耐克、喜力、东风本田、TCL、创维、悦达起亚和奇瑞等少数客户已经明确投放计划，大多数目标品牌仍然在观望这份脱胎换骨的媒体——这是可以理解的，改版毕竟只有5个月，他们必须对我们的表现力作相对审慎和持久的了解。因此，到7月底为止，报社实现广告收入仅比去年同期增长十几个百分点。

与此同时，因为涨价和关闭二线城市印点，以及强调终端的精确投放，《南方体育》发行量出现大幅下滑，发行成本上升，报款急剧缩水，导致现金流不足。

目前看来，报社8月份的经营情况会比前期有所好转，9月份能够进一步好转，但总的来说，我们只能做到在广告营收上有一定起色，却无法完成年初制定的任务。

3月份，我和经营部门领导向范社长、杨总编辑、钟总经理汇报改版设想时，曾表明利用这次改版的机会，把《南方体育》当作一份新媒体推向市场的态度，并为此预备了对这份报纸来说称得上是前所未有的推广投入。但这种力度，较之于一般新项目的推广预算，仍然远远偏低，所以即使在目标市场，我们仍然面临着许多处女地。

基于上述状况，我理解并赞成集团在战略层面对《南方体育》这个项目进行一次理性的审视，虽然对一份定位、调性都作出重大调整的媒体来说，不到半年的观察期略显仓促，虽然我本人和团队都希望有机会最后一搏。

为什么如此艰难？

《南方体育》5年多来的艰难处境，我和同事们总结的原因有如下几条：

其一，2002年韩日世界杯以来，国内体育纸媒市场普遍缩水，互联网、电视及区域强势综合性日报对专业体育纸媒形成三面夹击之势，导致读者大量流失。据我们掌握的数据，2005年初，全国体育纸媒的总发行量仅相当于2004年初的一半，不到2001年的1/3。

与此同时，广告商对体育纸媒抱有根深蒂固的成见。以情况最好的《体坛周报》为例，一周三刊，一度期发量超过百万份，但即使在它最好的年头，广告额也远不如实发量比它低很多的非体育类报纸。

在这个过程中，初期投入很大的《21世纪体育》和老牌的《球报》关门大吉，长时间雄居中国体育纸媒龙头位置的某报也出现大亏损，这都体现出传统体育媒体对新的环境和竞争的高度不适应。

其二，与一家企业合作方式不当，令报社元气大伤。2001年下半年，《南方体育》拼出了创刊以来的第一个高峰，实际发行量突破40万份，虽然仍有亏损，但整体态势是积极向上的。然而，与一家企业的资本合作截断了《南方体育》的良好势头，合作方成功地获取了我们的经营权，开始围绕其整体资本运作组织《南方体育》的经营工作。接手当季，《南方体育》发行量骤减一半，原有客户停止广告投放，到年底，我们不得不结束合作时，《南方体育》的运营能力和资源都跌落到了最低点。

其三，缺乏经营人才，一直未能组织起一个比较理想的经营班子。由于历史原因，《南方体育》管理层几年来都是清一色的采编业务人才出身，在经营上虽然有大的想法和概念，但在具体操作层面上，有相当的局限性，重技术而轻经营，灵活性不够，执行力不足。

其四，初期投入不足。“酒香不怕巷子深”的时代早已过去。《南方体育》创刊之初，战战兢兢，想的不是如何迅速在全国打开局面，而是怎样少花点钱甚至不花钱。5年来，《南方体育》累计投入的推广费用，还不如很多新媒体头一年的推广费用，所谓“叫好不叫座”，何尝不是市场对我们的报复。

我个人应该承担的责任

在与江艺平大姐讨论《南方体育》目前的艰难处境时，我说过，从技术角度来看，无论如何，《南方体育》都算是一个好的传媒产品，没有把这个好的传媒产品做上去，我承担全部责任。在给集团的这份报告中，我保留这句话。

担任《南方体育》主编5年来，如果说我个人还有那么一些成绩，则：一是主导了报纸的内容工作，使之在品质和创意上始终居于国内同类媒体前列，也得到了传媒界比较一致的好评，不至令南方报业蒙羞；二是在投入不足、竞争对手频频挖角的情况下，保持了报社的造血能力和骨干团队的相对稳定。其余皆可不谈。

我想重点谈的是自己在工作中的不足，5年来，我勤勤恳恳，把整个身家性命都押到了这份报纸上，从未有所懈怠，但力有不逮，主要表现在：

在经营上，未能为《南方体育》建立一个有效的运作班子。我本人的强项是采编业务，担任《南方体育》主编后，才开始学习经营，虽然在大的策略上有自己的思路，但在战术层面上，总是无法把这些思路付诸实施。比如《南方体育》可以拿出“足球宝贝”这样的好点子，但具体运作起来，就跑了调。又比如，2001年第三季度，当《南方体育》发行达到峰值，而当年的重要赛事全部偃旗息鼓时，报社决定用增出八个版而不是提价的办法来保住发行量，但在具体的发行操作中，监督不到位，执行不得力，未能达到预期目标。

记得刚刚结束和外界的资本合作时，喻华峰曾经对我说，《南方体育》的广告还是可以做一做的，关键是要找到合适的人来做。几年来，在国有体制许可的范围内，我虽然从没放弃过寻找合适的经营人才，却始终未能如愿，广告和发行负责人变更频繁，屡败屡试，屡试屡败，导致《南方体育》成为一只经营与采编完全不成正比的跛脚鸭。

在管理上，我是个有原则，但却不能处处坚持原则的主编。对同事和下属，我的迁就比要求多，总是想让大家干得舒服一点，想让团队尽可能处于一团和气之中。有些做法，我明明认为不可行，但顾及到同事们的情绪，最后往往会改弦更张。比如2002年大规模采访世界杯，我本是不赞同的，但几个同事在会上在私下坚持说反复说，我觉得再反对会伤害他们的工作积极性，就忍痛同意了。结果采访价值不大，采编费用却翻着个头大幅增长。更致命的是，围绕韩日世界杯发生的一系列高成本采访，使《南方体育》在实际采编工作中，一度偏离强调创意、强调方式和编辑部主导的路线，以短击长，与竞争对手死拼所谓的“硬新闻”，化主动为被动。

我在这方面的不足，使报社在秩序上形成了一种“有民主，无集中”的怪圈。有时候事情急起来，我这个当主编的，就不得不一竿子插到底，既当官，又当兵，既吃力，又不讨好。

在决策上当断不断，错失了一些机会。今年春天，《南方体育》颠覆性改版，方向无疑是正确的，但改得太晚，如果我们的班子能够早下决心，在2004年奥运会结束之后就改头换面，情况会好很多。又比如在采编上，我很早就提出，基于体育纸媒采访成本的居高不下，《南方体育》应该放弃资讯提供者的定位，转而销售体育文化和体育生活，加入到体育消费和体育产业之中去。但因为编委会有不同意见，我放弃了这一想法，贻误了《南方体育》及早转型的机会。

再有就是，在与企业的合作中，我未能坚持顶住对方要广告权和发行权的压力，同意了对方大规模扩版的激进做法，令《南方体育》在经营上一落千丈。

出现这些问题，有各方面的原因，但无论如何，我的这些不足都是构成《南方体育》处境的元素之一，因为我个人的修为不到家，很多事情明知不可为而为，搞得大家都很累。

出于上述考虑，我请求集团允许我在适当的时候辞去《南方体育》主编一职，以谢与我同甘共苦的同事和一直予我信任的领导。

几点建议

关于《南方体育》何去何从，我有以下想法，供集团领导决策时参考：

一个方向是继续在体育传媒领域探索。这样做的好处是不用大费周折，不会造成什么负面影响，而且，就基本牌面来说，《南方体育》可以在较短时间内走出培育期。同时，保留一份体育媒体，对确保集团在北京奥运会这个大舞台上做出高水准演出有一定帮助，2007年前后必将愈演愈烈的奥运效应也将对这份媒体的经营起到良性推动作用。

但《南方体育》做下去有两个前提：一是必须彻底转型为一份高水准周刊，比现在更生活化更服务性，并在此基础上推出专门的关于体育产业的内容，使之既可降低运营成本，又能提升广告吸引力。在这方面，《竞赛画报》在2003年和2004年的营销表现有一定说服力。二是要加大推广力度，要有一定的资金准备，以促使其完全走出“叫好不叫座”的尴尬境地。三是由报业集团出面融资，以创新体制刺激其赴汤蹈火。

第二个方向是彻底跳出体育传媒这个领域，利用《南方体育》的刊号和相对稳定的团队，做一份以体育、娱乐和生活资讯为主打的新闻周刊，就像《巴黎竞赛画报》一样。这个方面可以填补集团的空白，而且，《壹周刊》等在一些地方的热销，也说明该类型媒体在发行上是有潜力可挖的，只要我们表现出适度的调性和品格，广告方面也应该能够有所作为。

无论《南方体育》转型与否，我都建议集团从《南方体育》现有人员中选择技术负责人选，一来，《南方体育》多年来有意识地培养了一批适合体育、生活、娱乐媒体工作的采编骨干；二来，《南方体育》采编团队素质还是比较过硬，对南方报业有相当感情，采编负责人从中产生有利于这个团队的稳定发挥。

同时，无论《南方体育》转型与否，我都建议把这份报纸交由南方都市报系托管，让都市报全面负责起其运营工作，保证采编团队能够专心于采编，做出好的产品。

最后，我想对集团领导说的是：

在集团内，可能有不少像我这种类型的干部：有相当的业务水平，有相当的忠诚度，有相当的投入度，但能力不全面。对我这样的干部的使用，一定要配备一个好的全面的班子，使这个班子内部能够形成取长补短的功能。《南方体育》的班子，最早是都市报定下的——我在集团工作时间不长，被提拔时实际上没有条件带着一整套既有思路去“组阁”，当时有关领导不但没有考虑从经营部门调一个能与我的采编业务相得益彰的强手与我拍档，甚至将与我刚刚合作半年、已经形成一定默契的广告部主任调离，这一先天不足，实际上为《南方体育》此后的经营不利埋下了伏笔。

其次是，对一个新项目，一次性投入一定要充足，低成本运作已经不合乎当下媒体经营之时宜，我们不能让新媒体输在起跑线上。《南方体育》第一年亏损300余万元，我们已经诚惶诚恐，但设想一下，如果当时就能把印点开到全国主要城市，《南方体育》的局面是不是会更好一点？事后修修补补的投入可能在总量上还要超过一次性的充足投入，但一次性充足投入的效果却要远远好于事后修补，筑巢引凤的功用又岂是亡羊补牢可比的？

龚晓跃

2005年8月15日

范以锦致龚晓跃的信

小龚：

《南方体育》的转型，对您及您的团队来说也许是痛苦的，但从战略的层面上来看，这一决策也许是正确的选择。任何事物都有青春期，体育类的报纸青春期已过，现已进入衰老期，难以为继了。

时至今日，我们是在原有的路线继续扩张往前冲，还是维持不变、硬撑下去，或收缩转型、寻找新的成长方向？我们不能再犹豫，必须痛下决心调整《南方体育》的成长方向了。方向战略，有成长战略、稳定战略、收缩战略。《南方体育》实行战略转移，如何转？现在暂时休刊，就像大家经常看到的体育比赛一样，看到形势对自己不利时，要求暂时休息，给一个喘息的机会，并利用这一机会调整战略。如今，《南方体育》运作艰难，该休整休整，研究新的运行方案了。如果不采取稳定战略之暂停战略，硬拼硬杀，只能导致资源全部耗尽。在实行稳定战略的基础上，实行收缩战略。《南方体育》必须痛下决心转型。其实，这几个月南方体育已进行了转型的尝试，已经不是前几年的那种《南方体育》的模式了，这为

时至今日，我们是在原有的路线继续扩张往前冲，还是维持不变、硬撑下去，或收缩转型、寻找新的成长方向？我们不能再犹豫，必须痛下决心调整《南方体育》的成长方向了。

进一步转型打下了基础。集团考虑到目前通过南方体育报社自身的努力，已无法摆脱困境，只好由南方都市报报系来兼并，这点我们都有共识。南方都市报报系的团队比较整齐，经营有丰富的经验，相信他们有能力整合好。

这种战略转移，不是对《南方体育》的彻底的抛弃，而是扬弃不合理、不具成长性的部分。要继承《南方体育》优良的品质，不管改不改名，《南方体育》形成的品牌理念和良好的文化氛围要继承下来。要延伸品牌，而不是割断品牌。要充分利用好《南方体育》现有的资源，包括人力资源、经营资源、新闻资源等。

《南方体育》曾经耀眼过。为什么说耀眼？发行量曾突破40万份大关，跻身国内三大体育报纸的行列。《南方体育》对体育新闻的操作形式、手法，被人称为“颠覆性”的创新。《南方体育》的品牌在业界、在读者中形成较深的影响力。在《南方体育》创办之前，《南方都市报》体育版有一个栏目叫做“五文弄墨”，5名大将各显神通，改写了传统的写“体育”的写法。他们及一批同事在“世界杯”传媒战的搏杀中，对扩大《南方都市报》的影响力，发挥了重要的作用。后来他们中有一人成了南方都市报报系的主要负责人，另4人成了南方体育报社的领军人物。可以这么说，《南方体育》形成的团队精神、文化氛围，是南方报业宝贵精神财富的重要组成部分。有的人说，《南方体育》失败了。我们不轻言“失败”，你们的团队也不应太过悲观和自责。我们不只是盯着经济上的数字，我们还要看它对提升南方报业品牌曾经发挥过的作用，我们还要看它给南方报业留下宝贵精神财富的分量。

毋庸讳言，我们也有深刻的教训。比如，在与企业的合作中未能牢牢控制经营的主动权，搞乱了原有的发行渠道。这不是南方体育团队的责任，集团要负主要责任。还有，团队采编与经营一只腿长一只腿短，不协调。我早说过，一张报纸的成功取决于三个人及其形成的三个群体：一是既懂得办报又懂得经营的复合型人才，二是懂得办报的人才，三是懂得经营的人才。南方体育的团队很有专业精神，有强烈的事业心，有对集团相当的忠诚度。在业界不断被“高薪”诱惑的情况下，团队的骨干不为所动，甘当“铁杆”的南方体育报人。但是，南方体育的团队不全面，经营经验不足，经营力量薄弱。

合作方合作才一年，停止合作后，可以重整旗鼓；经营力量不足的问题也是可以解决的，事实上近年来南方体育的经营队伍已得到加强。在这种情况下为什么还要转型？因为，采取以上措施，也无法扭转目前体育报纸衰退的大趋势。《球报》停了，还有一些很有影响的体育报纸也陷入了困境。事实表明，原来已完成成长期阶段，并已走向辉煌的体育类报纸都在萎缩，而起步才5年的南方体育能逆流而上吗？难！

南方报业报刊的改造和转型早有先例，当年我们将没有发展前途的《花鸟世界》停下来转办其他报纸。我们将难以打开市场、效益不好的《海外市场报》停下来，把刊号让给《南方都市报》，《南方都市报》的成功，说明当年的决策是正确的。我们相信，《南方体育》的战略转移也一定能成功。

如果哪一天，体育类的报纸重现生机，也许我们又有了新的战略转移——《南方体育》再造辉煌。战略，也是随环境变化而变化的。

范以锦

2005年8月23日

附录1：《南方体育》休刊词

■改变我们自己

你快乐吗？

这已经不是我们第一次问你这样的问题了，这也肯定不会是我们最后一次问你这样的问题。五年以来，我们不断地嘟囔着重复着絮叨着神经质地叫嚣着这句话，希望你能够因我们的工作而改变，希望你能够因为我们的努力，而快乐。

《南方体育》是跟他们不同的。我们以有趣对抗着无趣，以时尚烘托着主流，以动力人群的阅读趣味来改变着生活中的一点一滴。我们看到了，我们也做到了。在山这边的枪炮中，我们看到了山那边的玫瑰。尽管，那也许只是一朵野生的，尽管，那朵玫瑰有可能被牛吃了被游客踩了，却依然异常灿烂。

在开始这篇文字的时候，一位已经离开《南方体育》的同事，在MSN上发来了希腊诗人卡瓦菲斯那首著名的《伊萨卡岛》。“当你启程前往伊萨卡／但愿你的道路漫长／充满奇迹／充满发现，但愿你的道路漫长，但愿那里有很多夏天的早晨……”

夏天的早晨。是的，这是一个夏天。五年来的《南方体育》的确充满着奇迹，充满着发现。我们的路，也依旧十分漫长。自从这份报纸诞生那一天起，自从你阅读报纸的这一天起，体育，就在改变着你的生活。你开始运动了，你开始关注体育本身之外的东西了，你开始兴趣广泛了，你开始将触角接触到体育之外的世界了，你开始不那么讨厌这些面目可憎浑身臭汗除了赛场表现不知道他们还干了些什么的人了，你开始优雅了。你开始了一种新的生活。

龚晓跃在他的《第五大道·南方体育五周年特刊》中写道：五年，逝水流莹。有的人老了，有的人胖了，有的人去了，有的人来了，意气用事了，小乔初嫁了。这是一份报纸的五年，这是一群人的五年，这是一个梦想的五年。经历如此丰富，如此跌宕，如此尖刻的五年，就像是一辈子。

同样是在那篇文字里，龚晓跃向大家描绘了新的五年的前景，也表达了一个美好的愿望：前五年，体育改变了我们，我们改变了中国体育传媒；在此之后的五年，我们要改变自己。

是的，到了改变我们自己的时间了。所以，我们要向大家说一声：再见。

是的，再见——不是永别。如果你仍然继续关注着我们，继续改变着自己，那么，总有一天，你会发现，其实我们从来都没有离开过你。既然曾经有过一个点的相交，就不必担心两条轨迹永无止境地延续下去，终究，还会有第二次拥抱的时候。

让伊萨卡长在你的心中。

附录2：方枪枪休刊感言

■五年，那些枪炮，还有玫瑰

作为一份媒体，《南方体育》有着它独有的魅力，也有着它无可争议的缺憾。作为一份优点与缺点同样鲜明的体育媒体，它的生存，它的发展，它所受到的关注与争议，都是到了该做个了断的时候了。

是该到整理一下这五年的时候了。

喜欢这份媒体的人，很多，讨厌这份媒体的人，也很多。

这是一个追求个人理想的社会，当你自身的理想与这份报纸的梦想有所契合的时候，你自然会发自内心地对它产生喜爱，如果你希望一如既往地重复着自己的生活，那么，阅读这份报纸，对你而言无疑只是一个不切实际的梦。套用当年《北京人在纽约》里的那句很俗的话：如果你爱一个人，请给他看《南方体育》，这份报纸就是他的天堂；如果你恨一个人，也请他看《南方体育》，这份报纸将会把他拖入深渊。

五年来，《南方体育》给人留下的最深刻的印象是什么？

如果，你去访问十个《南方体育》的读者，十个人之中有八个人会告诉你：有趣。很遗憾我们只能把这样的印象留在你的脑海里了。这并不是我们的初衷。一直以来，《南方体育》都是在倡导着一种优雅的、时尚的，轻逸无比的生活方式，但是，由于国内媒体，尤其是专业体育媒体的枯燥无味，使得我们所拥有的本来很正常的一种特性，被无限地放大起来。

或者，你可以说，在广义上讲，我们所追求的这些方式，本身都是一种“有趣”——与你所处的面目可憎的现实生活有着很大的区别。但是，在此之前，你应该很清楚，你是否需要这样的生活，或者说，是否需要憧憬这样的生活。因为在很多时候，海量的信息和文字垃圾，看起来能让你的生活，更加充实。

五年来，《南方体育》都做了些什么？这个命题，看起来似乎很庞大，但回答起来，却也很简单：我们，改变了整个体育传媒，这就是我们所做的全部。说得再详细点，我们改变了体育媒体黑板报式的版式，我们改变了体育媒体只关注赛场赛事和运动员赛场上表现的报道模式，我们改变了谈起体育就是三大球三小球的尴尬形态；我们还努力地去改变着一些事情，努力地去改变采访者同被采访对象之间的仰视角度，努力地去开拓读者对于体育外延的兴趣，努力地保持着公正客观的角度，努力去降低着体育圈里的虚假新闻的报道……我们努力地去做了，在一定意义上，我们也的确成功了。

五年来，《南方体育》最失败的地方在哪里？有人说，是发行，是广告；也有人说，是定位。对于失败，我们一直都没有讳言过，广告发行或者定位，都不是真正的问题。事实上，《南方体育》最大的失误，是让机会在我们面前，溜走了。从创刊开始，我们就一再地错过着机会，我们，的确对某些困难估计得不够充分：没有趁2000年欧洲杯时把最精华的部分奉献到全国读者面前；没有趁2001年足球宝贝推出后引发巨大影响的时机进一步拓展我们的品牌；没有在2002年世界杯的时候巩固自己的阵地，没有在2003年《竞赛画报》创刊的时候拿下一些本应属于必备的东西，没有在2004年体育大年的时候，进行彻底的改变，让我们得到质的提升……我们让机会溜走得太多，这不是一句“意气用事”所能解决的。

好在，我们还年轻。我们还有时间去弥补自己的失误。我们此前的教训，都可以变成极其宝贵的经验。我们的路，还很长。

在《南方体育》五周年特刊里，曾经记载着这样一段话：我们死了。在一张名叫创造的床上，从诞生之日开始。火光接受了灰烬，最亲密的人接受了最残酷的现实：诀别，远离，杳无音信。我们与平庸，就此生死两茫茫。

孔子说，朝闻道，夕死可矣，我们却在创造的大道上，亡命般，狂奔。我们知道，这个世界上，能够阻挡我们的，只有皱纹的力量。是的，我们现在知道，以后，我们还是知道：

曾经，我们有过这样一个五年。

2005年8月30日

（方枪枪为原南方体育编辑中心主任）

附录3：关于《南方体育》“停刊”的部分网上评论

郑晓蔚　发表日期：2005-08-23 20:13:34

《南方体育》颠覆了我的体育审美观，她告诉我，体育原来可以这么“搞”。那天，南体的朋友告诉我，报社可能不行了。我很痛心，那时，我突然想到了一句话。

“太骄傲了，以致宁愿去死。”

伤别南体，希望这帮兄弟在新的工作岗位上依然率性与天真。

无证记者　发表日期：2005-08-24 00:26:30

猜想：南方报业传媒集团刚刚成立，不会坐视不管，可能立即会并入南都报系，就看南都想怎么整了，置之死地而后生，也许是一条很好的出路。

天外陨石　发表日期：2005-08-24 17:20:27

《南方体育》并未倒掉，只是并入南方都市报报系，这样更有利于传媒集团资源的整合——有的人做技术工作一流，不过媒体管理者不是技术工；

她在韩日世界杯前是我案前必看的体育报纸——因为免费嘛；

她在韩日世界杯后我基本不看了——尽管还是免费嘛；

进行新的整合后，《南方体育》一定会重新发新芽，我祝福、我看好……

我怎么也找不到你　发表日期：2005-08-24 18:22:03

不管在广州还是现在到北京，我要看体育类报纸首选《南方体育》，她的图片、板式，还有评论我都很欣赏，让我了解了体育新闻原来可以做得这么好看。

《南方体育》一路走好，希望你能更精彩！

可西可东　发表日期：2005-08-24 19:33:05

小众体育此路不通，前方悬崖务必绕行？

拎壶冲儿　发表日期：2005-08-24 20:59:22

我认为现在的市场体育类报刊不管是走大众还是小众路线，都太难生存。大众又怎么样？

江湖一根葱　发表日期：2005-08-27 00:37:19

南体风格另类，我喜欢这种风格，改版后我和朋友们喜欢前两期，里面是有很多给男人看的体育和资讯，真的是很吸引男性读者，如果能继续走下去，一定很好，可能是他们推广上不到位吧，但只要照着前几期的风格走下去，坚持下去，哪会没有市场？可惜，她就这么倒了，坚持不住了，真是中国体育媒体的悲哀。

但衷心希望那些为此付出心血的人，一路走好，擦干泪，重新上路吧，这个世界不相信眼泪！

----

nvji　**发表日期：2005-08-30 11:09:59**

纸媒与网络媒体竞争，是没有什么优势的，特别是在体育新闻方面。

在四种媒介竞争的情况下，电视靠体育赛事直播，网络靠快速、全面的新闻信息，报纸还能有什么自己的优势可言？

所以南方体育倒下之后，还会继续有体育类专业报纸倒下，听说《××》报也开始亏损了，没办法，大环境之下，非人力可以回天啊！

第四部分

和而不同

报人文化和人才战略

STRATEGY OF NANFANG MEDIA GROUP

企业文化，是全公司上下全体成员诚意笃行的共同的价值观。企业文化又被称作企业精神、公司宗教。南方报人极具包容性又不失原则，责任意识与专业精神并重。正是因为有了共同的追求、共同的价值观，才使我们能够吸引更多的优秀人才，并形成我们独特的人才理念、人才战略。

"君子和而不同，小人同而不和。"

"道之以政，齐之以刑，民免而无耻。道之以德，齐之以礼，有耻且格。"

——《论语》

《传媒》杂志在采访我时，曾经写下一段话：

"我这人没有太大的欲望，也不怕担责任，这可能是来自我父辈的遗传。"范以锦出身于归侨家庭，四岁时随父母从国外回到梅州老家。父亲当过乡长、副镇长，后来因为自己感到文化水平不高，心甘情愿申请以干代工当了司机，一干就干到退休，如今已经快90岁了。

也许正是父亲那份宁静致远、淡泊明志的心境影响了范以锦的一生，无欲则刚。

第一章

承前启后的报人风格与“南方”文化

一　南方报业的文化密码

南方报业培养了一大批职业报人。职业报人这个概念，在2005年北京召开的中国报业竞争力年会之前，是一个不被认可和提倡的名词。但在报业这个行业里，南方报业的人才频频被其他报纸同行高价挖走，却是不争的事实，报界普遍传说，南方报业是中国报业的“黄埔军校”。

这些南方报业出去的人，都有一个特点，喜欢讲南方报业的好话，喜欢怀念在南方报业的日子。如果说有职业报人的话，现在担任京华时报总编辑的朱德付，就是较早从南方报业出去的一个。我留意到，在2003年10月21日，也就是《新京报》即将创办前不久，朱德付接受搜狐《总编在线》访谈时，对南方报业和北方报业市场作了一个很有意思的比较。他说：“南方报业和北方报业最大的差别是：南方重操作，北方重理论。南方的文化比较注重脚踏实地，身体力行，重实操，轻空谈。北京的流风所致，尚空谈，轻实践。广州经济市场化进度在全国领先，带来报业市场化的程度在全国一马当先。南方报业培养了一大批专业的职业工作者。北方报系传统的观念比较根深蒂固，报业从业人员的职业化的程度不高，官场习气还是非常浓的，这是不同的价值体系和观念差距，可以说是泾渭分明。”

这种南北比较，未必全面，准确与否可以商榷。但朱德付对南方报业的一些特点和文化氛围的概括，是有一定道理的。作为一张报纸，一个报业集团，就像一个人，一名记者，都会有他独特的个性，独特的气质。同样，报纸的特色和风格，也与办报者的性格气质有极大的关系。再进一步，就是我们现在常说的企业文化，一张成功的报纸，一家成功的报业集团，它的企业文化必定有自己的独到之处，神奇之处。

以前报界有“京派”、“海派”之说。现在很少人提了，有人问我，南方报业是否能自成一派？或者就叫“南派”？类似的议论听到的不少。这一点，我倒是没有去想过。其实，成为“一派”，并不是什么好事。南方报业从来没有想过要刻意地成为“一派”。

如果说南方报业的企业文化有什么特点，那就是更加包容，更加理性，更加注重创新开拓。宽松和谐的内部关系，激发了南方报人对事业执著的理想和狂热的激情，在一个开放式的氛围里，一个开放式的平台上，强烈的社会责任感与专业精神得到最大限度的激活与迸发。这样一个充满活力的内在机制和精神气质，使事业的发展、个人的发展形成良性互动，造就了一个个独树一帜的品牌媒体，造就了一个个有着显明个性的职业报人，造就了南方报业独特的企业文化。

如果说南方报业的企业文化有什么特点，那就是更加包容，更加理性，更加注重创新开拓。宽松和谐的内部关系，激发了南方报人对事业执著的理想和狂热的激情，在一个开放式的氛围里，一个开放式的平台上，强烈的社会责任感与专业精神得到最大限度的激活与迸发。

南方的精神和文化基因链

南方，作为一个地理概念的时候，你会联想到什么？是一年四季花草的清香，树木的葱郁，参差多态却一样的赏心悦目，生机万种却一样的活力张扬。

南方，作为一个区域概念的时候，你会联想到什么？是改革的热土，开放的前沿，是层出不穷的新事物，是大胆创新的新思路，一样的务实，一样的活力。

南方，作为一个经济概念的时候，你会联想到什么？是庞大的GDP，是繁忙到拥挤不堪的交通，是雁南飞，是“南水北伐”，是步步领先的经营理念。

这些都是“南方”，这些不仅仅是“南方”。如果我们只看到这几个层面的“南方”，那都是她外在的模样，外在的风情，外在的实力。

我要说的“南方”，是一个精神概念，是一个文化概念。

南方报业是从有56年历史的南方日报发展衍生而来的，南方日报的前身中有香港《华商报》的影子。从根基上看，注定了她的眼光从来都是开放的，务实的。而广东这个地域上的南方，历来的办报环境都有着独到的优势。

我在担任南方日报副总编辑、总编辑时，分管过读者来信部，顶住各方压力，签发了一系列有重大社会影响的批评报道。别人问我为什么胆子这么大，我笑一笑说，用事实说话，不用怕。其实，我们与南方日报的前辈比起来，并没有特别的过人之处，或者说，从我自己采写过的、签发过的批评报道来看，只不过是在延续南方日报的一个优良传统。我至今仍记上个世纪70年代末至80年代初关于农村实行农田“大包干”的争论。《南方日报》贯彻十一届三中全会精神，有针对性地选择了一些正反典型进行报道，但当时有些地、县领导想不通，在省里召开的农村工作会议上责难《南方日报》的批评报道，有的放言“这回，《南方日报》跑不掉了”。时任南方日报党委书记的丁希凌和另一位领导陈培（后来担任了总编辑）在会上讨论时，理直气壮予以回击。丁希凌同志还找到梅县地区简报组，请他们支持，将他的讲话登在简报上发给与会人员。张琮同志任总编辑时因批评报道搞得好，省纪委还专门给南方日报写信予以表扬和鼓励。我还记得，90年代中期因一篇批评报道引起了某地市委一位领导的不满，要我们到会（省人代会）辩论。我向社长刘陶报告后，他说“我们一起前往辩论”。我们来到对方提出的辩论地点时，这位领导却借故离开，刘陶同志理直气壮地对留下的人员表明自己的看法。

回头看，举一个老掉牙的例子。《南方日报》在50年前曾被《人民日报》点名批评，原因是什么？现在的读者和同行恐怕无论如何也料想不到，是因为“批评报道不力”。1953年2月1日，《人民日报》发表报纸工作述评，批评《南方日报》在反对官僚主义斗争中，批评与自我批评工作做得不够，表现了很大的软弱性。不到两周，《人民日报》再次提出这一批评。而在此之前的1月8日，人民日报地方报纸组来函，指出《南方日报》在开展批评与自我批评方面不够经常、有力。当时的南方日报编委会为此作了检查总结，领导班子与记者们达成共识：党报有开展批评的职责，记者有开展批评报道的任务；没有写过批评稿是记者的遗憾和缺陷；不敢写批评报道的记者不能说是一名好记者。正是这种认识，成为南方日报上下取得共识，敢于在报纸上开展批评的动力。此后50多年间，《南方日报》的批评报道与时俱进，每个时期都会有影响极大的批评，在社会上引起震动。

再举一个例子。担任过南方日报总编辑的黄文俞，1957年正值反右高潮的时候，受命创办《羊城晚报》，办出了一张完全有别于机关报的报纸，成为中国报业的一株奇葩。“不喜为官”的黄文俞晚年立下了“讲真话为写文章的准则”。从南方周末主编位子上“安全着陆”的元老左方，曾坦陈自己办报，就是奉行黄文俞“可以有不说出来的真话，但绝不说假话”的箴言，并且把“认报不认钱，认稿不认人”确立为南方周末的“报格”。也许，一张报纸的公信力，它的品牌，就是这样一点一滴立起来的。

这两个很久远的例子，从侧面对精神概念上的“南方”的

1986年与老社长丁希凌在一起。

气质，做了一个注解。

再后来，南方周末的“总有一种力量让我们泪流满面”、“让无力者有力，让悲观者前行”，感动了读者的心弦。再后来，有南方日报的《非典型肺炎病原是衣原体？》。再后来，有南方都市报的《被收容者孙志刚之死》……

说真话很难。务实很难。坚守这一点，要有政治智慧，也有对一个报人人格的考验，对一个报纸报格的考验。50年前是这样，50年后仍然如此。

这其中的血脉延续，实际是有规律可循的，这些基因深埋在南方报人的骨子里，浸淫在南方报人的呼吸里。解开了南方报人代代相传的文化密码，就会真正明白“品牌媒体创新力量”的全部含义。

多品牌战略背后的价值链

走进南方报业大楼，很多人会有一种不可思议的感叹：在这广州大道边上的越来越不起眼的大楼里，居然可以同时存在着风格、气质完全不同的报刊。他们会问:南方周末的编辑部就在这里吗？21世纪经济报道的编辑部就在这里吗？城市画报的编辑部就在这里吗？……

同一座大楼里，同一个报业集团里，出品这么多种不同的报刊，办起这些报刊的，都是南方报人。这一点，说奇怪也不奇怪，南方报业能够办好省委机关报《南方日报》，能够办好《南方都市报》，能够办好《21世纪经济报道》，自然也能在《城市画报》上“另类”一把，在《名牌》杂志上“精英”一回。这很好地体现了南方报业文化包容和创新的特色，而南方报业这些年办的报刊成功率极高，又很好地体现了南方报业文化中激情和理性之间的张力和平衡。

多品牌战略背后有一条串起南方报业企业文化的主动脉，有一条整合和激发品牌报刊亚文化的畅通的血脉。就像一条大江大河，它的支流溪水和沿途的湖泊，都是相通的活水，大河有水小河也满，小河欢唱大河奔涌；就像一片茂密的森林，大树挺拔入云天，小树青葱润雨露，花果怒放闹枝头。

作为报业集团，要管好这么多的报纸刊物，要管好这么多的编辑记者，要管好这么多的采编印刷广告发行业务，最终靠的是什么？不是一套套打印成文的规章制度，不是一张张按部就班的任命状，不是一道道措辞严厉的通知书，也不是领导人恩威并施的权力网……

最核心的，当然是一种命运共同体、利益共同体的文化理念，形成文化共同体——包括经济价值的整合和精神价值的塑造。这种文化共同体的文化理念，不是良好的内部人际关系那么简单，不是你好我好大家好的相安无事。如果一个报业集团暮气沉沉，一团和气，往往就是衰退的前兆。而一个充满活力和生命力的报业集团，它的内在能量，是从组织架构图上看不出来的,而是要看它企业文化内在的价值链。正是这种“价值链”的共同价值观，把报业集团企业文化的各个要素环环相扣，相互依存，相互补充，相互促进，终端反过来又可作用于始点，以良性循环不断推动报业集团的事业螺旋式上升。

价值链接，意味着将各单元的价值进行重组和提升，变为集团取向与集团意志，对内取得向心力和凝聚力，对外构成强势的品牌形象和影响力。那么，把南方报业有机组合起来的“链”在哪儿呢?

——精神追求上的认同。一切从集团发展的大局出发，按照建立现代企业制度的要求，突破原有各自为政、条块分割、相对封闭体系所造成的思想观念局限，拆除心理樊篱，树立集团意识。尤其是“小而全”自然经济土壤上滋生的本位主义、分散主义必须革除，建立大生产、大产业的现代理念，塑造共同的价值观。注重报业文化建设，建立集团形象识别系统，强化共同的精神特征和统一的文化底蕴。南方报业“品牌媒体创新力量”这一精神内核，让南方报业的团队有了归属感。

——战略目标上的共识。认真分析和把握报业市场竞争的趋势、形态、特点，从自身实际出发，在充分调研、论证的基础上集思广益，选准总体战略思路和发展目标。从南方报业的发展战略，到各个报系的发展战略，到各个品牌媒体的发展战略，脉络上是清晰的，思路是明确的，既代表全集团的整体利益和长远利益，又照应各市场主体的现时发展需求，建立科学的目标管理体系，明确有序的推进战略。一个方向，协同作战，重点突进，实现集团办报与专业办报、办报与经营的协调发展，作为市场主体的各报，报报平等，协同发展。

——竞争环境上的公平。集团内部客观存在竞争，各单元的资源配置应各得其所，相得益彰，可以有不同的支持力度，但一定要有相同的发展环境。集团公正合理地处理与各办报和经营单位的经济关系，让其在各自轨道上公平竞争。规范考评体系，健全动力机制，分门别类推行资产责任制、目标责任制、任期责任制等，刚性考核，公正评价，严格按效益实行奖惩兑现。集团员工的“身份”和“价码”，通过人事分配制度改革逐步“并轨”。在南方报业内部，不分什么事业单位、企业单位编制，大家都是南方报业的员工。每个人的事业发展，与报业的发展都是正相关的，没有人为设置的“透明天花板”。

——运营结构上的协调。集团的特征表现为资源管理集中而资产经营分散、事业属性一元而经营领域多元，需要与之相适应的组织构架，保证管理层“统”得起来、“放”得下去。在机构设置方面，精干、高效、集中，保证集团的调控力。南方报业以财务委派制为切入点，加强集团的总体控制，有利于决策、协调和管理的一体化，同时，不干涉各报刊的具体业务，强调的是“放活”。集团管理层面更多的是提供服务、协调和支持。

在EMBA学习班上，与一位讲企业文化的教授交流时，他提出了一个很有意思的观点：所谓企业文化，所谓企业精神，所谓企业气质，其实都与领导者个人的性格、气质、风格有关。他用探究的目光盯着我说：“范社长，与企业主要领导人的关系最大。”

我明白，他在触动我对企业文化的另一层思考。他的话是对的，一个企业的文化里，怎么可能没有领导的影子？怎么可能不留下一任任领导的印痕？看看南方报业旗下的各具特色的品牌媒体，眼前晃动着一张张熟悉的脸庞，可不是么，这一个个领军人物，都是性格各异，内敛的，张扬的，老成的，激越的……

南方报业的企业文化里，在我先后任总编辑和社长的10年间，有什么样的东西在薪火相传？有什么样的东西在生根发芽？

南方报业集团属下的南方周末，2003年搞过一个“致敬之年度最具赞许人物”，在传媒人物一项中选中了我。这可能是我第一次被推向了公众前台。

文中谈到的“致敬理由”：

> 2003年，南方日报报业集团除了旗下几份报纸、杂志继续有出色表现外，还先试水上海，后抢滩北京，最终在北京与光明日报报业集团合作创办《新京报》，实现了真正意义上的跨地域办报，此举在探索媒体全国统一市场的形成方面迈出了坚实一步，当可载入中国新闻史册。
>
> 作为南方报业的领袖人物，范以锦依然保持低调，外界对其所知，可能只限于南方日报报业集团奇迹般的事业发展，限于他在深圳高交会演讲所提出的“多品牌”战略、“龙生龙凤生凤”的报系理念，然而，熟悉新闻业的人都应该知道，低调并不能遮蔽这位脚踏实地的广东老报人为积聚人才所付出的心血，为呵护理想所展现的胸怀，以及在推动新闻事业发展中所表现的智慧与胆略。

我一向是个处事低调的人，知道我的性格的同事有两个评价：一是为人宽厚，二是原则性强。这两个看似有点冲突的性格特点，在我的身上都是最明显的，又是协调自然的。这一次被拉出来当公众人物，不是我的本意。我一推再推，还说过“不要把我往火上烤了”！但有人执意说，为了南方报业的品牌建设和推广，作为一把手的身份，一点也不亮相是不对的，这也算是为南方报业做出的另一份贡献吧。更何况，这一年的南方报业，确实有《新京报》这一得意之作。

二　领导气质影响企业文化特质

有些研究企业文化的学者认为，企业家的风格和个人魅力，是影响企业战略实施、影响企业文化的一个重要因素。在企业的初创阶段，企业家的信念和追求，可能直接主导或影响着企业文化的形成和确立；在企业的成长发展阶段，企业家在处理重大事件、进行重大决策时表现出来的风格和艺术，又成为企业文化的一个重要注解。

广东《支部生活》2003年第1期刊发了《走近南方日报报业集团社长》之后，有一位读者给我写了一封信，信中表达了企业文化与企业领导者的内在联系，认为企业领导者的理念、气质影响着企业文化的特质。信中谈到："作为南方报业的主要负责人和第一把手，个人的行为习惯和处世风格，影响着下属和同僚，也影响着南方报业文化某些特质的呈现；个人的信念和追求，也或多或少地影响着南方报业的整体风格和行业表现。这有一定的道理。另一方面我们还要看到，如果一个领导人，不了解一个地方几十年潜移默化共同形成的信念和价值观，和大家没有共同追求、没有共同语言，他在知识分子高度集结的报业集团也是寸步难行的。"

附录：走近南方日报报业集团社长

2001年，有两项全国性大型调查的结果引起了海内外媒体的注意：

——在由教育部下属机构组织的以100万名大学生为对象的“新世纪中国大学生就业首选企业”调查中，南方日报报业集团是进入50强的唯一报业集团；

——在由北京大学企业管理案例研究中心发起的“2001年中国最受尊敬企业”评选中，南方日报报业集团是入选20强的唯一内地传媒集团。

2002年，南方日报报业集团公开招聘60名高校毕业生，信息一经披露，当即在全国高校中引起轰动，几天内报名应聘者多达六七千人，名副其实的百里挑一，从而印证了上述调查结果并非凭空杜撰。

亲爱的读者，你每天都在阅读《南方日报》，你知道南方日报报业集团创造的诸多“全国第一”吗？你认识它的“掌舵人”吗？

——范以锦，出身于归侨家庭，四岁时随父母从国外回到梅州老家。他父亲当过乡长、副镇长，后因自感文化水平不高，心甘情愿申请以干代工当司机，一干就干到退休。父亲那份淡泊、那份正气影响了范以锦的一生。

1969年，范以锦毕业于暨南大学经济系，1970年进入南方日报社工作，历任记者、记者站长、部主任、编委、副总编辑、总编辑等职；现任中华全国新闻工作者协会副主席、南方日报报业集团社长、高级记者，中共广东省委候补委员等职务。1992年，他被省委省政府授予“优秀中青年专家”称号，并享受国务院有突出贡献专家特殊津贴。

这里，让我们一起走进范以锦的世界，从而了解南方日报报业集团背后的故事。

随着南方日报报业集团声名远扬，圈内外许多朋友开始相互打探：能统率这么一艘“航母”的必是个“高人”，这人是谁呢？

他就是高级记者、南方日报报业集团社长范以锦。也许你对《南方日报》、《南方周末》、《南方都市报》的“名记”、“名编”都很熟悉，却压根儿没听说过这个名字，那也不奇怪，因为这个人素以低调著称。

采访中，他十分谦虚地说：“不是我一个人，而是一个群体；不仅仅是现任领导，还包括前几任领导；南方日报报业集团能有今天，是集体智慧的结晶。”

大将范以锦——

他是南方日报报业集团媒体多品牌战略的倡导者、策划者和实践者之一

范以锦第一次公开浮出“水面”，是在2002年10月12日举行的第四届高交会“全球经营管理大师峰会暨电子政务与公共管理国际研讨会”上。

作为传媒代表，范以锦受邀在会议上作了题为“国际化背景下的媒体多品牌战略”的演讲——其媒体多品牌战略的核心观点是，在中国媒体日益面临的全球化竞争中，实施多品牌战略势在必行。一是必须从单一的新闻竞争转到塑造媒体品牌的竞争，二是必须从单一媒体品牌的竞争转到媒体多品牌的竞争，三是必须从单纯的媒体品牌产品竞争转到品牌理念所延伸的各个领域的竞争——这短短20分钟的演讲，激起了与会国内外管理大师们的强烈兴趣，并旋即成为峰会的热门话题。尤其是他关于“龙生龙，凤生凤”的优生优育的滚动式发展妙喻，一时成为新闻界耳熟能详的经典。

在一定意义上说，媒体多品牌战略正是近年南方日报报业集团滚雪球般发展的真实写照和理论升华，而范以锦则是这一战略的倡导者、策划者和实践者之一。

南方日报报业集团的成功用范以锦的媒体多品牌战略诠释，就是龙生龙，凤生凤，龙生的儿子必须赋予龙的资质和禀性。他认为，对新办子报，主报应当倾其优质的人力资源、新闻资源和技术设备、资金优势，以此作为催生新子报的“孵化器”，不办则已，要办就志在必成，容不得半点犹豫；每一个“儿子”不仅有各自的名字，还得有各自的面孔和个性，各自的定位和理念追求；从市场覆盖来说，既有面向全国的，也有主攻广东的，既有阳春白雪的，也有下里巴人的；从组织结构来说，集团与下属单位形成利益共同体，其权力分配遵循既利于强化集团调控力，又有利于激活各局部积极性的原则等等，从而使集团的整体品牌形象与局部的品牌个性形象形成合力，转化为巨大的社会影响力。

自1998年集团成立以来，全集团的广告营业额每年以两个亿的速度递增，并创造了诸多“全国第一”:《南方日报》发行量、广告营业额连续17年居全国省委机关报第一;《南方周末》发行、广告、效益多年在全国同类报纸中居第一;《南方都市报》去年广告营业额5亿多元，在同类报纸中居第一；全集团有三家报纸广告营业额超亿元,创全国报业集团第一。显而易见,多品牌的战略在南方日报报业集团显示了巨大的效益。

报人范以锦——他表现了高超的政治家办报水平和专业水准

自1970年进入南方日报社，范以锦历经了30多年的各种磨炼，对政治家办报、舆论导向把握、新闻运作规律等都有深刻的领悟和独到的见解，表现了非常高超的政治家办报水平和专业水准。

1999年，范以锦凭丰富的政治经验和新闻工作经验，对舆论导向方面的现象进行精辟归纳、总结，提出了把握好舆论导向应注意的20种情况，具有很强的指导性和操作性，广受全国新闻界同行好评。2000年2月，江泽民总书记到广东指导工作，听取了李孟昱社长代表南方日报社委会的工作汇报，对范以锦总结归纳的“20条”给予了充分肯定，并要求把这20条的文字材料尽快送给他。

针对近年来舆论导向方面的一些偏差，2000年南方日报社连续举办了7期培训班，对全体采编人员进行马克思主义新闻观教育。范以锦担任第一期培训班班长，并亲自上课，现身说法，剖析疑难，和大家一起找问题、查原因，收到了良好效果。此举受到了中宣部充分肯定，并决定在全国推广。

在新闻界群雄蜂起、竞争日益白热化的今天，如何把《南方日报》办得更有感染力和吸引力，是范以锦及南方日报社委会近年来苦苦探索的重大课题。1995年，范以锦初任总编辑，就强调要在权威性、指导性和可读性的结合点上做文章。1999年，他进一步明确提出"突出权威性，强化可读性，增加新闻性"的改革思路，同时强调抓好典型报道、深度报道和批评报道三个拳头产品。近年来，他又提出将《南方日报》办成广东省内最权威、最有高度和深度的大报。

批评报道是《南方日报》的一面旗帜，而范以锦是公认的搞批评报道的专家。在任报社领导之前，他写过大量有广泛影响的批评报道，多次获奖，后来又长期分管《南方日报》舆论监督报道。他任总编辑期间，仍亲自抓批评报道，对重大批评报道直接指挥和把关，并亲自撰写有关言论。他直接指挥和编辑的洋青抢肉事件报道、粤东摩托车走私追踪报道、"7·11"海难见死不救事件报道等，均引起了强烈反响。在长期的舆论监督实践中，范以锦总结出了一整套成熟的做法和经验，如找准政府和群众关注的结合点，把握好解决问题的时机等等，对保证批评的方向、强化党报的权威起到了很好的指导作用。

今年以来，在范以锦的坚决支持下，《南方日报》大刀阔斧地推出了新一轮的改革，在全国省委机关报率先将宽幅报改为窄幅报，内容方面更是锐意创新，在全国新闻界引起了不小的轰动。

领导范以锦——

他的人格魅力，感染着、激励着这个群体，在他周围像有个强大的磁场，聚集着、涌动着一个一流人才团队

在南方日报报业集团，似乎还没有人把范以锦与一个重量级集团的"大老板"联系起来。

报社采编大楼五楼角落里那间社长办公室，大门永远敞开着，无论你是编辑、记者，还是其他职工，你有些什么想法、意见或烦恼，都可以径直走进社长办公室找范以锦聊聊。范以锦从来不会因为你的冒昧而露出些许厌烦，他会从堆成小山般的文稿后起身走出来给你让座，耐心地听你的意见。也许你的意见只是一堆"垃圾"，也许你的言词未免偏激、刺耳，你都不必担心他会面露不悦或嘲笑讥讽你。此刻，坐在你面前的就是一个宽厚睿智的兄长，他有一副能海纳百川、从谏如流的博大的胸怀！他不会同你打哈哈，应付你、敷衍你，能解决的为你解决，不能解决的耐心解释。

范以锦经常说："我可能不是有本事的人，但作为社长，我有责任把最有本事的人用到最关键的岗位上，把各种人用到最适合他发挥才能的地方。领导者应该是黏合剂，把人才黏合在一起。"在范以锦当总编辑和社长任内，南方日报报业集团大刀阔斧地推进人事制度改革，通过实行竞争上岗、层

庆贺千禧年集团领导与员工同乐。

层聘任、双向选择的机制，变“相马”为“赛马”，为大批有能力有抱负的年轻人提供了展示才华的舞台。对有这样那样缺点的同志，范以锦也总是抱着满腔的热情，从不轻言放弃，而是千方百计地创造条件让他们发挥作用。有一位大学毕业不到一年的年轻人，双向选择后没有部门要他，面临下岗之际，范以锦亲自找他谈话，全面分析了他的优缺点，鼓励他扬长避短，重新开始，同时亲自做某个部门领导的工作，给这位年轻人做了适当安排。事后证明，在适当的位置上，这位年轻人不失为一个人才。

范以锦为人随和平实，是公认的谦谦君子，但“吕端大事不糊涂”，他的原则性不是表现为咄咄逼人，霹雳雷霆，而是一种出自骨子里的刚正和淡泊，是一种“无欲则刚”的境界。范以锦长期管舆论监督报道，上门求情说事的人很多，有上级领导，有老熟人老朋友，还有一些是亲戚，也有当事人摸上门来送钱送物的，但他都不为所动，该怎么办还是怎么办。当然道理也要跟他们讲清楚，治病是为了救人。有一位基层领导受了批评，后来他对错误认识比较深刻，整改得也不错，范以锦又派记者给他写了一篇整改报道。这位基层领导感激涕零，买了重礼找上门来表示感谢。范以锦说，你这样搞又要受批评了，最后硬是叫他把东西拿走了。

范以锦是“宰相肚里能撑船”的人，你当面冲撞过他也好，背后议论过他也好，都不必担心他会给你小鞋穿。相反，他还是会一如既往地关心你，替你考虑一些问题。一些原来对他有某种误解的人最后都大为感动，成了他的朋友。

范以锦就是这样，以他的人格魅力，感染着、激励着这个群体，在他周围像有一个强大的磁场，聚集着、涌动着一个一流人才团队，这也是南方日报报业集团不断取得新的成绩的重要保证！

（广东《支部生活》2003 年第 1 期）

三　历史丰碑铭刻着南方报人与支持者的名字

在南方日报报业集团新一轮深化报业体制改革的大幕拉开之际，我们迎来了《南方日报》55岁华诞。在这欢庆丰收的金秋时节，我代表南方日报报业集团社委会和全体员工，对前来参加今天庆祝会的各位领导、各有关部门的同志以及作者、读者，表示热烈的欢迎和致以深切的谢意。

55年前，伴随着解放华南的隆隆炮声，《南方日报》像一株幼苗，从珠江之畔破土而出。历经半个多世纪风风雨雨，收获55载春华秋实，见证了共和国波澜壮阔的光辉历史，记录了岭南人民改革开放的伟大进程，如今的《南方日报》，已长成为一棵参天大树，深深扎根在广东这块沃土上。

在半个多世纪的峥嵘岁月里，无论风云如何变幻，《南方日报》始终得到党和国家几代领导人的殷切关怀。与我们相伴55年的《南方日报》报头是毛泽东同志于1949年10月13日题写的；1989年，邓小平同志写下了“南方日报创刊40周年”的题词；1994年8月5日，江泽民同志为《南方日报》创刊45周年题词：“以科学的理论武装人，以正确的舆论引导人，以高尚的精神塑造人，以优秀的作品鼓舞人。”长期以来，中共广东省委把办好《南方日报》作为一项重要工作来抓，时刻关注和支持南方日报的发展。作为中共广东省委机关报的《南方日报》，把中央几代领导的关怀作为动力，在中共广东省委的坚强领导下，以强烈的责任感和使命感，始终与我们党、国家和人民同呼吸、共命运。在牢牢把握正确舆论导向的同时，努力探索报纸的权威性、指导性和可读性相结合的有效途径，贴近实际、贴近生活、贴近群众，不仅发挥了党报在舆论宣传方面的主导作用，而且扩大了党报的市场影响力，实现了经济效益和社会效益的统一。《南方日报》的发行量已连续十八年位居全国省级党委机关报之首。

今天，在《南方日报》基础上所组建的南方日报报业集团，通过实施媒体多品牌战略，已迅速发展成为以报业为主体，拥有七报四刊、一个出版社、一个国家重点新闻网站，横跨出版、信息、印刷、广告、物流配送等产业的大型报业集团，被业界誉为“报业结构合理、读者覆盖面广、综合运营能力强”的报业集团，被评选为“最受尊敬的中国企业20强”。2003年，集团经营喜获全面丰收，集团营业收入23亿元，其中广告营业额17亿元，利税两项相加超过3亿元。

从20世纪90年代后期起，国内报刊市场竞争越来越激烈，省级党委机关报受到严峻挑战。面对困境，南方日报的办报者们一直在思考：省级党报出路何在？南方报人响亮提出：党报强才是真的强，作为南方日报报业集团旗舰的《南方日报》必须做大做强。为了找到振兴党报的创新路径，南方报人向市场要数据，向读者要意见，向实践要答案。通过调查发现，省委机关报的重要读者是各级领导者、决策者，是各层面的管理者、投资者、经营者和研究者，是公务员、商人和专业人士。他们是当今社会的主流人群、高端读者，他们对经济社会的发展和政治文化的走势具有强大的影响力。我们认准报纸最大的优势在于它的权威性和公信力，明确提出了“高度决定影响力”的口号，决心办一张靠报道深度和思想高度独立于市场的全新党报。从2002年8月6日起，《南方日报》大规模扩改版，对党报理念进行了全新思考和定位，对报纸内容和形式进行了全新改进和包装，对现代报业制度建设和市场营销进行了全新探索和实践，新闻性、权威性、必读性进一步强化，确立了华南主流政经媒体地位。2003年8月6日，《南方日报》再度改版，瞄准市场热点，增设投资、IT、旅游、汽车、健康、成才六大专业周刊，进一步强化政经媒体的特色，培育有效目标市场。2003年12月12日，《南方日报》第三次改版，采取梯次发展战略，增辟珠三角新闻版块，进一步贴近都市、贴近生活。在做好新闻采编的同时，深化党报发行、广告等经营体制改革，整合发行和广告营销渠道，使发行和广告成为促进和保障《南方日报》发展的两个强有力的助推器。2003年，在全国不少省委机关报广告、发行继续滑坡的严峻局面下，南方日报迎难而上，广告实收额比上年净增1500万元，总实收额重上一个亿；在广州、深圳等珠三角中心城市的发行增加5万多份，读者结构更趋合理。南方报人逐步探索出一条在市场经济条件下办好党报的成功之路。

南方日报报业集团成立于1998年。在这之前或之后创办的媒体产品，基本上办一个成功一个。从报业集团的旗舰《南方日报》，以及早已风行全国的《南方周末》，畅销省内的《南方农村报》，到不断涌现的新生媒体《南方都市报》、《21世纪经济报道》、《南方体育》、《城市画报》、《名牌》等，一连串响亮的媒体品牌，都伴随着令人瞩目的成就。2003年11月，南方日报报业集团与光明日报报业集团联手打造《新京报》，先声夺人，强势进入北京报业市场，成为中国第一家经新闻出版总署批准的跨媒体跨地域经营的范本。2004年，集团的家族中又新添了《南方人物周刊》、《21世纪商业评论》等新成员。此外，我们还在南海建立了南方报业传媒产业基地。这些都印证并成功延续着南方报业“整合资源，滚动发展，品牌竞争，报系运营”的媒体多品牌发展战略。

我们将集团的媒体多品牌战略形象地称为“龙生龙，凤生凤”的滚动发展模式。谁是“龙”头？当然是《南方日报》，我们将主报《南方日报》作为子报的孵化器。首先利用《南方日报》的人力资源、新闻资源、技术设备和资金优势，创办了《南方农村报》、《南方周末》、《南方都市报》，然后又利用《南方周末》的人才和发行渠道、印刷网络等资源创办了《21世纪经济报道》。《21世纪经济报道》羽翼丰满后，又从南方周末分离出来衍生出其他报刊。实施多品牌战略，使南方日报报业集团形成了合理的报业结构，既有面向全省，又有覆盖全国、在国内外有较大影响力的报纸；既有综合类的，又有专业性较强的报纸；既有大众化的，又有高层次、面向精英阶层的报纸；既有面向城市，又有以农村读者为对象的报纸，每个报刊都有自己的目标市场和特定的读者群体。在全面总结多品牌发展经验的基础上，南方日报报业集团进一步深化多品牌战略的理论内涵，提出了“报系”结构的概念。2003年，集团相继成立了21世纪报系、南方周末报系和南方都市报报系。成立报系，标志着南方日报报业集团的多品牌战略进入了一个全面提升、全方位提速的报系运营阶段。

回顾《南方日报》不断发展壮大的光辉历程，不仅南方报人倍感自豪，每一位关心《南方日报》的人都深感欣慰。我们不会忘记为南方报业发展作出了贡献的老一代南方报人。在创办南方日报初期，曾担任社长或总编辑的饶彰风、曾彦修、杨奇、赵冬垠、李超、王匡、陈冷等同志，带领老一代报人艰苦创业，

在南方日报55周年社庆大会上，与原中共广东省委第一书记任仲夷在一起。

顽强拼搏，为南方报业的发展奠定了基础。从上世纪50年代中期至60年代，曾先后担任社长、总编辑的黄文俞同志，带领一班人把《南方日报》推上了发展阶段，并创办了《广东农民报》和《广东画报》。在进入改革开放的新的历史时期，报社主要领导丁希凌、陈培、张琮、刘陶、李孟昱同志在带领南方报人推进南方日报的新闻改革的同时，先后为《广东农民报》的复刊，为创办《南方周末》、《南方都市报》、《21世纪经济报道》等付出了艰辛的劳动。原省委书记林若同志，原省委常委陈越平、黄浩同志，原省人大常委会副主任张汉青同志，都曾在南方日报担任领导工作，为南方日报呕心沥血。在南方日报改革发展的重要阶段，担任省委领导的任仲夷、谢非、吴南生、杨应彬同志作过许多重要批示，为南方日报的健康成长起到重要作用。今天到会的原省委常委方苞同志、广州市政协主席陈开枝同志也对南方日报予以高度关注和支持。1950年4月4日中共中央华南分局决定，任命叶剑英、方方、肖向荣等同志为党报委员会委员，对加强党对南方日报的领导、扶持南方日报的发展作出了贡献。我代表新一代报人对曾经为这份报纸倾注过心血的老革命家、老一代报人，对从方方面面扶持过南方报业发展的各级领导、同志们、朋友们表示崇高的敬意和衷心的感谢。

无论是老一代还是新一代南方报人都深感，我们每前进一步都离不开广东人民的支持。作为时代进程的守望者、记录者和鼓动者，我们深情眷眷：没有广东发展的历史，就没有南方日报发展的历史，我们所做的一切，都与改革开放前沿的广东人民血脉相连。我们一天都不停止地用白纸和油墨记载广东，当然也同时记载我们自己；我们正在倍加努力续写广东辉煌的新篇章，当然也同时续写我们自己。

历史丰碑铭刻着广东与南方报业的名字，也同时铭刻着南方报人与在座各位支持者的名字！

2004-10-22

作为时代进程的守望者、记录者和鼓动者，我们深情眷眷：没有广东发展的历史，就没有南方日报发展的历史，我们所做的一切，都与改革开放前沿的广东人民血脉相连。我们一天都不停止地用白纸和油墨记载广东，当然也同时记载我们自己；我们正在倍加努力续写广东辉煌的新篇章，当然也同时续写我们自己。

四　品牌媒体倡导者与大学生的梦想对话

梦想对话——动感地带21世纪高校论坛

地点：广东外语外贸大学

主持人：凤凰卫视原著名节目主持人梁冬

演讲嘉宾：南方报业领军人物范以锦

（网上在线直播）

首届“梦想对话——动感地带21世纪高校论坛”，

2004年10月上旬至下旬举行，论坛举办地包括中山大学、华南理工大学、广东外语外贸大学、深圳大学等十所高校。主办方为南方报业集团21世纪经济报道“梦想对话——动感地带21世纪高校论坛”（系列论坛）组委会。

一批专家学者、社会名流作为嘉宾应邀出席演讲，并与学生面对面碰撞、交流。其中，梁冬作为主持人、范以锦作为演讲嘉宾参加了广东外语外贸大学的活动。

主办方坦陈：“纵观近几年的大学校园，由于面对复杂的环境、各样的价值观以及社会的急剧变化，不少青年学子显得无所适从，甚至迷失方向。作为以‘我们的梦想就是国家的梦想’为使命的中国商业报纸引领者，《21世纪经济报道》深刻地了解自身所承担的责任。”

“梦想对话——动感地带21世纪高校论坛”设计的初衷便是通过邀请社会

知名人士与高校学生分享自身对梦想的体验，以及追求梦想，努力实现梦想的经历，对青年学子如何更好地实现自身梦想提出体会与箴言，并在这种言传身教中，通过嘉宾与学生对“追求什么以及如何追求”这两个问题的探讨，激励莘莘学子树立敢于拥抱梦想，勇于追逐梦想，勤于实现梦想的积极人生观和价值观。

致力于媒体品牌打造的范以锦，以其对事业的不懈追求和对人生真谛的领悟，敞开胸怀与大学生进行心灵的撞击，共同分享人生智慧。

主持人：掌声欢迎范以锦先生！

范以锦：大家好！今天我能够来到这里与大家一起交流，心情特别好。当我站在充溢青春活力的同学们中间时，我变得年轻了。

同学们问我，你现在有什么理想与追求？有什么梦想？我在南方日报干了一辈子的新闻事业，我现在的梦想，就是要将我的起点和归宿——南方报业——办成为中国最强最大的报业之一，要称雄全中国，并扩大其在世界的影响力，这就是我现在的梦想。当然，这需要一代一代人接力竞逐。我已年近花甲，快从集团领导岗位退下来了。我现在所要做的是，继续营造品牌影响力，营造发展后劲，南方报业不仅要做强、做大，还要做持久。

我在南方日报干了一辈子的新闻事业，我现在的梦想，就是要将我的起点和归宿——南方报业——办成为中国最强最大的报业之一，要称雄全中国，并扩大其在世界的影响力，这就是我现在的梦想。

同学们还问我，你年轻的时候，有什么梦想？有些什么样的追求？我觉得我从少年进入到青春时期，我的梦想和追求，是非常模糊的，非常迷茫的。我进入到青年的后期，尤其进入到中老年之后，对梦想的追求，对理想的追求，愈来愈清晰，直至这几年到了如痴如醉的地步。

按理说，年青时代是最富于想象力和表现力的。但由于家庭环境和社会环境的影响，就会出现难以想象和表现的情况。我1946年出生在马来亚橡胶园，1949年随父母回到了粤东山区农村，条件非常艰苦。不过，分到了田有了地之后，起码可以吃饱饭。但到了公社化、大跃进年代，进入到了经济困难时期，我们是饿着肚子上学的，那时候我上初中，初二、初三是最困难的时候，吃不饱。现在大家一听到什么禽流感，都要把鸡全处理掉。我们那时死鸡死猪都舍不得丢掉，都煮来吃，非常艰苦。我父亲有一份固定的工作，比一般的农家生活好些，但母亲身体不太好，还有一位外祖母，我兄弟姐妹7人，除卖掉的一位弟弟一位妹妹之外，共有5个兄弟姐妹，家庭负担重。海外亲戚有时会寄来一些钱物，解决一些困难。到了中央颁布《六十条》后，农村分了自留地，生活好一点。1964年我考上了广州暨南大学，应该讲生活是比较好了。但上学两年之后，“文化大革命”的风暴来了。我在学校一共呆了六年，五年的学制，本来是1969年毕业，一直到1970年才分配工作。在学校干什么呢？开始就是大鸣大放、大串连，停课“闹革命”。后来是下农村，跟农民“三同”（同吃同住同劳动），干了一年。然后到另外的一个农村干了半年，又在煤厂做蜂窝煤、到商店卖杂货半年，接着到了湖南洞庭湖部队农场又干了半年。在湖南洞庭湖，一个人耕十几亩田，主要种棉花和水稻，没有机械化操作。农忙的时候，早上三点半钟起床，到晚上十点半才收工，连饭都在田头吃。那是非常艰苦的劳动，我在学校的时候体重上百斤，到了1970年从农场分配到南方日报的时候，只剩下75斤，不用减肥就瘦下来了。现在你想减肥的话，劝你到农村去劳动一两年，效果一定很显著！到南方日报工作了几个月，我又到农村去，当了大队的副大队长，相当于现在的村委会副主任的职务。一年后回来当记者，被派往粤东山区当记者。上个世纪70年代中期，我又到农村与农民“三同”一年。80年代中期农村搞整党，我受省委委派带领工作组下去又一年。就这样，从学生到当农民、店员、工人、部队农场战士，一直到大学毕业分配工作后当农村基层干部，当记者、记者站长，当部门主任，当编委，当副总编辑、总编辑到当社长。这就是我的人生经历。

从我刚才讲的情况可以看出，在生活非常艰苦的少年时代，你说我有什么美梦？有天晚上，我做了一个梦，笑出声来，我的父亲问我笑什么？我说梦见吃到一块肥猪肉，很高兴。到了“文革”，我们个人的理想、个人的价值受到了压制，那时候我的梦想是什么？梦想是，想尽快知道哪一天结束“文革”，希望早一点分配工作，这个就是我们当年的梦想。

为什么说我现在对事业的追求已经到了如痴如醉的程度呢？因为，我个人的命运跟国家的命运是联系在一起的，我个人所要肩负的历史责任、社会责任，与当今国家的目标协调一致。我个人的创造性、要实现的价值，与国家昌盛、政治文明结合在一起。改革开放的政策与我们南方报业发展前进的要求是一致的。比如说，我想做强做大报业，但是报纸属意识形态领域，非常敏感，过去是不允许别的单位来跟我们合作经营的。三年前，我们让21世纪经济报道引进民营企业上海复星集团的资金，进行经营方面的合作。结果，21世纪经济报道第一年亏本，第二年赚了钱，第三年上了个大的台阶，创造了中国报业的奇迹。现在报业融资政策放宽，这说明国家在与时俱进，改革开放的进程与我们报业改革的进程是一致的。又比如，我们要做强做大报业，我们要进军北京，跨地域办报需要有官方的支持，中宣部和国家新闻出版总署批准我们报业集团与光明日报报业集团联合办《新京报》。现在形势非常好，报纸办出了影响力，也激活了当地报业市场，预期效益良好，将来一定会成为南方报业的又一经济增长点。所有这些，如果没有国家的改革开放政策，南方报业是没有办法大发展的，我个人的价值也是没有办法实现的。所以说，虽然我今年已经58岁了，快要退到二线了，但这几年我感到青春焕发，现在我真正感觉对事业到了如痴如醉的程度。

那么，能不能说我前半辈子是虚度光阴了？白活了半辈子？不能这么说！我觉得我年轻时期的艰难困苦，那些挫折，那些迷茫，磨炼了我的意志，磨炼了我的心态，磨炼了我的专业精神。现在，即使我碰到了风风雨雨、碰到了挫折，但我意志坚强。为什么？因为我是从小一直在磨炼中长大的，参加工作以后，又在基层反复磨炼。为什么我心态很平和？因为我接触基层很多，我看到了中国还相当多的人处于贫困状态。想到这些，我有一种满足感。当然，也受父辈的影响。我的父亲解放初期当乡长，后来当了县城的副镇长，但文化不高，在上个世纪50年代中后期，县里缺司机，他主动要求当工人，去开车，以干代工，干得不亦乐乎，活得痛快、活得长寿，近90岁高龄了。他的欲望跟我的是一样的，感到有一种满足感，所以我的心态非常平静。还有就是专业追求，讲究“螺丝钉”精神，爱一行干好一行。如今要求年轻人像“螺丝钉”那样，死“钉”在那里似乎是不适合的了，现在青年人不断地调整岗位，找到自己最适合的位置。但在当年我们那个时代，不允许人才流动，叫你干啥就干啥，甚至叫你傻干就傻干，无法躲避。今天这个时代可以流动了，但我又老了，走不出去了，生为“南方人”，死为“南方鬼”，我还是那颗“螺丝钉”，紧紧钉在那里，原有的专业精神还得保持和发扬。这种专业精神，是要经过反复磨炼，才能练成的。现在，允许人才流动，但不可能人人都流动，相当一部分人是流动不了的，要想有所作为的话，也只能是“干一行，爱一行，专一行”，在现有的岗位上磨炼你的专长。我觉得我刚才讲的那三点，对在座的同学们也应该有所启示。现在同学们生活条件比较好，很顺利，没有经过多少风浪，所以我建议同学们，要在岗位上经受风浪的磨炼。但这种磨炼不是走我的路子，不是说你也要去“三同”、也要到农场去劳动，我觉得每个岗位都有磨炼人的机会。比如讲，像我们南方日报的记者，参加抗非典斗争的报道，参加抗洪抢险的报道，都是一种磨炼。不要老想在办公室找一份悠闲的工作，我觉得年轻的时候到大风大浪中去磨炼，打下坚实的基础很有好处。还有心态问题，它是通过磨炼、通过对社会的观察养成的。如果你心态不平衡，走上社会以后，碰到利益的诱惑，你会眼红，你会妒忌，你会抛弃理想，甚至受利益的驱动铤而走险。有广泛的社会阅历还不够，还要强化我们的社会责任感。对中国的国情你要清醒，现在还有很多落后的一面，当听到传闻或初步接触某种社会现象时，也许你会感慨万分，甚至悲观失望。但你广泛接触社会后，你知道落后的一面不是一天两天能改变的。国家的进步和发展需要一个过程，只有通过多方面多角度和深入的观察，我们才能更客观地看待社会问题，才会与国家和人民同呼吸、共命运，共同来解决社会上存在的问题。还有刚才讲到的专业知识，我认为不管你是学什么专业的，大学毕业后，不一定完全能够对口安排，但我觉得这不要紧，可以在实践当中学习。我当记者，我想当个优秀的记者，但我学过新闻没有？我没有学过，我是到工作岗位后才开始学的。我当总编辑，我就想将《南方日报》、将我们的子报办成全国有影响力的报纸，我没有想到我会当总编辑，我也是在实践中学的。我当社长，要考虑做强做大报业，将我们的媒体品牌提升到报业品牌，将南方报业的牌子亮出去，让它的影响力扩大，把它的经济实力增强。有的人说你是经济系毕业的，可能懂得经济运作。但我告诉大家，我学的是计划经济。我当年学的就是，“帝国主义是垂死的、腐朽的资本主义”。我们学计划经济，相当一部分内容花在学毛主席著作的一些论断，了解这些当然也需要。但不学市场经济的概论，商品经济的知识学得不多。我现在是在实践当中学习，我也不是很聪明，我只是不断地学习，不断地从书本上、从网上掌握新信息，不断地磨炼。比如，我57岁时还参加中山大学EMBA培训班学习，利用双休日学了七八个月，收获很大。我讲的报业战略，有些理论基础是从这里得到启发的。我觉得在座的年轻人和我们不同，我是到了晚年才焕发青春，你们现在年轻的时候，就有理想，有追求，有丰富的想象力，有追求的梦想，我觉得你们非常幸运。只要大家在工作岗位上，不断地磨炼自己，开创事业，在大风大浪里，在社会实践中，了解社会，我觉得命运是掌握在你们手上的。祝愿在座的各位事业成功！谢谢大家！

我的父亲解放初期当乡长，后来当了县城的副镇长，但文化不高，在上个世纪50年代中后期，县里缺司机，他主动要求当工人，去开车，以干代工，干得不亦乐乎，活得痛快、活得长寿，近90岁高龄了。他的欲望跟我的是一样的，感到有一种满足感，所以我的心态非常平静。

主持人：听了范老师的讲课，我才领会到什么叫大将风范。真的，让我们再一次用热烈的掌声，向范老师致以谢意。

那么，现在有一个环节，叫做“名人对对碰”。有一个手机号码为1356021××××的同学，他的问题是这样子的：有人说赚钱永远不晚，先深造最重要。也有人说赚钱要趁早，现在社会淘汰竞争激烈，趁早赚钱拿到手再说。您如何看待这个问题？

范以锦：我觉得是这样的，就是我们集团常讲到的长远发展战略的问题。那么，你这个赚钱如果是指你个人的话，我觉得个人也应该有一个长远的战略跟短期目标相结合的问题。我们集团有一些品牌领军人物，他们现在的影响力非常大，而且他们的工资收入不低。但是在他的成长过程中，并不是一开始就用短期行为去赚大钱，有的人在某一个岗位上能够赚大钱，但他不去，不为眼前利益所动，他到什么地方？到最能够发挥他的作用的岗位上去磨炼。在最能发挥作用的岗位上磨炼之后，他出名了。贡献大又出名，在我们集团的工资也高了，外单位还用高薪来挖，有的用年薪50万元来挖他走。这说明一个什么问题呢？如果你目光短浅，受某个时刻的利益的驱动，那么你就会看到什么地方钱好赚你就盯在哪里，但没出息。在这个岗位上，可能你的专业、你的专长不能发挥作用，我觉得这样就太可惜了。我还是希望脚踏实地，要想得更长远些，先把基础打牢，打牢以后，你对集团的贡献大，你个人的价值也会得到承认、得到体现。

主持人：好！《南方日报》以“高度决定影响力”为口号，难道您不担心会曲高和寡吗？

范以锦：过去我们《南方日报》在没有报业竞争的情况下，我们的发行是最辉煌的。我们的发行量最高的时候是99万份，为什么那么多呢？当时《羊城晚报》停办了，《广州日报》也还没有复刊，广东省唯一一份报纸就是《南方日报》，那时发行量就是最大。这些年，随着报业市场的竞争，有《羊城晚报》、《广州日报》，还有我们的《南方都市报》等等。这种竞争的局面，要求你必须针对细分的市场来办报，《南方日报》当年包打天下的时代已经过去了。我们过去提出《南方日报》既要进入机关、企事业单位，又要进入寻常百姓家，期待各个层次的读者都来看，当时做得到。但如今在报刊林立、竞争异常激烈的环境下，办不到。机关报也要走市场，怎么办？我们分析了报刊现状，市场肯定要走，问题是你所拥有的市场在哪儿？市场面有多大？你的市场读者面有多宽？你的读者是哪些人？我们经过研究后认为，要求所有人都看《南方日报》，不现实啊！我们要有特定的读者群，或者是重点读者群。重点读者是谁呢？领导干部、公务员及其他方面的国家工作人员，党的各级组织负责人及社会各个层面的管理者，中高层次的经营人员（比如，广告经理、房地产开发商等），专业人士（比如从事理论工作的、搞法律的）。为什么说搞法律的要看我们的报呢？因为省人大通过的所有法规文件，《南方日报》一定要登，是指定刊登的报纸，其他报纸一般不登，法规文件，在我们机关报上是最齐全的。我们的主要读者是社会主流人群。这些人群是比较高端的读者，从经营的角度看，他们对广告有决策权。我们根据上述的这些分析，思考能否放弃一部分细分市场，争取更多的高端读者，所以提出了“高度决定影响力”的这么一个口号。如果你想什么读者都争取，人家炒“歌星”你机关报也炒“歌星”，《南方日报》的特色就没有了。所以我们以高度、以深度的文章来去应对省委、省政府的重大的决策，尤其是与老百姓关系密切、为老百姓所关注的题材，我们过去往往只发一条消息，我们现在除了一版发消息之外，还用一个版、两个版甚至几个版来做。我们强调争取高端读者，也并非排斥其他读者，我们讲的是主次的问题，什么工作都有主次。而且读者的层次也是处于动态中的，今天是低端，明天可能成为高端。

实践的结果效果明显，我们原来在广州、珠三角的市场发行量是在下跌的，现在经过努力已走出低谷，近年来《南方日报》在这些重要区域增加了5万多份。这几年全国有不少省委机关报的发行量在下跌，《南方日报》却在上升，广告也在上升，《南方日报》发行量已经连续18年居全国省委机关报之首。

主持人：谢谢！刚才这个话题，其实涉及到一个市场细分的问题。相信我们很多同学是学外语的，但多多少少现在大学生对于市场营销学都还是很敏感的。报业的竞争其实相当激烈，尤其在广东市场，报纸很多，那如何能够影响到有影响力的人群，其实非常重要。就有如凤凰卫视为什么提出影响有影响力的人，因为在这个社会上，他们的影响力是逐层过来的。所以尽管有些同学我相信学外语学得很好，以后可以做洋买卖。但是学习影响有影响力的人，还是很重要。当今媒体面临这样一个困境，唱官腔，群众就反感，说真话又容易得罪某些人，说得好像群众和政府是对立的一样，其实处理得当显然不是这样的喔。那么，请问南方报业如何在这种矛盾中生存呢？

范以锦：媒体与政府不是对立的，媒体对政府的工作进行舆论监督，也是正常的，不能因此就说是唱反调、对着干。但作为媒体必须善于把握自己，要在政策和法律的范围内研究生存之道、发展之道。谈到报纸的生存问题，有两种情况会导致报纸的死亡：一种是触犯了政治的雷区，突然死亡；一种是不思进取不改革，慢性自杀。我们现在有一些报刊并没有人强制它停刊，但自取灭亡自己宣布停刊。无法办下去，原因在哪里？无人购买、发行不了？还是缺资金？也许都有关，但根本原因是不思进取不改革，缺乏善改革、谋发展的人才，那是肯定会走向死亡的。不要以为犯了规、踩了线，才会死亡，办得不好失去市场同样会死亡。如果政治上的雷区触犯了，当然也会引起一些报刊的停办，正因为如此，我们强调坚持政治家办报。不能简单理解为上面说什么你就干什么，就是政治家办报。政治家办报的内涵丰富深刻，包括要有政治家的敏锐、政治家的胸怀、政治家的智慧、政治家的艺术。你要预料到事物发展的前景是怎么样的，要有前瞻性和预见性，哪些报道可以做哪些不能做。有的尽管超前一点，但不会发生问题。有些报道如果过于超前，引爆了社会问题，发生了严重社会动荡，政府部门不满，甚至老百姓也不满，就有可能由此引出媒体的危机，严重的当然会停刊。所以要求我们要坚持政治家办报，要有政治智慧，要讲究办报艺术，要懂得生存之道。讲政治智慧，重要的就是你对形势的判断、对事物发展的趋势的判断要准确。比如讲，对“法轮功”的问题，可能大家不清楚，南方报业是最早将“法轮功”定性为邪教的。《南方日报》、《南方周末》、《南方都市报》、《南方农村报》同时出击，在取缔“法轮功”的前两年，已经在报上批“法轮功”了，并认定是邪教。当时对这个“功”那个“功”，是碰不得的，因为当时有规定“不宣传，不批判，不争论”。为什么我们几家报纸敢把这个问题在报上端出来，敢冒一点风险（也真冒了风险，遭到“法轮功”成员的围攻），因为经过反复调查，知道“法轮功”再搞下去，肯定会出乱子，会引起社会的动荡不安。所以，我们集团的几家报纸就下了这个决心，分别对“法轮功”进行批判。批评伪气功、伪科学（如水变油等），《南方周末》历来是冲锋陷阵的。事态的发展证明了我们对“法轮功”的批判是正确的，对伪科学的批判也是对的。

又比如讲，《南方周末》发了一篇有关“从革命党到执政党的转变”的重头文章。在十六大召开之前，我们发了一篇这样的大文章，这里也有个新的提法问题，“从革命党到执政党的转变”，这个提法“新”的第一层，在用“革命党”这个词。此前的媒体不敢用，怕被反问，“难道我们现在就不革命了”？都用“领导革命斗争的党，领导武装暴动的党”等等提法。从“革命党向执政党转变”，这样说很简洁，如果不钻牛角尖，也很明了。

这个提法“新”的第二层，在谈中国共产党的转变，这个问题能不能公开谈？南方周末认真研究了中央领导同志的公开讲话，认为这是一个已经被中央重视的核心课题，是中国最大的时政新闻。江泽民同志在中国共产党成立80周年的纪念大会上曾经作了深刻的揭示：“我们党已经从一个领导人民为夺取全国政权而奋斗的党，成为一个领导人民掌握着全国政权并长期执政的党；已经从一个在受到外部封锁的状态下领导国家建设的党，成为在全面改革开放条件下领导国家建设的党。”这段讲话中所阐述的正是这种转变的内涵。这篇文章登出来以后，有的人担心，有一些报刊想转载，但又有疑问。实际上我们的文章是有根据的，是经过了科学的分析和判断的。哪些题材我们要敢于去刊登，哪些不能刊登，一定要对整个政治形势作出判断，对社会发展潮流作出判断，还要对我们社会的承受力作出判断。如果引起了社会动荡，也不是我们所应该看到的，在这方面有时我们也会比较慎重。

主持人：好，谢谢！资历浅、经验少的应届毕业生，能够成功应聘大企业的筹码是什么？

范以锦：我觉得各个企业有它不同的企业理念和用人理念，各自的筹码是不同的。像我们南方报业，对大学生的要

谈到报纸的生存问题，有两种情况会导致报纸的死亡：一种是触犯了政治的雷区，突然死亡；一种是不思进取不改革，慢性自杀。我们现在有一些报刊并没有人强制它停刊，但自取灭亡自己宣布停刊。无法办下去，原因在哪里？无人购买、发行不了？还是缺资金？也许都有关，但根本原因是不思进取不改革，缺乏善改革、谋发展的人才，那是肯定会走向死亡的。

求大概有三个方面，第一是你的职业道德，第二是你的创新精神，第三是你的专业能力。我们怎样去考核大学生呢？因为我们不了解你，只能先看你送来的简历记载。作为职业道德这一点，讲实话，我是没有办法判断的。我只能看老师的评语、学校对你的评价怎么样，从那里作一点了解。创新精神又是怎么发现的呢？可以看你自我推荐的材料，我们还要做适当的考试，比如笔试、面试。面试了解，就是从与你对答的过程中，观察你的思维能力、判断能力、创新能力怎么样。专业能力也是从你的推荐材料里面了解，比如介绍你在校的成绩啊，到实习单位实习的情况啊，另外跟你谈话当中，考察你对某个专业问题的见解。

这里我还要说明白一下，就是刚才我看见一部分同学举手想做媒体，我认为，从事媒体工作不一定要新闻专业毕业。新闻专业我们要，其他专业我们也要，我们也从理工科要人，包括学管理的。我们南方报业人力资源中心总监张瑛，她是一位女同志，她是中大计算机毕业的。她先到暨南大学工作，后来到了南方报业，29岁就当了副处长，32岁当了正处长。最近省委决定把她调到省妇联当副主席，副厅级干部，今年才34岁。她是搞计算机的，到南方报业搞人力资源管理，所以我并不过分强调所谓专业对口，我们对此看得不是很重。如果你来报名，哪怕你是搞计算机的，你想来当新闻记者也可以，但我要弄清你的创新精神、你的专业能力怎么样。这个专业能力，不只是看你能写文章、曾在哪个报社实习过，重要的是看你的分析判断能力。我们也不分男女，去年南方报业集团要了90多人，女的占了55%，所以在座的女同志，你们也可以报名。

主持人：是女同学啊，还没有做到女同志的地步。但是，我想这的的确确。假如啊，假如这成绩也一样，专业水准也一样，敬业精神也一样，老师评语都差不多，那两个长相不同录取有区别吗？

范以锦：这个要问问今天同来的21世纪报系执行总编辑沈颢想要什么人啦，要看沈颢喜欢美女啊还是喜欢丑女，由沈颢来决定，他们有用人权，呵呵！我的观察，我们的主编们并非以貌取人，主要是看气质，因为气质、个性对一张报纸的风格和品性的形成，是相当重要的。报人不是花瓶，不是用来摆设的。

主持人：您觉得这一辈子里最幸运的事情是什么？

范以锦：我觉得我最幸运的，是当了一辈子的南方报人。

主持人：从来没跳过槽？

范以锦：嗯，而且我感到自豪的是什么呢？就是我们南方报人创办了全国有影响力的《南方日报》、《南方周末》、《南方都市报》、《21世纪经济报道》、《新京报》这些品牌报纸，我与我的同事们承前启后不断地将它们推向市场。

主持人：在报社工作不难，一辈子在一家报社工作，那才叫难。我突然想问一个问题，有人挖过您吗？就是有人高薪挖过您吗？您说有人挖过其他下面的同事，有没有挖过您？

范以锦：没有啊！不敢挖？不能挖？还是不想挖？不清楚。最有希望的是年轻人，这好比谈恋爱，都想要个年轻漂亮的，我太老了，没有人要了。

主持人：哗，大将风范啊，这个问题轻轻一推就推开了。

范以锦：不过，有人找过我，希望退下来之后聘请我。我说，老化了，干不了多少事了，还是多休息保养身体为好。退了少管事，以前叫“革命意志衰退”，现在叫“高风亮节”。我老了，要更新观念了。

我觉得我最幸运的，是当了一辈子的南方报人。

主持人：好，下面有一个环节“梦想对话”。

同学：我的问题是这样的，因为社长是从记者、记者站长、主任、总编，一步一步这样走过来的。那我在想，假如我现在也正经历一种角色变化，我觉得很困难。就是我现在也在负责出报，从跑第一线、跑任务的记者变为一个派任务的总编，从更高的角度去决策一些东西的时候，会觉得很困难。我想问社长，有没有经历这个角色转变的过程，您是怎样去克服这样一个困难的？然后，我还有一个问题是……

主持人：只问一个问题，

同学：问完不回答也没关系的。

主持人：死而后已啊？哈哈！

同学：我知道，您说过，南方报社是您的起点，也是您的归宿。那我想问的是，您的终极梦想是什么？您最大的梦想是什么？

范以锦：先回答你前面提的问题。我觉得是这样：当记者，我是单干的，自己完成任务就成了。当领导，就是要有组织能力、决策能力、协调能力等等。当领导要面临很多复杂的问题，要想办法去应对，办法不是你一个人所能想出来的，关键是要用好人，善用人很重要！从一份报纸发展来讲，我觉得我们是需要三个人。一个是既懂得办报，又懂得运营的人，这是复合型人才；第二个是懂得办报的人才；第三是懂得搞经营的人才。在这三个人的统领下形成三个团队。这三种人才中，作为第一种人才也就是懂得办报又懂得经营的报业运营人才，第一把手应该具备这样的素质。但是，有的情况下可能第一把手具备不了。比如，我觉得我也算不上是什么复合型的人才。怎么办？我觉得当领导很重要的一条就是用人。你把下面的人用好了，把能力很强的人用到关键岗位上去，那么，你就会感到很轻松，不需要事事都过问。所以，我觉得我不是最有本事的人，但我会将最有本事的人用到关键的岗位上。那位同学问我的最大梦想是什么，是指现在吗？我在前面已说过了，我快退到二线了，还有多大的奢念？我只是希望，人才一代胜一代，确保南方报业持久的创新能力和强有力的发展后劲。我在退出领导班子之前，继续做好铺垫的工作。

主持人：有些人喜欢做牛头，就是说，一般的团体里面，自己做最好的。有些人喜欢到比较好的团体里面，自己宁愿做靠后的。那如果是您选择，你喜欢做牛头呢，还是喜欢做凤尾，是指开始的时候，当然，到最后的时候您还是做了凤头。假设只有这两个选择。

范以锦：不可能一上路就做牛头。开始时我肯定做凤尾，观察前面的人，看看人家怎么做，然后再想办法超越他们，发挥自己的优势。这些年，南方报业也正是这样过来的。

主持人：好，非常重要，这是关键，就是说，宁做凤尾不做牛头，先做凤尾然后再最后做到牛头。好，我觉得这是给同学一个很重要的启发。

同学：请问一下，范老师，两位老师，你们一生中，最后悔的是什么？能否从一些事情中给我们一些启示？

主持人：这个问题很好。其中一件事情是，得想一想……哦，范老师，你先想到了。

范以锦：我讲一件很后悔的事。我刚才说到，到南方日报之后，曾经在一个农村的生产大队当副大队长，我住在一家三口的农民家中，女主人当时50多岁，有一儿一女，住了近一年的时间。如果老人还健在该是80多岁了。我几次都想回去看望老人，但因为工作忙一推再推。上个月我终于回去了，拿着红包、拿着礼品去看望她，但她不在人世了。我非常失落、非常后悔。由此想到，我们有很多美好的设想如果不抓紧做，也会坐失时机，抱憾终生。

主持人：这句话很重要，让我想起了一个东西，叫“树欲静而风不止，子欲养而亲不在”。各位同学啊，在读书时候风花雪月，围着校园安静的地方走来走去，是很好的一件事情，但不要忘了家里面的父母。就是说我觉得在中国的文化里，有一个字是“孝”，是很重要的一个字。我现在越来越大，快30岁的人了，越来越觉得这个很重要。

同学：我是来自一家学院新闻系的。在这里，我想以一个学生的身份，向您问一个问题。我记得《南方周末》在2004年元旦版的头版上有一句话是：让新闻的梦想不休不止。我想有很多有思想、有理想、热血沸腾的新闻人会朝你们而来。来广州的原因，是因为有您和您的同事领导的南方报业，会成就他们关于新闻的梦想，才可能让像沈颢，还有城市画报的李晖他们这样不同类型的新闻人，保持他们对新闻的理想不灭。不知您是用什么方法，作为58岁的长者，让他们新闻的梦想和您新闻的梦想持续下去？谢谢。

范以锦：这与我们南方报业有关，当然也跟我们领导有关，就是用人这方面的策略。我们有一条不成文的规矩：谁出主意由谁来干。当然有一个前提，就是职业道德，有良好的思想品德、职业道德，有创新能力和专业精神，谁出主意谁来做。办《21世纪经济报道》谁出的主意？就是沈颢和刘洲伟找到了当时的李孟昱社长和时任总编辑的我，说他们想办一份经济类的报纸。开始想办“经济时报”，后来发现其他地方已有这种报纸。以后他们就提出叫《21世纪经济报道》，名字好长，大家有争论，很少看过那么长报名的报纸。但我和李孟昱都说，他们提出“21世纪经济报道”这个名字，有它的理由，我们不要去挫伤年轻人的积极性。这不是政策问题，不是原则问题，你去纠缠它干什么呢，就让他们来办。那么，现在办成功了。大家不叫《21世纪经济报道》，开口闭口叫“21世纪”，这个名字多响亮！

多几个脑袋比一个脑袋好，让大家来出主意，谁的主意好就采纳谁的，你身边聪慧的脑袋就会越长越多。

领导层对下属应当有特殊的情感，不要打击下属的积极性，而是要保护他的积极性，要想办法调动和激活下属的兴奋点。特别是对年轻人的看法和使用，一定要得法。他们容易犯错，会给你招惹麻烦，这是问题的一面，另一面他们的理念和活力，会将集团的事业激活，如果事业要兴旺，一定要把他们推到前台。我鼓励集团的员工超越我，你出的主意要比我更好，你可以当面跟我争，否定我的主意。你的主意好就采纳你的。

主持人：太好了，祝愿我们现场的所有同学们，将来有机会找到这样一个好领导！

同学：以你们的观点，我们年轻人中，目前为止还保持着的最可贵的品质是什么呢？

范以锦：聪颖、创新、活力。你们知识面广，世界发生了什么事他们很快就知道了。因为，年轻人上网的非常多，网上的知识是非常丰富的，获取知识的手段是非常便利和快捷的。“秀才不出门，全知天下事”。由于历史的原因，我知道许多老同志是不上网的。当然，我是上的。这是因为感到工作的需要，不得不“老来学吹笛”。上去了，觉得好处很多，兴致也有了，现在几乎天天上。那么，对年轻人来说，上网既是工作的需要，也是生活的必需，甚至沉溺于网中成为生活的第一需要，他们因此知识非常丰富。第二个方面就是创新能力，年轻人创新能力非常强。第三个就是非常有活力、有朝气。我们南方报业这几年为什么发展得那么快？其中一个因素，就是重用了有朝气、有活力的年轻人。

举一个例子吧。有一位叫刘红兵的研究生到南方日报工作才三年，由于表现优秀，被提为采编部门的副主任（副处级），再过了两年我们集团竞争上岗，他竞争正处级岗位也竞争上了，但要报到省里备案一段时间才能公布。就在这个时候，广东省搞厅级干部公开选拔，结果他凭实力当上了省广播电影电视局副局长，时年31岁，成为当年公推任职的最年轻的厅级干部。听说，上去后表现也很好。如果没有南方报业对他的提拔使用，他就不可能那么快和顺利地当上副厅级干部，因为有个阶梯问题，没有经过处级的阶梯他是上不去的。所以我觉得，年轻人有活力、有创造力，德才兼备的人才要大胆提拔使用。

年轻干部不足在哪里？我觉得不足就是我刚才已谈到的，磨炼比较少，社会阅历比较少一点，所以，碰到一些重大社会问题，有时候把握得不准。从办报来讲，有些年轻同志你不跟他打招呼，很可能一进来就给你惹了点麻烦事。这得早点打预防针，我们南方报业也找到一个办法，就是你进来后，我们先给你上课，讲做新闻的规矩，讲南方报业老一辈人的优良传统作风。我们还推行“入职辅导制”，就是上岗时，找老员工担任辅导老师“传帮带”半年，使你逐渐成熟起来。年轻人不成熟的一面是可以克服的，不能因为年轻人某些方面的不成熟就压制他，我们应该鼓励他、激励他，企盼他尽快超越我们。

同学：据我所知，南方报业敢于披露新闻的事实真相，但是我也听说当中有一些记者和编辑，由于披露的东西太多，或是把一些真实东西反映给读者，所以他们被迫辞职，或是遭到处理。我也听说，南方报业在内部会有一个奖金，会保障这一批敢于说真话的新闻从业者。那我想请问一下，这是否是事实？另外，还有一个问题，南方报业是否是有一个一系列的东西作为对新闻从业者的一个赞扬以及一个保障？

主持人：提到的就是一个新闻从业人员，有的时候可能面对种种的压力，同时南方报业又如何维系他们的这种新闻

多几个脑袋比一个脑袋好，让大家来出主意，谁的主意好就采纳谁的，你身边聪慧的脑袋就会越长越多。

领导层对下属应当有特殊的情感，不要打击下属的积极性，而是要保护他的积极性，要想办法调动和激活下属的兴奋点。特别是对年轻人的看法和使用，一定要得法。他们容易犯错，会给你招惹麻烦，这是问题的一面，另一面他们的理念和活力，会将集团的事业激活，如果事业要兴旺，一定要把他们推到前台。

的冲劲？

范以锦：这个话题有点敏感，但我不回避，我还是说一说。说真话没有错，因为真实是新闻的生命；披露社会问题，这也没有错。人家怎么看是人家的事，我们不会因此随意去处理人。开展舆论监督，也没有错，党和政府也是支持的！当然，这也要遵循一定的规矩。刚才讲到奖励的问题，南方报业各报刊对策划和写出影响大的重大报道的报人，是会给予奖励的，甚至给高奖金，包括重大的舆论监督，这些都是事实。对受处理的人给予奖励？我没有听说过。对违规的，按照规定，该怎么处理就怎么处理。从集团层面来说，我们必须要有严格的管理制度，奖惩要分明，同时又要做过细的工作，尽量保护好员工的积极性。比如讲，发生了一些问题，我们实事求是去分析，处理恰如其分，只要不是恶意制造事端，属工作中的失误，重在总结经验教训，不能动辄就处理人。我们也尽量挽留他，有些岗位不适合，我们再调整岗位，尽量尊重他们的再选择。但有些员工觉得他在这个岗位上受到了处理，心里不服气，或其他原因要求辞职，一般来讲，我们也尽量做好工作，找他聊一聊，让他痛痛快快辞职。有一些辞职的，并非出了事，而是觉得外面有更大的发展平台。他们出去一段时间后，可能外部的环境还不如南方集团好，发展平台也不如南方报业大，有些又转回来了。比如，我们前几年离职的一些人，现又跑到了新京报，也有些重新回到集团总部工作。过去，我们有些子报刊不太注意，人家走的时候搞到非常对立，完全没有必要。当然，某些无理取闹的除外。我们强调，走的时候让人高高兴兴地走，要求回来的话，只要是有用之才，我们这里又需要，我们也宽宏大量，欢迎他们回来工作。

主持人：好，谢谢。

同学：一个学生本科是在一个大学念的，然后如果他读研究生换了另外一所大学，那么他的经验比较丰富，对他的成长也较好。我刚才知道，您起点是南方日报，现在也是在南方日报，您觉得这一点对您在工作中有没有一些影响，或者是自己觉得有没有一点点遗憾呢？

范以锦：当今的大学毕业生，像我这样从一而终的可能不多，不少人要跳很多岗位。我没有跳岗位是我们那个时代注定的。在我的青年时期，是不允许你去跳槽的，你想走也走不了，为什么呢？因为档案卡住你，那个时候是要求你要像革命螺丝钉那样钉在那边，组织上要你干什么你就干什么，不像现在可以辞职。所以，那个时候你是没办法的。待我到了中老年，现在也不敢走了，我走到哪里去啊？但是，年轻同志是可以换多个岗位工作，你可能在某个岗位感到不适应，你再跳到另一个岗位，不断地跳，这也许是造就人才的一条路子，但我劝你们跳到一定限度就不要再跳了。我发现有的人一辈子跳了十几二十个地方，但最后什么也搞不成，所以我赞成流动，但也不要跳得太频繁，要相对在某个专业岗位上把业务搞精通，把工作干好。

同学：想问一个问题，现在南方日报报业集团在媒体界有一定的位置，那是否代表都要把您的对手打倒？您是否觉得南方报业在行业中是最拔尖的？谢谢。

范以锦：我们哪有那么大的野心？我们也没有外界传的那么厉害，算不上最拔尖。我们努力做强做大，但现在我们在全国的报业中，不是最强最大。像上海文新集团，它的资产和利润都超过我们。那么，我们南方报业的优势在哪里呢？就是我们的品牌价值，我们的无形资产。我觉得看得见的固定资产与现在的经济效益，只能代表现在的实力，而品牌凝聚的无形资产，代表着一个报业未来的发展方向，代表着我们未来发展的强势。如果说我们有什么强项的话，就是我们的无形资产，我们的报刊的影响力，我们的发展后劲比一些报业强。

是不是要把竞争对手都打倒呢？从广东多年报业的竞争来看，尽管各方都想把对手压倒，但结果是谁都吃不掉谁。我觉得竞争并非只有“你死我活”的一种结局，相反地，多数情况是互相促进、共同发展。比如，广东报业是竞争比较激烈的，竞争的结果是报刊繁荣，产业做大，媒体消费者也受益。羊城晚报、广州日报、深圳特区报和我们南方报业，这几家比较强的报业集团，这几年都在竞争中发展。如果说有所不

是不是要把竞争对手都打倒呢？从广东多年报业的竞争来看，尽管各方都想把对手压倒，但结果是谁都吃不掉谁。我觉得竞争并非只有“你死我活”的一种结局，相反地，多数情况是互相促进、共同发展。

同的话，有时你好一点，有时我好一点，这也不奇怪，“风水”轮流转嘛！当今的报业经济，对广告的依赖性很强。你有广告，经济实力维持得了，就倒不下去。从中国来看，我们的广告市场还远远没有开发完，还非常丰富，无论从广度还是深度来看都还有很大的潜力。所以，现在我们报业的经济竞争，其中一条要看你对广告市场开发得怎么样，谁开发得快开发得好，谁就可以把某个市场打开。你不一定吃人家的广告，单靠开发的部分，就可以提高经济增长点。在自身广告得到开发的同时，别人也受益。所以，作为强势媒体，谁也不容易倒下去。人家有困难的时候，也不要幸灾乐祸，说不定哪一天会转到你头上。要有忧患意识，不断创新跨越，而不是坐在那里守摊子。

同学：我想请问社长，您经历过这么多困难，我想知道是什么力量支撑您一路走过来？谢谢您！

范以锦：我刚才讲到我没有任何背景，说白一点，就是我没什么后台。我是一个农村出身的穷苦孩子，我自己感觉到我要争口气。父辈辛辛苦苦把自己培养成人，那么我就要拼这一口气，勇往直前。在风风雨雨、在诸多困难面前，我一直以平静心态来对待，一直想办法来冲破困境，而且我对未来一直是充满着信心，充满着希望，充满着微笑。谢谢大家！

同学：有人说传媒业是中国最后一个暴利行业，那么您认为，中国传媒业的前景发展如何？而且用多少年我们中国才能赶上BBC这种顶级的媒体？最后我想说的是，听说南方周末招聘见习记者的时候，经常是招复旦、人大和北大的，我们广外新闻系同样也不差，希望给我们工作的机会，谢谢。

范以锦：随着改革开放的步伐在前进，许多新的事物也随之不断地出现，比如我们过去不敢讲传媒是一种产业，似乎一讲产业，就意味着市场化、商品化，就会丢掉阵地。现在与时俱进了，可以强调文化产业了。报业也是一种产业，经营这方面，要把它做好，做强做大。现在允许融资了，包括我们南方报业下面那些报刊，经营部分可以剥离出来转制为企业，整个集团的经营部分也可以剥离出来转制为企业。所以我觉得中国传媒业发展，应该说是非常有希望的。当然，我觉得跟境外传媒巨头比，与他们那种强大的实力比，我们差距还是很大，要经过几代人的努力才能赶上。

南方周末并不一定非要北大、人大、复旦这些名校的学生。我们每年要大学生，首先会到名牌大学去招那些名牌专业的，这个是事实。但也有些不是名牌大学的，他们送来了一些应聘材料，我们看了以后感觉不错，也要了。还有平时的招聘，我们不管你来自何方，不管你是什么专业，只要你有能力就可以进来。比如说，南方体育的主编龚晓跃，他是一个高中毕业生。我们对有真才实学的，不管你来自何方，都量才录用。其实南方周末的员工也不全部都是什么北大、人大、复旦的，各个方面的人都有。我们21世纪报系的执行总编辑今天也来了，沈颢刚才跟我讲，请我说一句话，希望大家能报21世纪报系，他们现在又准备招明年的毕业生了。

主持人：21世纪报系正在招人，这是信号！题目很多啊，有的说："我想成为过悠闲生活的人。"人家正在想做总裁的时候，而你却想过上悠闲生活，你的生活压力真是这么大吗？

同学：对啊，我觉得生活各方面的压力都很大，所以我一直都想过上悠闲的生活。

主持人：这是你的梦想？就是什么都不干，好吃懒做，好逸恶劳？

同学：不是这样，怎么说呢，反正就是不要太多压力。

范以锦：我明白这位同学的意愿，她想找一份生活比较有规律的工作，上班下班比较正常。

同学：是的，就是这个意思。

主持人：哇，有同学想成为南方报业风险管理部门的经理。为什么你想做南方报业系统的一个风险管理者呢？你是怎么建立你这样一个梦想的呢？

同学：我觉得这个应该感谢我们的教授，因为我今年大二，是计划学院保险专业的，我们开了一门课——"风险管理"，我感觉我们班同学读得非常苦。据教授分析，中国大部分企业，在风险管理方面可能缺少一点，外国的风险管理开展得很好，而在这个市场经济环境下，风险管理是非常重要

我是一个农村出身的穷苦孩子，我自己感觉到我要争口气。父辈辛辛苦苦把自己培养成人，那么我就要拼这一口气，勇往直前。在风风雨雨、在诸多困难面前，我一直以平静心态来对待，一直想办法来冲破困境，而且我对未来一直是充满着信心，充满着希望，充满着微笑。

的。想问社长，现在南方报业是否有类似的部门？

范以锦：我们现在还没有这个部门。但是我们有战略运营部，它会对我们在投资方面的风险，我们在战略方面、决策方面究竟会不会出现失误，某些项目未来前景如何，进行认真的研究论证，可能与你所说的风险管理有一点类似，但还不完全与你讲的一样。

主持人：好，好，相信每个环境，都可能出现一些风险。这位同学，希望在你毕业时，能找到一个企业是有风险管理部门的。好，这个朋友有点意思，“我想做一个客观公正，敢说真话的记者，还新闻本来面目。”

同学：我希望，我的梦想能实现。

主持人：范老师，请问您一个问题，就是说做一个客观公正，敢说真话的记者，还原新闻本来的面目，你觉得这个难做到吗？

范以锦：这个应当讲是对记者的基本要求，难道我们的报道要讲假话、脱离客观公正？当然，如果某些部门滥用职权，有一些不正当的行为存在的话，它也会传染到新闻界。比如，报喜不报忧、讲假话不讲真话，我们有时会无奈地去传播一些假话，因为有些消息是某些部门提供的，我们分不清时会去传播，但是我们绝不制造假话和主动去渲染假话。至于“还原新闻本来的面目”，不知你所指的内涵是什么？也许对“本来面目”各有各的理解吧！我认为，做新闻也得考虑国情，新闻体制不能游离政治体制去独立操作，大多数国家都是这样。我们毫无疑问要根据我们的国情办报。改革要循序渐进，当前社会发展进行到哪一步，哪些现在能做，哪些不能做，我们改革的力度有多大，要有一个正确的判断。如果因为我们的报道引发了巨大的社会动荡，这是我们不愿意看到的。有很多东西在操作方面还是有一定难度的，这就要看你的政治智慧和操作艺术了。

主持人：好，谢谢。我觉得这些话就已经足够真诚了。范老师，在我们今天的对话结束之前，请问您对我们同学有什么勉励的话吗？

范以锦：非常感谢大家热情地跟我对话。我欢迎大家有机会到南方报业来，欢迎大家随时给我打电话。

主持人：太好了，还可以电话对话。好，谢谢！特别感谢动感地带以及《21世纪经济报道》。坚定自己的信念，并且勇敢去行动。

第二章
追求“泉涌效应”的六大人才理念

一　人才优势是报业最重要的竞争优势

媒体竞争与其他领域的竞争一样，市场竞争的背后是人的智慧竞争。人的素质直接影响媒体产品的质量，影响市场拓展的决策和成效。人才优势是最重要的竞争优势，报业人才及其智慧的发挥会培育出品牌媒体，会形成强大的磁场，以品牌吸引和留住人才，进而创造更多的品牌。所以说媒体品牌形成与媒体人才集聚是一个互动的关系，南方报业现在的发展战略，无论是跨媒体战略、跨地域战略还是资本战略等等，贯穿始终的是人力资源战略。

媒体品牌形成与媒体人才集聚的互动

南方报业传媒集团的人力资源战略是集团一项重要的职能战略。它既是集团总体战略贯穿始终的有机组成部分，又是集团总体战略顺利实施的重要保障。

人力资源是南方报业最重要的内部资源。我们知道，南方报业所拥有的资源与能力是我们实施战略、赢得市场竞争、做强做大传媒集团的必要条件。作为一个典型的知识型企业，南方报业最重要的核心竞争力就存在于集团各级员工尤其是优秀员工的大脑中。人力资源、物质资源和信息资源构成了南方报业三项重要的战略性资源。集团拥有的报纸等媒体的采编、发行、广告营销等业务环节，以及集团层面的管理、规划、控制职能，都是靠集团所拥有的人才来进行操作实施的，物质资源和信息资源只有通过人力资源的整合、加工和利用，才能对集团的运营和发展发挥作用，因此，在集团所有内部资源中，人力资源是最重要、最关键的资源。集团的人才储备是保障或制约我们实施发展战略的重要条件，有了充足的人才储备，事业发展才会得到保障。集团制定未来发展战略的时候，人力资源状况是一项重要的依据；而集团战略制定以后，要靠各级管理者和员工来共同实施。管理者和员工的基本素质、工作能力和工作态度，决定了集团战略的制定水平和实施效果。

人力资源是一种活的资源，既具有主观能动性，又具有很强的流动性；同时它又是一种可开发、可再生的资源。如何建立一种良好的管理与开发机制，把集团事业所需要的各类人才吸引、聚集过来，在使用中激励和发挥员工的积极性和创造性，持续拓展开发员工的知识和潜能，以便使我们拥有的人力资源对集团事业发展起到持续而强大的促进作用，是集团管理所面临的主要任务。报业集团的人力资源开发与管理，包括组织设计、人员招聘与培训、绩效考评、薪酬管理等一系列专业过程，应该在集团统一的人力资源政策与制度框架内进行，而人力资源政策与人才机制，又是与集团战略紧密联系的。

南方报业传媒集团的人力资源战略是集团一项重要的职能战略。它既是集团总体战略贯穿始终的有机组成部分，又是集团总体战略顺利实施的重要保障。

人力资源战略为集团总体战略服务。集团人力资源管理的基本使命、长远目标、发展规划等战略取向基于集团总体战略而制定，并为集团总体战略服务。卓越的人力资源战略造就良好顺畅的人力资源管理，有助于直接改善集团内部环境，优化集团业务流程，提升集团在媒体市场上的竞争能力，最终促进集团总体战略的顺利实施，因此，我们首先要制定并实施正确的人力资源战略。

集团多品牌媒体发展战略的实施，为实施人才战略提供了充分条件。这一点我们在南方报业的发展实践中深有感触。随着多品牌战略的顺利实施，不仅南方报业的品牌媒体获得成功，南方报业的品牌影响力也迅速提升。我们的品牌影响力不仅体现在业内，而且体现在全社会；不仅体现在本地，而且体现在全国；不仅体现在报业市场，而且体现在人才市场。

由于名声在外，南方报业成为各类传媒人才向往的地方。南方报业每次到国内著名高校举办招聘活动，都会成为校园内轰动一时的大事件。2004年底南方报业进行校园招聘活动的时候，各个著名高校报名人数达到几万人，成了名副其实的百里挑一。

由于我们成功实施多品牌发展战略，集团能够给内部人才提供充分的成长机会和发挥作用的舞台，使集团人才的成长速度大大快于其他同行。许多从事传媒工作的人才，由于有了在南方报业工作的经历，自身的劳动力价值得到了很大提升；离开南方后，成了业内的“抢手货”。所有这一切，为我们进行人才队伍建设、实施人力资源战略提供了良好条件，使得集团总体战略与人力资源战略能够形成一种互相促进、良性互动的好局面。

加强人力资源开发管理是报业发展的需要

同其他报业传媒集团一样，南方报业的人力资源管理是从机关事业单位传统的人事管理逐步发展变革而来的。随着集团从传统的行政事业单位向现代企业制度转变，人力资源管理也从传统机关事业单位人事管理转变到现代企业人力资源管理上来。

人力资源管理在报业集团发展中扮演的角色和发挥的作用，有一个逐步演变的过程。

最初的人事管理部门只是一个一般的、事务性的行政部门，所担负的职能局限在人员日常管理，局限在人事任免、干部级别管理和按照事业单位标准核定及发放工资等事务性工作。员工在报社内不被看作是资源。可以说，原来的人事处职能更多地集中于“事”而不是集中于“人”，对于报业集团发展所起到的作用也是有限的。随着南方报业的发展以及内部各项制度的改革，集团的人事、劳动、工资管理制度也在不断改革，在探索报业集团人事制度改革的过程中，人力资源开发与管理工作从无到有、从草创到成型，逐步探索建立起来了。

2002年，我们把原来的人事处改组为人力资源中心，这标志着南方报业由传统人事管理向现代人力资源管理转变。这种转变集中体现在三个层面：一是职能层面，在原有相对简单的人事和劳动工资管理基础上，增加了诸如人力资源规划与开发、员工培训与发展等内容，按照现代人力资源管理原则和要求，再造其组织职能和工作流程；二是观念层面，我们已经清醒地意识到人才也是一种资源，对各类人力资源的管理已经开始由传统的地位低、活动窄、偏保守、忽视人的人事管理模式转变为现代的层次高、活动广、重前瞻、重视人的人力资源管理模式；三是战略层面，集团的人力资源战略管理已经初步提到议事日程，成为集团总体战略的保障，甚至是伙伴关系。

引入现代人力资源管理，是南方报业的重要战略决策，对集团当前以及未来发展起到了相当关键的保障和促进作用。集团人力资源管理扮演的角色，大体上可以归结为三种：一是保障者。通过发挥人力资源管理的各项职能，努力营建有利于优秀人才发挥作用的用人体制和工作环境，在南方报业发展实践中吸引、发现和培养人才，把政治上靠得住、工作上有本事的优秀人才选拔、储备、使用起来，为集团发展提供人力资源保障。二是控制者。充分发挥人力资源管理的控制功能，充分发挥绩效考评、薪酬管理等人力资源政策对员工行为的控制引导作用，根据有利于改进组织绩效、有利于促进组织发展的宗旨来控制集团企业文化发展方向以及员工行为规范，通过建立起一套行之有效的约束和激励机制，控制和防范集团发展中的用人风险。三是推动者。通过坚定不移地实施劳动、人事、工资等制度改革，强力促进集团事业发展，通过有效的人力资源开发，提升员工职业能力，激励员工工作动力，持续提高组织绩效，成为推动集团不断前进的“永不停歇的发动机”。

南方报业初步探索出一条既符合党管媒体、党管干部要求，又适应现代传媒发展和竞争需要的人力资源管理与开发之路。我们在坚定不移地实施人事制度改革的同时，大力拓展人力资源管理和开发的新领域，在科学化招聘甄选、员工培训、职业生涯管理、员工关系等方面不断开拓创新。南方报业独特而有效的人力资源管理理念已经初步成型，人才队伍已经有了较充足的储备，人力资源战略与集团总体战略的匹配程度也有了很大提高。

南方报业人力资源管理的着力点

（一）找准干部选拔与人事制度改革的结合点，通过科学地选人用人来建立一支高素质的人才队伍

我们考察、提拔干部的一个做法，是注意把选拔人才同日常工作考核结合起来，同员工职业生涯管理结合起来，随时掌握各部门的工作动态，深入了解每个员工的现实表现，对其中表现突出的佼佼者给予特别关注，平时给他们提供发挥才干的舞台，当集团事业发展，需要补充新鲜血液到重要工作岗位的时候，就是这些优秀员工机会来临的时候。

我们还注意把干部选拔任用工作同人事制度改革结合起来，从1999年开始实行全员竞聘上岗，至今已成功进行了三次。通过公布职位、自愿报名、演讲答辩、民主测评、组织考察、集体研究、任前公示等程序进行竞争上岗，同时结合全员聘任制，采用层层聘任的方式，社委会聘中层干部，中层干部聘基层干部和一般员工，实行双向选择，优化组合，择优录用。通过三轮竞聘，集团基本建立起各类人员能上能下、能高能低、能进能出、合理流动、优胜劣汰的竞争机制，优化了人员配置，调动了员工的积极性和创造性，为那些有能力、有抱负、德才兼备的干部提供了广阔的发展空间。

（二）把能力建设作为人力资源开发的重要任务，敢为人先，引进人才培训的先进方法，不断开辟人才培养新渠道

2002年，集团在人力资源中心成立培训部，负责集团培训工作，颁布了《集团员工培训试行办法》、《集团员工培训审批、报销及奖励暂行办法》，从制度上确保培训工作的顺利实施。集团每年都要制定《员工培训年度计划》，并设立专门的培训基金。据不完全统计，培训部成立至今，仅集团层面的各类业务培训活动就有上百次，参加培训的集团员工上万人次。我们还采取措施，支持、鼓励、选拔在职员工进一步深造学习。几年来，集团通过公费选派、资助员工自费、帮助员工申请各类奖学金等多种形式，选派一大批潜质良好的优秀员工到国内外高校深造。

针对各级管理人员大都是新闻采编出身，现代经营管理方面知识相对欠缺的实际，根据改革和发展的客观要求，集团有意识地开展了现代经营管理方面的培训工作。除了利用长期以来与著名高校建立起来的良好合作关系，从北大、人大等高校请来名师进行专题讲座以外，我们还与中山大学管理学院合作举办了EMBA课程培训。像这种与著名高校合作，成建制地对集团中层以上管理人员进行EMBA培训，南方报业在国内众多媒体当中是第一家。在已举办的两期培训中，共有包括我本人、集团总编辑、总经理在内的80余名集团中高层管理人员学成结业，培训效果显著。

为传承报社的优良传统，帮助应届大学毕业生迅速适应工作，从2003年起，我们还推行新员工入职辅导办法（即"导师制"），通过一线编辑、记者等优秀员工对应届大学生进行"传、帮、带"，把老员工多年积累起来的传统、经验和技能传授给大学生。

（三）针对集团多品牌发展战略的需求，致力于招聘工作科学化

南方报业招聘人才有两条主要渠道，一是每年按计划招收应届大学毕业生，二是根据集团各部门事业发展的实际需要不定期地从社会招聘人才。

大学生招聘是集团采编和经营队伍补充新鲜血液的重要途径，一是满足业务发展需要，二是为将来发展储备人才。我们把每一次校园招聘作为宣传南方报业、提升品牌价值的机会，把招聘与品牌宣传相结合，并从招聘各个环节入手，不断尝试新的招聘形式、引入先进的人才评价手段，如网上招聘、职业能力测评、无领导小组讨论面试等，使员工招聘工作日益科学化、正规化。得益于高效率、高质量的招聘工作，一批批年轻才俊顺利加入南方报业，成为促进集团发展的生力军，同时也树立了南方报业在高校乃至全社会的良好形象。

外界有一种说法：南方报业很看重一个人的教育背景，尤其看重是否名校毕业。这种说法也对也不对。在招收应届毕业生的时候，由于对学生的实际操作能力“信息不对称”，当然要优先考虑名校优秀生。但是，我们又不是单纯的唯学历论。我们平时的招聘，会着重看你的经历、积累和实际工作能力，不管你来自何方，只要你有才能，南方报业的大门就永远向你敞开。有人认为某些名校的学生个性太强，很难管理。其实，一般来说优秀人才个性都比较强，甚至某些方面还有突出毛病，这有什么可怕？关键是领导如何用其所长，有个性才有创造力！

（四）稳步推进薪酬制度改革

前几年，我们在进一步完善二级核算部门经营目标责任制，同时增加薪酬发放透明度的条件下，逐步放开了二级核算部门的分配自主权。集团与部门签署经营责任书，规定部门的工资总额，并根据各部门经营目标的完成情况确定对部门的奖励方案，部门在上述范围内，可结合自身特点，自主制定本部门奖金分配办法。在集团的指导下，包括南方日报在内的各个报刊制定了自己的绩效考评与薪酬分配办法。随着集团薪酬制度改革逐步深入，为了统筹调控集团各部门、各单位之间的分配，建立更有效的分配激励机制，集团制定并在职工代表大会上通过了《南方日报报业集团薪酬管理规定》。根据该规定的基本原则，由集团社委会制定集团的薪酬政策和制度，并统筹集团薪酬事务。在集团社委会的领导下，人力资源中心和财务部着手规范集团的薪酬管理。

1. 规范薪酬结构，对集团及其二级核算单位实行月薪适度控制、根据绩效实施年终奖励的薪酬管理办法。月薪既考虑不同岗位劳动力价值的市场水平，也要注意集团的内部平衡，实行适度控制。年终奖是集团及其二级单位效益的体现，也是个人绩效的体现，应充分发挥其激励人才、吸引人才的功能。二级单位薪酬总额控制，既要以编制人数、平均薪酬水平等指标约束，也要从其经营绩效的相关考核指标加以激励。

2. 二级核算单位的领导班子成员的薪酬由集团审批，其月工资标准由集团根据劳动力市场的价格、各部门的规模、效益以及工作性质和工作难度等因素综合评定，核定最高限额。二级单位在最高限额所规定的范围内，制定其领导班子具体的月工资标准，报集团批准执行。二级单位领导班子的年终奖则根据其年度经营指标的完成情况核定。

3. 既承认差距，又适当平衡集团内部采编、经营和行政管理岗位的人员以及各个部门之间的薪酬水平。

4. 优化职能部门的薪酬结构，适当拉开差距，集团职能部门的薪酬水平与集团效益、个人绩效挂钩。在此原则上制定集团职能部门的薪酬暂行办法，进一步调动集团职能部门的工作积极性。

外界有一种说法：南方报业很看重一个人的教育背景，尤其看重是否名校毕业。这种说法也对也不对。在招收应届毕业生的时候，由于对学生的实际操作能力“信息不对称”，当然要优先考虑名校优秀生。但是，我们又不是单纯的唯学历论。我们平时的招聘，会着重看你的经历、积累和实际工作能力，不管你来自何方，只要你有才能，南方报业的大门就永远向你敞开。

二　南方报业人才理念之一：媒体成功在于三种人才的团队合力

在长期的管理工作实践中，尤其是在实施多品牌发展战略的实践中，我们逐步形成了具有南方报业特色的人力资源理念，并把这些理念运用到集团人力资源管理实践中。这些理念及其应用，对集团的员工队伍建设起到了良好的指导作用，进而对集团各项事业发展起到了强力推动作用。

实施多品牌战略的过程中不能放松对核心能力的培育与强化，尤其要培育领导者的独特能力，以强势创新团队构筑强大的品牌。核心竞争力是核心业务与核心团队的总和。对报业来说，核心业务应该是采编和发行、广告、印刷。就我的理解，南方报业的核心竞争力就是：开发优质媒体品牌的创新能力，并以独特的营销手段把媒体产品推向市场、拥有客户“心智资源”的运营能力。

运作一份成功报纸需要三种人才形成的合力：一是具备复合型的知识和能力、擅长报业运营的领军人物，二是通晓新闻规律、擅长办报的采编人才，三是具有敏锐市场意识、擅长营销的经营人才。这三种人抱成团，组成一个创新团队，就会发挥出强大的办报和运营能力，使报纸焕发出强势的市场竞争力。如果有品牌优势，有资本优势，加上有团队的创新优势，这张报纸就有极大的成功可能性。

团队中的领头人是至关重要的，他要协调打造品牌的所有行动，要在运作报纸的每个重要环节上进行正确决策。品牌领军人物的智慧、能力和凝聚力对于创造品牌、提升品牌价值和品牌影响力起到了关键作用，有一个杰出的领导，就会带领一班人走上营造品牌的正确之路。

正因为集团近年来从来没有放松过核心团队建设工作，现在我们可以自信地说，南方报业如果要扩展自己的业务领域，不管是创办一张新的报纸，还是创办一份新的刊物，都可以在集团内找出办报所需要的总编辑，并迅速组建出阵容整齐的采编和经营队伍。

要顺利实施南方报业的多品牌发展战略，就必须建立培育三种优秀人才成长的培训机制。南方报业几十年的办报积累，通晓新闻规律、擅长办报的采编人才一直都不缺乏，这方面主要是加强他们对新理念、新风格的创造性发挥，加强对新媒体、新对手的应对。我们比较缺的是具有敏锐市场意识、擅长营销的经营人才，这样的人在报业不容易培养，有丰富企业管理经验的人，又不一定能做好报业的经营。我们最缺的是具备复合型的知识和能力、擅长报业运营的领军人物，这种人才需要培育，更要磨炼。南方报业几个媒体品牌的成功，都在于三种优秀人才组成的团队合力。没有优秀的人才，打造不出品牌媒体；优秀人才不能成为团队、不能产生合力也不行，最后还是一盘散沙。我们在培育优秀人才的同时，更要重视培育他们的团队意识、创新精神。

运作一份成功报纸需要三种人才形成的合力：一是具备复合型的知识和能力、擅长报业运营的领军人物，二是通晓新闻规律、擅长办报的采编人才，三是具有敏锐市场意识、擅长营销的经营人才。这三种人抱成团，组成一个创新团队，就会发挥出强大的办报和运营能力，使报纸焕发出强势的市场竞争力。

三　南方报业人才理念之二：用人用在风华正茂时

新时期报业发展日新月异，报业人才原有的知识面临更新。对品牌媒体的领导者来说，加强培训学习，努力掌握现代的科技信息非常重要。如果我们不能及时掌握信息和动态，在市场上将处于十分被动的局面。从事新闻工作的领导者无论是把握导向还是培育品牌，及时掌握信息是至关重要的，及时了解社会和市场动态，才能做到心中有全局。尤其是上了一定年纪而又处于领导岗位上的集团核心层，学习尤其重要。在集团中地位高、岗位重要，却不像年轻人那样思想活跃、知识丰富、视野开阔，缺乏现代市场经济的知识，缺乏现代管理经验，因此必须补上这一课。

自觉学习能够使大家进步，用好年轻人能够让我们进步得更快。在实施多品牌发展战略过程中，我们不断抓学习、在教育培训中发掘优秀人才；大胆将德才兼备的人才放在重要岗位上；建立良好的用人政策，激励优秀人才不断成长发展。年轻人创新能力强，对德才兼备的优秀人才，在他们精力最充沛、最能发挥作用的时候就要使用起来，等到他们想调离的时候才进行恩赐式的“封官许愿”，是下策。

目前活跃在南方报业采编和经营第一线的大多是二三十岁的年轻同志，其中不乏刚离开大学校门的年轻人。这些年轻人热情高、精力旺盛、思想活跃，但相对缺乏工作经验。对于年轻人才如何使用，反映了一个报业传媒集团的用人理念，也是反映集团的用人机制是否合理的一项重要指标。我们认为，年轻人的知识结构、工作热情和创新精神是集团的宝贵财富，要大胆使用年轻人才，在他们风华正茂、最能发挥作用的时候，就把他们用在运作报业的关键岗位上去，给他们提供施展才华的广阔舞台，这样做既有利于年轻人才快速成长，又有利于集团事业的快速发展。

在南方报业的旗帜下，凝聚了一批年轻才俊。集团旗下各个报纸以及集团职能部门的管理人员，也大都以年轻同志为主，这在国内其他报业集团当中是不多见的。年轻骨干在集团实施多品牌发展战略的过程中发挥了不可估量的重要作用。南方报业传媒集团朝气蓬勃、勇于创新的品牌形象与我们干部队伍和核心团队的年轻化是分不开的。

当然，年轻人自身也存在经验不足的劣势，尤其是在办报实践中的历练不足；在工作中会有这样那样的错误，甚至可能会在新闻导向的把握上出现偏差。对于这个问题要一分为二地看，不能因噎废食，不能因为年轻人容易犯错误就不敢大胆放手使用；同时集团领导层在使用年轻干部的过程中要切实负起把关和指导责任，要帮助年轻人尽快成长、成熟起来。

四　南方报业人才理念之三：谁出主意，就由谁来干

所谓科学的人才观，就我的理解，有两方面的含义：一是不同岗位和层面有不同的人才要求，人人可以成才；二是不同的人才有不同的能力结构，以及不同的人才识别和使用标准。要做到人尽其才，才尽其用，谁在这个岗位上干得好，就让谁干。

南方报业传媒集团事业的发展，需要不同层次、不同能力结构的员工。我们既需要高学历、高层次、高水平的拔尖人才，也需要在基层岗位上从事各种专业工作的优秀员工；我们既需要具有社会影响力的名记者、名编辑、名评论员，同时也需要一支默默无闻但充满活力的职业队伍；我们既需要优秀的采编人员，也需要优秀的广告、发行等经营人员，还需要财务、行政等职业化的管理人员。我们的员工队伍应该是一个复合型的结构，要不断优化集团人才储备结构，同时要善于发挥各类人才的积极性和创造性。对于集团来说，如何根据本身的实际来具体制定上述几方面的考核与评价标准，关系到集团人才队伍的质量。在集团人力资源的开发和使用过程中，我们认识到，对不同类型人才要求有不同的专业素质和能力结构，因此应制定不同的识别和使用标准。

在管理实践中，我们正逐步摸索一套基于岗位要求的人才素质与能力评价体系，并应用于选人用人的工作当中。例如，在集团创办新的报刊的时候，人才识别和使用标准就得到了体现。谁提出办报方案，社委会经过考察后觉得方案可行，提议人德才兼备，有能力把握好办报方向和经营方向，就让谁办。这

既是南方报业传媒集团进行多品牌扩张发展的运作方式，也是我们使用人才的一个重要思路。

2000年，南方周末的几位年轻的业务骨干向报社提出建议，利用国内报纸市场上出现的难得的市场机会，创办一份财经类的报纸，并为报纸起了一个当时听起来显得过长的名字——《21世纪经济报道》。集团社委会敏锐地意识到这是一个很好的主意，果断地决定涉入国内财经类报纸市场。“谁出主意，就由谁来干”，这几位提出建议的年轻人受命筹办这份报纸。

对于这个决策，集团内部当时也有不同的看法，尤其是对新的报名。集团领导认为，这些年轻人知识面宽，社会接触广泛，且富有创新精神，他们对创办这份报纸的思路是正确的；为报纸起那么长的名字，也自有他们一定的道理，所以还是放手让他们去做。后来，正如我们大家看到的那样，“21世纪”名震业界。

集团创办《南方人物周刊》，也基本上采用了这个办法，在集团领导层对创刊方案进行客观评价和周密分析的基础上，大胆任用提出方案的同志来负责这份杂志的筹办运作。南方报业与光明日报报业集团在北京合作创办《新京报》，也是由最早提出建议的南方都市报派人去北京办报。这些报刊都获得了很大成功。

这种用人理念的成功之处，在于三个方面。首先，前期调研策划与具体实施操作交给同一个团队来做，体现了用人过程中“责、权、利”的统一。当一个新项目的前期策划者知道自己有可能成为该项目具体负责人的时候，责任感油然而生，在前期调研论证过程中就会慎之又慎，尽量摸清市场、搞准定位、看准可行性，提高了项目策划的科学性和前期调研的周密性；而在项目通过风险评估、市场前景论证、付诸实施的时候，由出主意的人来干，有利于将正确的办报办刊方针充分地贯彻到报刊运作过程中去。其次，谁出主意就由谁来干，反映了南方报业信任员工、用人不疑的用人原则，这反过来也增强了员工对集团的信任，提高了员工的创业积极性。南方报业顺利实施多品牌发展战略，新的子报子刊不断成功，在业内得到广泛的赞誉，“秘诀”之一，就在于有这种鼓励员工创业积极性的好思路。其三，这种用人理念有利于培养既懂采编、又懂经营管理，既懂新闻运作、又懂市场营销的复合型人才，有利于造就运作媒体的领军人物。南方报业近年来年轻的媒体运营领军人物不断涌现，带领各自所在的报刊在市场上取得成功，成为实施南方报业多品牌发展战略的中坚力量，究其原因，在很大程度上归功于这种“谁出主意，就由谁来干”的用人理念。

五　南方报业人才理念之四：营造平台吸引人

有一种观点认为，要找到优秀人才就必须用高薪去挖人。我不主张这样做，我认为要以“平台”来吸引人才和留住人才。有一位海归人员上门求职，问我能给他多少工资？我先对他讲了本集团某子报一个行业广告部门的工资绩效挂钩的方案：部门经理每月底薪800元，一年就是9600元。该部门经营指标为广告实收额4800万元，如果达到了这个经营指标，每1000万元奖励5万元，共24万元。要是完成了9600万元，那就是48万元了。如果达不到经营指标，哪怕是完成到4799万元，也只能拿底薪，也就是一年9600元。所以，我告诉他：这个岗位的薪酬平台是不封顶的，请掂量一下，你的能力值9600元，还是值24万元、48万元？

个别特殊岗位的特殊人才用高薪去挖，也未尝不可，但我们集团从不打高薪要人的旗号。你用高薪从外面挖一个人进来，那么现任岗位上的人才怎么办？他们在本单位干的时间更长，本事比新进来的人可能还要大，而且是一个群体。高薪挖人可能挖来了一个人，却挫伤了一批人的工作积极性，最终可能“放飞”了一批人，负面影响是很大的。各单位的情况也不大相同，在某地某单位可能是一个知名的人才，但到了新的单位尤其是人才比较集中的单位，你就可能水土不服，不一定是拔尖人才，要通过实战才能确定是否拔尖。

用激励机制营造一个竞争平台，不管你是老员工还是新员工，谁有本事谁来干，谁干得好谁的受益大，这才是公平合理的。

对于从事传媒行业的人才来说，薪酬只是一个“保健因素”，工作本身的挑战性、施展才华的平台以及在工作中得到的尊重感和成就感，才真正构成了对人才的激励因素。事实上，在目前国内媒体行业中，南方报业的薪酬水平并不是最高的，在广东本地媒体市场上，我们员工的平均工资收入大约处在中上的水平，然而南方报业在传媒人才市场上的吸引力，却远远超出我们所能提供的薪酬水平。因为在传媒业内早有一个普遍的看法：南方报业的用人机制十分灵活，在这里你将会受到尊重和信任，得到同自己能力相适应的工作平台，你的潜能将得到充分的发掘，你的知识和技能将得到快速的提高，因此你的职业价值能够得到充分的体现。所以我们在传媒业内对于人才的吸引力很强，那些不甘平庸、渴望在事业上做出成绩的优秀人才不断汇集到南方报业的旗帜下。

我们承认人才的市场价值，用高薪挖人固然是一种市场手段，用平台留人更是一种市场手段。现在的媒体竞争，要求用行政和市场配置相结合的手段选人引才。我们常讲党管干部、党管舆论，但这并不意味着完全按照过去的老一套做法来管理干部和员工队伍。在实施多品牌战略的过程中，集团对人力资源的配置从过去的完全运用行政手段，转到了行政与市场配置相结合的新型机制上来，采编和行政管理部门以行政配置为主，辅以市场配置；广告和发行等经营部门的一线人员，应以市场配置为主，辅以行政配置。

我们引入市场机制，在人才的发现和使用过程当中重视市场的作用，更能培养人、选准人。报业人力资源引入市场机制主要体现在如下几个方面：一是建立公开选拔的民主机制，这与市场的公开性、开放性是一致的。开放性就是要畅开了解干部的信息渠道，不让真正的人才浪费。公开性就是要强调透明度，改变干部的神秘化和封闭状态，更准确地选好干部。二是借鉴市场竞争手段，竞争上岗、双向选择，建立内部人才流动机制。有的人在这个岗位上无所作为，但是在另外的岗位上可能最有利于发挥他的潜能，使其成为有用之才。三是重视人才的市场价值，建立鼓励创新的机制。新闻从业人员的报酬按照岗位、工作性质，并与本人的努力程度、绩效情况挂钩，工作业绩显著的员工收入可以超过他的顶头上司。四是像生产产品一样投入资金生产人才。人才资源的开发投资其实并不大，许多人往往愿意将大量资金用于企业生产和商品流通中，对人才的培养投入却太少；人力资源开发的投入，与人才价值的提升及其所创造的财富是成正比的。引进一定的市场机制，创造优秀人才脱颖而出的环境，有利于人才队伍的培养成长。

至于发行、广告等经营岗位，更可以放开一点来做，完全可以实行以市场配置为主。这些岗位与办报不同，完全可以像商业企业那样，以追求利润最大化为目标，在德才兼备的前提下，谁能赚钱就用谁。我们集团有一批发行员、广告员以及相当一部分中层的经理是靠市场配置的，他们当中有的已经成为通过市场配置产生的职业经理人。以市场配置为主并不意味着甩手不管，因为对一个人的职业道德、职业精神等基本素质还是要考核的。比如我们规定，你在我这里当广告公司的经理，就绝不能私人办公司。所以我们说经营人员以市场配置为主，但又必须辅以行政配置，将两者很好结合起来。

六　南方报业人才理念之五：内部自由流动，肥水先流自家田

在南方报业集团上上下下，创新与进取构成了员工行为的主旋律。集团的发展，正是这种创新与进取的组织心态的客观反映。同时，宽松和谐的人际关系构成了集团独特的人文环境。在南方报业工作过的人，对它的组织文化印象最深的，就是这里宽松的工作氛围和人与人之间平等和谐的关系。集团员工几乎人人都知道，工作时间里从社长到集团其他领导的办公室的门永远是开着的，每一个普通员工都可以推门而入，员工找领导交谈从不会被拒绝。在编辑部里，一个普通的采编人员有权利和报纸的高中层领导针对办报平等地交换看法。这些事情在层级森严的企业几乎是不可想象的，而在南方报业这样一个拥有6000名员工的报业集团是很正常的事情。

创新与进取的组织心态、宽松和谐的人际关系，使集团内部的人才流动成为一种“自然”现象。人才在集团内部合理流动，既体现了以人为本的用人理念，又有利于人力资源在集团内部的合理配置。在集团事业发展的过程中，一些员工或是感觉到在原有的岗位不适应，或是因为自己各方面素质提高而寻求发挥作用的更好平台，或是由于集团业务领域扩张而出现了新的工作岗位，因此员工存在着在集团内部流动的合理要求。

在南方报业，人才流动又是有序的。集团内部的员工流动，从流动的个人目的和动机方面看，分为自我保护性流动和发展性流动两种。随着报业运营层次和水平的不断提高，对从业人员的要求也越来越高，集团每年都要从高校和

社会引进很多高素质的人才加盟，集团原有的一些员工由于年龄、学历、知识结构等方面的问题，面临着越来越大的工作压力，一些员工重新调整职业定位，寻找发现新的适合自己的职业道路，这是一种自我保护性流动。这是一种正常现象。更多的是一种发展性的流动，员工在原有的工作岗位上知识不断丰富、能力不断提高，集团也通过培训等手段，帮助员工不断汲取先进知识，开发潜力，当员工各方面素质得到提高后，必然会寻求更高的职位和更大的发展平台，以求拓展职业空间，提升个人的人力资源价值。

从流动方向上看，员工的内部流动又分为平行流动与纵向流动。平行流动是指员工在不同的部门或岗位之间流动，流动前后员工的岗位相近；纵向流动是指员工职务发生变化，当然也有员工的岗位和职务同时发生变化的。我们一方面在集团内部大力倡导以人为本的用人理念，关心员工的职业发展，关注员工的心理感受，鼓励员工通过努力获得更好的工作机会；另一方面，通过改进内部管理流程，从制度和工作程序上保障集团员工在内部自由有序流动。在南方报业内部已经形成了一个良性自由流动空间，员工申请调岗，只要他申请去的部门同意接收，他原来的部门原则上要放行。员工在部门之间合理流动时，手续非常简便，集团各级人力资源管理部门不会设置任何障碍。

集团定期进行的全员竞聘上岗，是集团范围内人员流动的一个良好机会。在竞聘上岗中，员工跨部门应聘，集团总是予以鼓励，员工由于事先对自身条件和报名应聘的岗位要求有充分了解，所应聘的岗位又是自己经过深思熟虑确实想去的地方，所以大都如愿以偿。对于在全员竞聘中因非年龄原因低聘、落聘的各级员工，集团也进行了妥善安置，鼓励他们进取提高，争取在下一轮竞岗时有更好的发展。

随着集团实施多品牌发展战略，集团业务领域不断扩张，新的子报子刊接连创办，原有的报纸也不断扩大办报和运营规模，不断有新的岗位空缺，这些岗位给员工提供了极大的发展空间。这时候，集团就会根据岗位要求和不同员工在工作中表现出的才能、兴趣等个人条件，挑选那些在工作中显示才华，又适合要求的佼佼者，充实到新岗位。但是这种工作调整并不是强迫性的，集团会平等征求员工本人的意见。由于新工作的确对集团和员工都有利，往往是双方皆大欢喜。有些时候，员工会主动找到我们“毛遂自荐”，我们也会把他们加入到候选者的名单当中予以考虑。

近年来，集团主报《南方日报》几度改版扩版，集团还创办了《新京报》、《南方人物周刊》、《21世纪商业评论》等新的品牌媒体，每次都有大量的用人需求，除了通过外部招聘之外，主要通过内部调剂来解决，这使得员工在集团内部面临的工作机会越来越多，员工内部流动也更加便利。

七　南方报业人才理念之六：追求人才流动的"泉涌效应"

我们把鼓励员工合理流动，当作员工职业生涯管理的一项重要内容。与员工内部流动相呼应的，是集团员工的外部流动。无论是哪种流动，只要对集团事业有利、对员工个人发展有利，我们都会鼓励，并提供便利。

南方报业对于人才的外部流动，管理上是相当宽松的。想走的人，如果经过挽留仍坚持离开，就让他高高兴兴地走。之所以这样做，一是尊重人才的自由选择，员工在外面找到更好的位置，或者有人来高薪挖我们的人才，也在情理之中；二是我们有培养人才的良好机制，有吸引人才的良好名声，有留住人才的有效手段，有充足的人才储备，所以我们对于人才外流并不感到特别担心。

南方报业人力资源战略的目标之一，就是通过建立良好的选人、用人、留人机制，来追求人才流动的"泉涌效应"。

对于一个企业来说，在一定程度内的人才流出是正常的。随着南方报业的品牌媒体不断涌现，南方报业的品牌在全国越来越响亮，南方报业的媒体从业人员在国内媒体人才市场上也越来越抢手。不少单位对南方报业培养出来的办报和经营管理人才情有独钟，纷纷用"主编"、"总经理"的职位和每年几十万元的高薪来我们这里挖人才。现在业界有人说南方报业是"中国报业的黄埔军校"，这是溢美之词。不过，有不少报界名人是我们南方报业出去的，这倒是事实。仅2005年前几个月，就有好几家各类媒体来我们这里高薪挖人。南方都市报一位从事采编工作的业务骨干被某网站高薪挖去做了网络新闻总监。还有一家新创刊的杂志，主编、执行副主编都是由从南方报业下属子报子刊挖去的人来担任。

也有人说“黄埔军校”是专门输送人才的，有点心酸啊！人才被挖走对南方报业的事业发展会不会有影响？我们的看法是，有影响，但是不大。首先，与我们充足的人才储备相比，人员流出的数量很少，不足以对集团事业产生大的影响。其次，集团有良好的培养人才和吸引人才的机制，在少量人才流出的同时，大量新的人才不断从内部涌现出来，优秀人才不断从外部流入，可以保持集团人力资源的流动性，保持队伍的生机和活力。就像一泓不停喷涌的清泉，虽然被人舀去了一瓢水，但新的泉水不断涌出，源头的活水即刻填补，所以泉水长清，永不干涸。南方报业人力资源战略的目标之一，就是通过建立良好的选人、用人、留人机制，来追求人才流动的“泉涌效应”。

从南方报业流出去的人才，带着一套我们熟悉的新闻采编技术和报业运营方法，这套东西不会因为个别人的离开而在我们内部消失，所以没什么可怕。相反，当这些技术和方法成为我们竞争对手的市场表现时，等于是在迫使我们提升自己原有的新闻采编处理技术和广告发行的实战技巧。对于人才储备不足的个别媒体而言，优秀的核心人才离去可能是致命的打击；但在南方报业，新涌现出来的优秀人才更具有创新的激情，更能够迅速有力地应对竞争。

从另一个角度看，这些人才从南方报业流出去后，在提升兄弟报社的办报质量的同时，也宣传了南方报业，无形之中使南方报业在市场上的名声更加响亮，对南方报业的品牌来说无疑是一个很好的宣传广告。这些人才通过在南方报业的工作经历提升自身价值的故事，也帮助我们吸引越来越多的优秀人才汇聚到南方报业旗下，使集团的人才流动一直处于“顺差”状态。

第三章

从人才管理到人才开发

一　南方报业的人力资源开发现状及未来目标

与集团总体战略一样，集团的人力资源战略也是集团内外部环境的产物，受内外部环境的制约。从内部讲，决定人力资源战略的主要因素有集团的使命、集团战略愿景、集团的组织结构和企业文化等；从外部讲，影响和制约集团人力资源战略的因素来自于政治、经济、社会、文化等各个方面，特别是国家的劳动人事法规政策，以及本地及国内劳动力市场供求变动情况，对集团人力资源战略的制定和实施有着十分重要的影响。

制定人力资源战略的目的在于根据集团总体战略的要求，规划集团人力资源的开发与管理，科学配置集团的人才资源，平衡集团内外部劳动关系，协调集团与员工之间、员工与员工之间、人力资源与物质资源之间的多重关系，为集团未来发展提供人才保障，促进集团多品牌发展战略的顺利实施。

人力资源战略应该为集团总体战略服务，因此制定人力资源战略应以集团发展战略为导向，以集团人才队伍和人力资源管理的现状为出发点，以集团内外部的人力资源供求环境为约束条件，确定集团人力资源的发展愿景和目标，并制定切合实际的实施路径。

南方报业人才队伍现状与不足

集团实施多品牌发展战略，需要人力资源的保障。集团未来长远的战略目标是在媒体和文化传播市场上获得持久的竞争优势，成功进行跨媒体和跨地域的扩张发展，把南方报业最终发展成为国际文化传播集团。集团人才队伍的现状与多品牌发展战略的客观需要之间还存在一定的差距，主要体现在三个方面：

（一）员工队伍的结构还不尽合理

一是员工队伍中虽然经营类员工数量较大，但这部分员工的学历和素质都较低，相对于集团充足的采编人员储备，高层次的经营管理人才储备不足，尤其是高层次营销专业人才缺口较严重。二是集团员工中，专业背景的分布过于集中在新闻、中文等少数文科类专业，财经、管理、法律、政治等学科背景分布不足。三是具有复合型学科背景的高素质媒体管理人才相对缺乏。四是高水平的财务金融、人事和信息技术人才相对缺乏。南方报业在实施多品牌发展战略的过程中，将面临大量的跨媒体、跨地域的扩张发展，同时集团还面临资本运营以及建立现代企业治理结构的迫切任务，对于集团事业发展的战略需要来说，现有的员工队伍结构还不能与之相适应。

制定人力资源战略应以集团发展战略为导向，以集团人才队伍和人力资源管理的现状为出发点，以集团内外部的人力资源供求环境为约束条件，确定集团人力资源的发展愿景和目标，并制定切合实际的实施路径。

（二）高层知识结构有待进一步改善

集团领导层政治和文化素质均比较高，具有丰富的新闻运作和管理经验，但大部分都是主要从事新闻采编工作出身，领导层的知识结构相对较单一，现代的经营管理知识相对比较薄弱。

（三）劳动用工形式多样，有利有弊，不利于统一管理

传媒集团目前还属于国有事业单位，集团人力资源也带有很强的国有事业单位人事管理脱胎而来的色彩，随着集团事业的发展，特别是成立传媒集团公司以后，加进了很多企业的色彩。集团除了事业单位编制内员工以外，根据事业发展需要聘用了大量编制外员工。2001 年，针对集团所属二级核算单位自主聘用员工的实际，集团制定了对聘用人员实行分类归口管理的制度。对于集团职能部门以及二级核算单位中采编、管理以及其他重要岗位的员工，由集团人力资源中心负责招聘，与集团签订劳动合同；对于二级核算单位的其他人员，由二级单位自行签订劳动合同，报集团备案管理。近年来，集团着手推进劳动用工制度的改革，推行全员劳动合同制。同时，为了稳定员工队伍，最大限度地减少变革阻力，集团采取了“老人老办法，新人新办法”，逐步渐进的稳妥方式，逐步过渡到全员劳动合同制。2003年起，集团对新进入的员工不再办理进入事业单位编制，一律实行人事代理制。由于这些原因，集团员工的劳动用工方式呈现多元化的状态，分为事业单位编制内员工、集团聘用员工和部门聘用员工三大类，其中集团聘用员工又分为紧密型聘用和次紧密型聘用两种形式。集团用工形式多样，是在改革劳动用工制度的过程中形成的，有其历史的合理性，有利有弊，不同类别员工之间存在不同程度的同工不同酬现象，给集团用工管理和员工激励带来了一定的矛盾。

未来传媒人才市场供需变化趋势

媒体是靠人来运作的，人力资源是决定媒体是否能够获得竞争优势、决定媒体市场竞争成败的关键因素，日益激烈的传媒市场竞争，必将带来对传媒人才的激烈争夺。随着文化体制改革的逐步深入，媒体人才市场将会逐步建立并完善起来。对人才供求的把握直接影响南方报业的人力资源战略，因此，对于未来传媒人才市场上的供需变化情况，必须有一个客观的认识。根据我们的判断，未来中国传媒业人才供求将会出现六大趋势：

（一）传媒人才供给量逐年增加，增加的主体是非熟练的高校应届毕业生

近年来高校扩招带来的结果是高校毕业生数量逐年大幅增加，高校毕业生的就业压力越来越大。这对我们来说，可以增加对人才的选择余地。招收高校毕业生，尤其是著名高校的优秀毕业生，对于集团人力资源的更新和人才储备都起到了积极的作用，但由于高校毕业生素质与能力发展的不平衡，从毕业到熟练掌握基本的工作能力、适应岗位工作的要求，需要一个相对较长的过程。大量招收高校毕业生，也带来了集团培训工作压力增大的直接影响。

（二）人力资源的地区争夺加剧

国内媒体人才在北京、上海、广州、武汉、重庆等经济文化中心城市聚集，随着传媒行业竞争的加剧，地区间的人才争夺战愈演愈烈。与改革开放初期相比，相对于环渤海地区和长三角地区，珠三角的区位优势逐步下降，相对于北京和上海，广州越来越面临强劲的挑战，因此南方报业所在地区对人才的吸引力在逐步下降，这对于集团吸引和留住人才带来了不利影响。

（三）传媒业人才面临着现实竞争对手和互联网等新媒体的强劲争夺

目前中国传媒业的文化体制改革正在加紧进行，传媒经营市场的逐步放开已经成为一个不争的事实，传媒业面临越来越激烈的竞争，新的竞争对手不断进入到媒体市场中，竞争对手之间对人才的争夺也日趋白热化。同时互联网等新兴媒体正在快速崛起，不仅对传统媒体形成了日益严峻的挑战，而且新兴媒体凭着雄厚的财力和良好的发展前景，对传媒从业人员的吸引力也日益增强。

（四）随着传媒人才市场化配置程度的进一步提高，人才流动加快

人力资源在地区之间、行业之间、企业之间的流动将进一步加剧，企业员工尤其是中高级员工和优秀员工的流失率将会逐年增大。如何采取切实措施稳定核心员工队伍，集团应该未雨绸缪提前应对。

（五）薪酬总体水平不断提高，人工成本日益加大

根据对北京、上海、广州等大城市员工薪酬水平的调查显示，近年来传媒从业人员的薪酬水平呈逐年上升的趋势，传媒企业的平均人力资源成本将会逐步上升。

（六）随着员工素质的不断提高，员工对企业的期望值也不断提高

除了通过劳动取得报酬这种基本诉求之外，员工参与企业管理决策、关注自身职业规划、寻求自我实现空间等高层次诉求也会日益增多，集团与员工之间需要建立一种超越雇用关系、在更高程度上相互承诺的新型关系。这给集团的人力资源管理提出了新的任务和课题。

南方报业人力资源管理的愿景、使命和目标

根据南方报业的业务宗旨和整体战略，结合集团人才队伍和人力资源管理的现状，我们初步确定了集团人力资源管理的愿景、使命和战略目标。

（一）南方报业人力资源战略愿景

南方报业的人力资源管理应成为集团整体战略的伙伴，成为推进一系列改革创新达到目标的变革先锋，使南方报业成为中国传媒优秀人才的第一选择。持续高效地提升员工个体、部门团队和集团整体的学习能力，把南方报业建设成为真正意义上的学习型组织。

（二）南方报业人力资源战略使命

集团人力资源管理的战略使命是，进一步创新人力资源机制，建立现代人力资源管理与开发体系。这种人力资源管理与开发体系包括以下六个子体系：

1. 集团员工调配管理体系，把合适的人安排到合适的岗位上；

2. 集团招聘甄选体系，为集团招募优秀人才；

3. 集团培训开发体系，促进员工职业发展；

4. 集团绩效考评体系，保证企业的经营业绩稳步提高；

5. 集团薪酬体系，激发员工的工作积极性，保证员工收入水平的稳步提高；

6. 集团员工关系管理体系，处理员工关系，建立集团与员工的长期合作关系。

（三）南方报业人力资源战略目标

1. 调整和完善人才结构，造就一支具有正确新闻理念和敏感新闻眼光的新闻采编队伍；一支具有企业经验、善于经营管理的职业经理人队伍；一支掌握专业知识、精通专门技术的专业人才队伍；一支具有熟练岗位技能、爱岗敬业的基层员工队伍。

2. 建立南方报业的核心团队，培养和引进一批在海内外有一定知名度和

影响力的名记者、名编辑、名评论员以及优秀的报业经营职业经理人；重点培育一批善于打造和运营品牌媒体并赢得市场竞争的报刊传媒企业家；造就10年乃至15年后堪当国际竞争大任的年轻一代传媒业领军人物。

3. 提升集团人力资源开发与管理的水平，提高员工素质，拓展员工发展空间，使员工的专业水平和综合素质以及工作热情能够充分适应集团多品牌发展战略的需要。

4. 持续进行组织变革，使集团的组织结构能够保障集团在不断变化的环境中健康、持续、高速地发展。

5. 保障并逐步提高员工的经济收入和劳动福利，充分实现员工价值。在不断提升集团实力、品牌影响力和盈利能力的同时，给员工提供愉快的工作、满意的收入及较高的生活水平。

6. 培育健康强势的企业文化，进一步创建集团与员工之间相互信任、长期合作、和谐共赢的关系。

南方报业的人力资源管理应成为集团整体战略的伙伴，成为推进一系列改革创新达到目标的变革先锋，使南方报业成为中国传媒优秀人才的第一选择。持续高效地提升员工个体、部门团队和集团整体的学习能力，把南方报业建设成为真正意义上的学习型组织。

南方报业人力资源战略实施策略

为进一步改善集团人力资源的现有质量，顺利实施集团的人力资源战略，完成集团人力资源战略使命，最终实现集团人力资源战略的愿景和目标，集团应通过改善薪酬制度、建立激励制度、员工培训制度、员工职业生涯管理、企业人力资源储备计划等措施来提升集团人力资源管理的水平，进而提高员工队伍的整体素质和职业化水平。

（一）完善人力资源基础工作，提供有效的组织和制度平台

1. 进一步搞好组织创新，强化人力资源管理工作，探索建立在南方报业传媒集团架构下的人力资源管理体系，加强集团以及下属二级部门人力资源管理与开发方面的业务合作，扩大信息交流，进一步发挥相互之间人力资源管理的业务协同作用。

2. 根据现代化的企业人力资源管理的要求和集团的实际情况，进一步搞好人力资源管理与开发的流程再造，建立和完善人力资源管理制度和业务流程，为人力资源管理和开发工作提供结构化的依据。

3. 对集团各部门、各岗位进行系统化的职务工作分析，建立和完善职务描述体系，根据战略规划确定优化岗位设置。

4. 根据集团战略规划的要求，制定合理的人才储备计划，以适应集团多品牌拓展的需要。

5. 进一步完善集团人力资源信息系统，对人力资源的状况进行有效的监控，并及时准确地预测人力资源及其储备的发展变化趋势，为员工招聘、培训和职业发展提供有效工具。

（二）引入人才储备计划，加强员工招聘工作管理

集团把员工招聘和员工培训作为弥补人力资源现状和集团战略发展要求之间差距的有效手段，员工招聘也是建立集团高质量的人力资源储备的有效手段和主要途径。今后若干年内，集团将根据战略发展和业务领域扩张的要求，积极进行员工招聘工作。进行员工招聘的原因是集团的人力资源需求，为此集团人力资源中心将根据业务发展情况、人才储备计划和员工流动情况，定期进行人力资源需求预测，确定职务空缺的数量和具体要求，为员工招聘提供依据。

（三）推动员工培训和职业发展计划的实施

集团秉承以人为本的人力资源价值观，把员工作为集团最宝贵的财富；集团并不仅仅是把员工当作企业的雇员，而是当作集团的主人。员工培训是提高员工素质的最重要的途径。培训的目的在于在提高员工业务能力的同时，培养员工与企业文化相适应的价值观和行为方式。今后，集团在进行员工培训的时候将注重培训的有效性和针对性，通过培训需求调查建立培训目标，制订科学合理的培训方案，并在每次培训后进行培训评估，以求达到最佳的培训效果。

南方报业将针对每一位员工进行有效的职业生涯设计工作。根据每位员工的专业背景、工作经历和个性取向提供相应的工作职位，注意提高员工的工作丰富化程度和工作挑战性，并随时评估员工的工作绩效，不断发现员工的工作能力和发展潜质，帮助员工设计积极合理的职业发展路径。

（四）建立科学的激励机制，提高员工工作积极性和工作业绩

集团战略规划的顺利实现有赖于各级员工的工作热情、奉献精神和创造性劳动。今后，集团将继续致力于建立科学的激励机制，采取多种灵活有效的激励手段，不断提高员工的工作积极性和工作业绩。可采用的激励措施包括：不断致力于集团多品牌战略拓展，为员工提供广阔的职业发展空间；为员工提供培训和发展机会；给予每位员工充分的信任和尊重，并通过合理的授权提升员工的成就感；建立以业绩为基础的科学的员工考核评估体系，全面公平地考核评价员工的工作绩效；制订员工奖励计划，拉大优秀员工和一般员工之间的待遇差距；制定并严格执行对业绩不良员工的惩罚规定，通过奖罚分明的手段激励员工等等。

（五）进一步改革集团薪酬制度

员工的薪资水平和薪酬制度是南方报业实力和人力资源政策的重要体现，它直接关系到集团员工的收入水平和生活水准，同时也是无可替代的有效激励因素。在控制人力成本的同时，我们要稳步提高员工的薪资水平，并研究制定更加科学合理的激励制度，使集团的薪酬水平和薪酬制度在人力资源市场上具有较强的吸引力和竞争力，真正起到吸引和留住优秀员工的作用。为此将着手做好以下工作：

1. 定期进行薪酬水平调查，了解本地及全国薪酬总体水平的变动情况和变化趋势，特别是了解传媒业员工的薪酬水平及变动趋势。

2. 根据收益分享的原则，参考国内外先进企业的成功经验，结合集团的实际情况，完善、改进集团薪酬分配制度。

3. 根据现代企业制度的客观要求，借鉴国际先进经验，勇于改革，大胆探索，研究制定对集团管理层和核心员工的长期激励制度。

（六）打造强势的雇主品牌

南方报业品牌的内涵既包括传媒市场上的产品及企业品牌，又包括传媒人才市场以及集团内部的雇主品牌。雇主品牌决定了南方报业作为一个工作单位，在集团现有员工以及可能在集团工作的潜在员工心目中的地位和形象。正如集团的产品和企业品牌对集团业务扩张和建立持久竞争优势起到巨大的推动作用，集团的雇主品牌在集团吸引人才、留住人才、赢得员工信任、激励员工持续提高工作绩效方面所发挥的作用也是不容忽视的。

南方报业在多品牌发展过程中，在打造强势的产品及企业品牌的同时，有意识地建立了良好的雇主品牌形象。我们每年进行大学生招聘的时候，注重将招聘与宣传南方报业品牌结合，通过一系列宣传活动以及既科学又充满人性化的招聘工作，在高校乃至社会上有效地树立了南方报业的良好形象。在内部，南方报业也树立了良好的雇主品牌形象，集团与员工之间初步建立了宽松和谐、合作共赢的良好关系。

今后，集团将进一步有意识地建设雇主品牌，通过对员工科学的管理、人性化的服务，以及建立和宣传集团发展愿景等手段，强力打造南方报业良好的雇主品牌形象，为集团的多品牌发展战略增添新的内涵。

二　博士后工作站：南方报业腾飞的“助推器”

——与广东省人事厅副厅长何锦胜的对话

博士后工作站建在报业集团，实质上是为我们集团提供了一个在市场经济条件下去探索更多前沿科研课题的高平台，将会对我们报业发展产生重大影响。

我们拥有博士后工作站不是用来标榜自己有多厉害，而是要用虚实结合的办法，既要解决当前的问题，更要实实在在解决长远的重大战略问题。

——范以锦

博士后工作站必须具备的基本条件是有一定难度的，这些条件包括：设站单位要具备相当的规模；要有一定的技术中心或研究开发机构；要有研究水平较高的科技人员和较好的研究开发条件；要能够提出具有较好市场前景和较高学术技术水平的研究项目；要有较高的经济效益，有经济实力等等。应该说，申报成功，确实展示了设站单位的实力。

“国以才立，政以才治，业以才兴。”我相信，南方日报

报业集团一定能为我省的博士后工作探索更多的经验，祝你们旗开得胜，马到成功！

——何锦胜

对于“博士后科研工作站”这块牌子，我们怎么看？挂上这一牌子后，我们将怎么做？尽管一切都在探索中，但大家对未来充满信心。2004年4月26日挂牌当日，我与广东省人事厅分管博士后工作多年的副厅长何锦胜有一番对话。

“国以才立，政以才治，业以才兴。”要想在某一方面谋求新的发展，就必须拥有这方面的人才，否则无从谈起

记者：新闻是很注重实操的，报业集团发展到今天，建立博士后工作站这样研究前沿课题的科研平台意义何在？

范以锦：建立博士后工作站是我们集团的迫切要求。我国加入世贸组织后，国内新闻改革步伐加快，南方日报报业集团面临新的机遇和挑战，无论是在战略层面还是在具体策略上以及技术层面上，都有许多关系到集团长远发展的重要问题亟待研究。这些问题对于集团今后的生存与发展至关重要，决定了集团在今后一个较长时期内是否能够抓住机遇，加快发展，保持和扩大在报业市场上的竞争地位，更好地完成党在新时期赋予集团的新闻宣传任务。我们对博士后工作站寄予厚望，她将是南方报业腾飞的“助推器”。

何锦胜：范社长讲的亟待研究的那些事关集团长远发展的重要问题，归根结底是人才问题。“国以才立，政以才治，业以才兴。”要想在某一方面谋求新的发展，就必须拥有这方面的人才，否则无从谈起。目前，我省已在15家高校和科研院所设立了55个博士后科研流动站，在128个企事业单位设立了78个博士后工作站，年招收博士后规模已达到280人。博士后制度能够“火”得起来，得到社会的认同，关键就在于它闯出了一条有针对性的在培养中使用、在使用中培养年轻高层次人才的新路子。“博士后”不是学历，不是学位，也不是职称，而是一种科研工作经历。博士后的任务是研究课题、项目，转化科研成果；设立博士后工作站，实际上是提供一个引进、培养、使用年轻高层次人才的平台。就像范社长说的，迫切要求设站，目的在于通过开展博士后科研工作，从战略层面、技术层面来解决报业集团的长远发展问题。这就是必要性，一语中的。

博士后工作站建在报业集团，实质上是为我们集团提供了一个在市场经济条件下探索更多前沿科研课题的高平台，将会对我们报业发展产生重大影响

记者：博士后工作开展3年来，在新闻传媒这一块比较活跃，现在全国有4家传媒集团拥有博士后工作站，我们南方报业是第三家获批准的。建立博士后工作站对报业集团今后的发展将起什么作用？

范以锦：博士后工作站建在报业集团，实质上是为我们集团提供了一个在市场经济条件下探索更多前沿科研课题的高平台，将会对我们报业发展产生重大影响。例如以前是媒体经营，现在则是经营媒体，更注重媒体的品牌效应，利用报业集团的无形资产增强实力，壮大发展。

博士后工作站建在报业集团，实质上是为我们集团提供了一个在市场经济条件下探索更多前沿科研课题的高平台，将会对我们报业发展产生重大影响。

再比如，以前是产品经营，现在是资本经营。我们可以通过几十年积累起来的资本、财富，通过资本运营的手段，兼并一批相关产业，这样报业集团在短时间内可以拿到更多的“蛋糕”，“蛋糕”越做越大，我们就可以跨越产品经营的老路。

何锦胜：博士后工作站的特点决定它确实能更多更有效地探索研究前沿科研课题。首先，它强调设站单位要根据自身需要提出高水平的研究项目，博士后科研工作的针对性很强；其次，它强调设站单位要与高校和科研院所的博士后流动站联合招收博士后，发挥高校和科研院所研究条件好、学术力量强、科研资料全和各种信息畅通的优势，这种机制有利于提高工作效率；再次，它强调设站单位与学校、科研院所的合作要互惠互利。这些年的实践证明，这三条对于培养年轻的高层次人才、研究探索前沿科研课题的作用是比较明显的。此外，设立博士后工作站的另一个作用就是引进人才。博士后期满出站后，如设站单位需要，其本人又愿意的，就可以留下来。这些年来，我省博士后出站留在广东工作的占80%多。目前，全省共积累博士后1300多人。

广东要建设文化大省，作为省委、省政府重点扶持的文化产业集团，我们觉得肩上有不可推卸的责任

记者：现在广东正在建设文化大省，我们南方报业又是省委、省政府重点扶持的七个文化产业集团之一，建立博士后工作站和建设文化大省有什么密切联系？

范以锦：中共广东省委强调，广东要建设文化大省。作为省委、省政府重点扶持的文化产业集团，我们觉得肩上有不可推卸的责任。

从南方报业在广东省文化产业中的地位来看，南方日报是广东省的主流媒体和省委机关报，报业集团是省重点扶持的7个文化产业集团之一。如果这一块我们做好了，就能更好地起到排头兵的作用。

从报业集团所发挥的作用来看，报纸担负着舆论引导的职责，尤其是作为省委机关报，在舆论引导中要起龙头和示范作用。开展文化大省的建设，要有“阵地”观念，通过提高舆论的引导水平巩固和扩大党的舆论阵地。建立博士后工作站后，将增强新闻工作的科研能力，提升舆论引导的水平，随着报业集团的影响越来越大，作为主流媒体的声音会传得越来越广，真正起到鼓舞人心、引导舆论的作用。同时，报业集团越做越大后，报业集团的经济实力越来越强，文化产业在经济中所占的比重会越来越大，这本身对建设文化大省就是一个促进。

文化建设，从根本上来说是人的建设，核心是全面提高人的素质。建立工作站以后，势必会大大提高媒介研究水平和运营水平，为广东的媒体提供更多的人才。现在对媒体来说，普遍缺乏运营人才。通过博士后科研工作站，我们可以培养高层次的媒体运营人才队伍，工作站可以成为高层次人才基地。

何锦胜：的确如此，报业集团建立博士后工作站与建设文化大省关系密切，意义重大。我补充一点：南方日报作为广东省的主流媒体和省委机关报，你的博士后工作站搞好了，还将起到很好的辐射作用。首先，那些尚未具备设站条件的媒体可以与你们合作，共同研究探讨急需解决的问题。其次，期满出站的博士后将流向各家媒体，年轻高层次的报业人才来源将增加一条新的渠道。第三，其他媒体将从你们身上看到设立博士后工作站的意义和作用，势必把这当作建设文化大省的一项重要工作来加以重视。

博士后工作站将被打造成南方报业的一个新的子品牌，但是这个子品牌不是孤立的，它会贯穿到其他的子品牌当中，通过联合开展各种各样的活动来实现彼此之间的相互呼应和共同成长

记者：博士后这个牌子挂起来后，主管部门会密切跟踪课题的研究情况，接下来会怎么做？

范以锦：接下来有大量的工作要做。在报业集团设立博士后工作站，不是研究后写几篇论文就完成了，它要有来自于媒体的前沿课题，研究成果又一定要用于指导实践，真正做到“产学研”相结合。这个博士后工作站运用得好，将是一个很好的推动器。

我们会联合国内一流高等院校、科研机构、大型企业一起，借助他们深厚的学术底蕴，严格的治学态度和国际化前瞻性的视野、先进的管理理念，充分发挥报业“产学研”的优势，就像插上了翅膀，使我们在品牌、资本、人才等各方面得到全面提升。

不可否认，品牌的竞争是未来竞争的重要手段，博士后工作站建立后，南方报业的品牌因此会得到进一步提升，内涵将更丰富，地位和形象也得到提升。博士后工作站将被打

在报业集团设立博士后工作站，不是研究后写几篇论文就完成了，它要有来自于媒体的前沿课题，研究成果又一定要用于指导实践，真正做到“产学研”相结合。这个博士后工作站运用得好，将是一个很好的推动器。

造成南方报业的一个新的子品牌，但是这个子品牌不是孤立的、一般性的子品牌，它会贯穿到其他的子品牌当中，通过联合开展各种各样的活动来实现彼此之间的相互呼应和共同成长。

何锦胜：这个工作思路非常对头。博士后工作站能否办得成功，关键就在“联合”这篇文章做得怎样。我们讲联合，不是把招收的博士后“挂靠”到学校和科研院所了事，而是要将博士后研究的项目的确立和博士后人员的挑选、培养、使用的全过程都充分体现“联合”，切实建立起一种密切合作的机制。博士后工作站的根本目的是要推动科学研究面向经济建设，提高设站单位的技术创新能力。

我相信，南方日报报业集团一定能为我省的博士后工作探索更多的经验，祝你们旗开得胜，马到成功！

申报成功充分展示南方报业实力

层层筛选　实力取胜

博士后工作站必须具备的基本条件是有一定难度的，这些条件包括：设站单位要具备相当的规模；要有一定的技术中心或研究开发机构；要有研究水平较高的科技人员和较好的研究开发条件；要能够提出具有较好市场前景和较高学术技术水平的研究项目；要有较高的经济效益，有经济实力等等。全国博士后管委会办公室按照这些条件对申报设站单位进行调查、论证，然后再征求各部门意见，组织专家进行评审。一个博士后工作站申报成功，不但要具备这么多条件，而且要经过这么多环节的筛选。应该说，申报成功，确实展示了设站单位的实力。

——何锦胜

南方报业具备四大条件

首先，对南方报业这样一个特殊的企业集团，我们有比较成熟的操作经验，有新的理念、新的运营机制和发展方略，这跟博士后工作站建站要求是一致的。第二就是我们具备了比较强的发展后劲。第三是对高层次人才需求量大。第四是南方日报报业集团具备设立博士后工作站所需的条件，能够为博士后提供必要的科研和生活设施。

——范以锦

博士后工作站具体将研究什么?

解决长远的重大战略问题

我们要研究的课题非常多。从虚的方面来说，包括新的条件下新闻理论的思考探讨,媒体经营战略的深入研究等等。从实的方面来说，有报业集团怎样跨地域经营、跨媒体经营，把传媒品牌渗透到社会的方方面面。还有报业上市的途径问题，怎样利用集团内部丰富的信息资源去与相关行业进行信息交换问题等等。这些问题，我们传统的新闻教材里没有答案，这是来自新闻实践的前沿话题，必须面对的问题。如果我们还是停留在低层次的产品经营、媒体经营上，我们永远没办法实现在较短时间内做大做强的目的。我们拥有博士后工作站不是用来标榜自己厉害的,而是要用虚实结合的办法，既要解决当前的问题，更要实实在在解决长远的重大战略问题。

——范以锦

选准报社发展的前沿课题

涉及报社发展的前沿课题很多,关键就看我们怎样去做。我认为，针对具体的研究课题，要着重抓好两个环节：一是要选准项目，二是要选准人才。确立的研究项目一定要符合设站单位发展的需要，要有较好的市场前景和较高的学术水平，并且能在博士后在站两年多时间内取得阶段性成果，不要超越实际。选准了项目，然后选准一流人才来承担。

——何锦胜

三　发展人才战略　共建文化大省

——与中山大学校长黄达人的对话

2003 年 12 月 8 日，在南方日报报业集团与中山大学管理学院共办 EMBA 课程培训班第二期开学典礼上，中大校长黄达人与我就两大品牌如何强强合作，优化智力结构，储备充裕人才，发展人才战略，努力成为文化大省建设中的一支重要力量进行了一番对话。

两大品牌强强合作
真正实现双赢目的

黄达人：记得去年南方日报报业集团和我们管理学院共建 MBA 实习基地时我就对范社长说，与南方日报报业集团这样的知名品牌共建MBA实习基地，将成为保证中大 MBA 教学质量的重要措施，是真正意义上的强强合作。中大在这几年的发展中非常注重树立自己的品牌，提升自己品牌的含金量，而南方日报报业集团是值得信赖的媒体，我真心希望南方日报报业集团和中山大学这两家邻居今后联系更紧密，在合作中探索更多模式，以达到双赢目的。两家后来又联手共办 EMBA 课程培训班，在全国新闻媒体行业中是开先河之举。

范以锦：感谢黄校长今天来参加开学典礼，黄校长再次亲临我们报社，预示着我们的合作将进入新的发展阶段。

我们深知，南方日报报业集团发展到今天，必须致力于强化持久竞争优势。现在的竞争已进入以资本、人才、品牌为主的高层次战略竞争。在这场品牌竞争中，强化核心竞争力是多品牌战略的基础，保持充裕的人力资本则是实施多品牌战略的关键。

从报业经营的角度来思考，最缺乏的是什么人才？就是既懂办报又懂经营、能对报业进行运作的复合型人才。对此，我们两条腿走路，一是到全国各高等学府包括中山大学中去挖掘优秀毕业生，补充进来。今年我们集团准备招200名大学毕业生，到现在为止网上报名就有两万多人。二是要大力提高现有采编、经营岗位上的中高层管理人员的管理水平，对其进行工商管理的职业训练。通过培训，强化报业的核心竞争力。我们想到了与中大合作开办 EMBA 课程培训班。

与中山大学校长黄达人共贺南方报业第二期EMBA培训班开学。

黄达人：我有一个观点，时代发展到今天，高等学府的责任不仅仅是在围墙内培养优秀毕业生，我们更有义务为社会广泛培训合格人才，为当地经济建设提供智力支持和人才保障。不论是MBA还是EMBA都是非常注重案例教学的，与中国发展最好、有着丰富实践经验的报业集团合作，对我们的教学就是一个很好的促进，可为我们提供新鲜的实践经验，我们中大为不少行业培训过中高层管理者，但与媒体进行培训合作还是第一次。

范以锦：依托中大对现有的南方报人进行培训，是南方报业的最佳选择。中大是中国著名高等学府，特别是两校合并后发展速度很快，你们的人事制度改革、公开向海内外招聘150名教授等等一系列举措走在了全国前列，影响很大，中大这个品牌在我们心目中分量很重。同时像黄校长说的，我们是近邻，有地缘优势。

第一期8个月的课程培训我全程参加了。从培训中我们尝到了甜头，开拓了办报思路，强化了经营管理者的素质，全面提升了中高层人员运营报业的能力，为我们报业集团开发和储备核心竞争力，强化持续的竞争优势打下了非常好的人才基础。

广东建设文化大省
核心是全面提高人的素质

黄达人：张德江书记来粤上任后的调研首选就是中大，这不仅是对我们中大自身发展的深切期望，更是寄望我们要在建设教育强省、文化大省中尽职尽责。中山大学经过高水平建设大学计划（“985工程”），全面提升了实力，为社会发展作贡献的能力也越来越强。现在我们两家建立起来的这种人才战略，优势互补、密切协作，不仅符合双方的利益，更有利于全省的文化事业发展，在企业中创造学习型组织，提倡终身学习的先进理念。

范以锦：文化建设从根本上来说是人的建设，核心是全面提高人的素质。我的理解是如果各行各业都有高层次的管理人才，都能够做大做强，那么，我们的文化大省建设就有了坚实的基础。现在大家都知道，随着国家开放进程的加快，传统媒体面临国外大资本、大媒体虎视眈眈的挑战。在这一轮的竞争中，作为我省报业的龙头、省委省政府重点扶持的报业集团，我认为只有进一步优化集团的智力结构，形成充裕的智力资本，实现报业集团的观念创新、制度创新和管理创新，将自己做大做强，就像中大做大做强一样，才能以实际行动配合省委省政府的中心工作和建设文化大省的战略部署。也只有做大做强，才能从容应对挑战，从根本上巩固党的舆论阵地。

附录：南方报业的EMBA课程培训

南方报业在集团内部进行成建制的EMBA课程培训，这个设想始于2002年底。当时，南方报业多品牌发展的理念初步形成，集团战略管理即将迈上新的台阶；集团人事处刚刚改组为人力资源中心，人力资源开发开始被列入工作日程，培训工作日益得到重视；南方报业与北京大学光华管理学院、中山大学管理学院分别开展的共建MBA实习基地项目刚刚启动，与著名高校在培训教育方面的广泛合作迈出了第一步。在此条件下，与高校联合开办EMBA培训班可以说是恰逢其时、水到渠成。

EMBA是“高级经理工商管理硕士”的英文缩写。国内外有个普遍的说法：EMBA与其说是一种学位教育，不如说是一种职业训练，它的培养目标就是造就掌握企业运营规律、精通现代管理理论与操作技能、通晓市场竞争手段、能够对产业组织实施科学管理的高层次、实战型、复合型的人才。这种人才恰恰是南方报业所急需的。

作为一家长期从事新闻宣传工作的单位，南方报业目前最缺乏的不是精通新闻采编的人才，而是精通经营管理的人才，尤其是既懂新闻采编、又懂经营管理的高层次人才。在集团社委会当中，新闻采编科班出身的人比比皆是，从事新闻管理工作可以胜任，但总体来讲缺乏系统的工商管理知识背景，与集团面临的改革和发展任务不相适应，亟待进行知识更新，补上这一课。

因此，当集团人力资源中心的同志把筹办EMBA课程培训的设想向我汇报的时候，我对他们说：把自己采编和经营岗位上的中高层管理人员集中起来，系统性地学习EMBA的课程，进行工商管理的职业训练，这是一件很有意义的事情，在全国新闻媒体行业是第一家，这件事一定要办成、办好。

经过慎重考虑，我们最终选择了中山大学管理学院作为合作伙伴，共同举办EMBA课程培训班。之所以这样选择，一是因为我们对中大及中大管院的教学水平有信心。在"建设居于国内一流大学前列、在国际上有较大影响的高水平研究型综合性大学"整体目标的指导下，中山大学管理学院充分利用改革开放的有利时机和广州毗邻港澳的地理优势，不断向高层次、多学科、外向型、多功能的办学方向发展，现已成为华南地区最重要的管理研究和高级人才培训基地。中山大学管理学院自1997年起获得工商管理硕士（MBA）学位授予资格，为社会提供优质的工商管理硕士学位课程。2002年学院又成为首批试办EMBA的高校。二是作为一个本地高校，中山大学对南方报业传媒集团各方面的情况以及集团人力资源的现状更加了解，可以更好地针对集团的需要精心设计培训课程，使EMBA课程能更适合集团的需要，与南方报业战略发展的需求相吻合。另外，南方报业集团与中大长期以来关系密切，相信合作会十分顺利。

经过与中大管理学院的磋商，我们为这次培训制定了几项原则：

1. 密切联系中国企业面临的现实问题，注重与企业高级经理相关的经营管理实务；

2. 适应南方报业实施多品牌发展战略、提升经营管理水平的需要；

3. 追踪最新经营管理理念、方法的发展；

4. 体现EMBA课程精华；

5. 汇集和反映中山大学管理学院20年来的科研与教学成果。

第一期培训班原计划招收40人，对象是集团中层以上干部，由本人自由报名。没想到报名参加培训的踊跃程度大大出乎我们的预料，人力资源中心不得不采取考试的方式来挑选参加者。集团内部开设的培训班通过考试来筛选参加对象，这在南方报业也算是头一回。

第一期EMBA课程培训班于2002年12月20日在南方报业的一个会议室正式开课。EMBA课程培训班长达8个月。每隔一周的周末，包括集团社长、总编辑、总经理在内的40多位报业集团中高层管理者都会准时来到课堂，体会重新做学生的感觉。

培训班开设了经营经济学、公司组织与变革、营销管理与市场策划、企业经营战略、财务报表信息分析与运用、财务管理、团队管理与领导艺术、人力资源开发与绩效评估、企业与法律、生产与运作管理、企业国际化经营、企业文化与公共关系等十几门核心课程，并向学员提供管理论坛及服务营销、企业创业与风险资本、企业兼并与收购、企业形象与CI战略、WTO与中国企业的经营行为、证券投资与资本市场培训等讲座。

这些课程的设置和安排，既包括了现代企业经营管理的基本内容，也与现代管理理论和实践的最前沿领域高度结合，是现代决策、经营、管理过程必不可少的知识支持。

EMBA课程培训班教学以面授为主，采用互动教学方式进行研讨交流，理论与实际案例相结合讲授。参加培训的集团各级员工普遍反映这些课程、讲座带来的很多现代企业管理的理念对他们实际工作，对管理、经营水平的提升起到积极的效用。

在第一期EMBA课程培训班取得良好成果的基础上，我们在2003年底继续和中山大学管理学院合作开办了第二期EMBA课程培训班。

EMBA课程培训班给南方报业带来的收益是十分显著的。

培训开拓了我们的办报思路，强化了经营管理者的素质，全面提升了中高层人员运营报业的能力，为我们报业集团开发和储备核心竞争力、顺利实施多品牌发展战略打下了非常好的人才和知识基础。EMBA课程培训的成功举办，进一步拓宽了集团培训和人力资源开发的思路，为集团今后人力资源开发工作积累了宝贵的经验。同时，这种培训在集团内部促成的集体学习意识，对集团建设学习型组织的促进作用也是不容忽视的。

我们开展EMBA课程培训的时候，国内的EMBA教育刚刚起步，南方报业成为第一家与高校合作、成建制进行EMBA课程培训的媒体集团。

四　南方报业的校园招聘

重视后备人才的培养，及时补充新生力量，是南方报业的优良传统。从1992年开始，南方报业每年都会有组织地到高校招收毕业生。近年来南方报业涌现出的优秀人才，有很一大部分是从那时至今通过校园招聘进入集团的大学毕业生。进入新世纪，南方报业的事业发展对人力资源的需求越来越大，集团每年招收的大学生数量也呈每年递增的趋势。2005年度，集团招收了128名应届大学生，创下了集团历史最高纪录。据我了解，这样大的招收应届大学生规模在国内整个媒体行业中也是绝无仅有的。

在校园招聘中我们逐步探索出了一套把招聘与宣传推广南方报业品牌相结合的成功经验和成熟做法。每年南方报业校园招聘之时，总是能够在全国高校引起不小的轰动。由于集团近年来锐不可挡的发展势头和声名远播的影响力，我们每年都能够吸引大量北大、复旦等国内顶尖高校以及中大、华工、暨大等本地著名高校的优秀毕业生应聘南方报业，另一方面，一年一度的校园招聘活动也成为南方报业品牌推广的重要活动,使南方报业的品牌在高校乃至社会上受到广泛关注。

南方报业早期进行校园招聘活动的时候，主要是通过面试选拔学生。近年来，在招聘实践中，我们逐步引进科学的人才评价方法和规范的招聘工作程序，不仅挑选到优秀的人才，也赢得了良好的口碑。下面以集团2005届大学毕业生校园招聘活动为例谈谈我们的具体做法。

2005届南方报业校园招聘，规模堪称历年之最。从2004年11月初启动，到2005年1月中旬结束，历时两个多月（见表1），从周密的准备工作，到在线简历填报系统的构建，从简历的筛选，到9所高校校园推介会的召开，从组织笔试面试，到学生录用工作，整个项目在集团社委会领导下，由人力资源中心策划、组织和实施，取得了圆满成功。

表1　南方报业2005届校园招聘日程表

序号	时间	时间（天）	安排
1	2004-11-01—11-15	15	各项准备工作
2	2004-11-15—12-03	18	在线简历填报系统开通
3	2004-11-24—11-27	4	广州、北京、上海等地九所高校校园推介会
4	2004-12-08	—	公布笔试名单
5	2004-12-10	1	笔试
6	2004-12-15	—	公布面试名单
7	2004-12-16—2005-01-05	21	面试
8	2005-01-15—01-18	4	电话通知录用者，发放接收函
	合计	79	

准备工作

2004年10月底，校园招聘工作正式启动，人力资源中心把招聘工作计划提交到我的案头。这标志着声势浩大的校园招聘项目正式拉开序幕。

充足的准备是成功的保证。在招聘初始，集团做了细致周密的准备工作，包括：

●汇总各部门招聘需求，并由社委会讨论通过；
●进行校园招聘的前期广告宣传；
●制订招聘日程；
●构建测试网上报名系统；
●联系北大等各地高校；
●安排校园推介会；
●制作集团宣传片、宣传册与宣传海报；
●准备笔试试卷；
●确定面试试题和考官。

为扩大招收人才的范围，提高招聘效率，集团从2003年起启用网上在线简历填报系统，代替传统的纸面简历收集。经过两年来的不断完善，该系统已日益成熟。

集团除了在旗下报纸上大张旗鼓地进行宣传以外，还与全国50多家著名高校联系，发布招聘信息，并在北京大学、清华大学、中国人民大学、复旦大学等9家重点院校的BBS和集团的网站上发布招聘推介会信息。报纸、高校、BBS和网站的多样化宣传使得南方报业的招聘成为一时的热点。从11月15日到12月3日，简历系统开通了18天，我们一共收到了来自全国各地，包括台湾和香港在内的简历共4万余份。

招聘推介会

集团针对岗位要求与招聘重点，在北京大学、中国人民大学、武汉大学、复旦大学、南京大学、浙江大学、中山大学、华南理工大学和暨南大学等9所全国重点院校组织大型巡回校园推介会，进行招聘宣传。

我们的先头部队提前来到各大高校，做好了校园推介会的各项准备工作——场所、横幅、海报、宣传画、电脑、投影仪、音响、麦克风、宣传册等等，一应俱全。推介会上，精心制作的宣传册全面介绍了集团各具特色、性格鲜明的子报子刊，而颇具震撼力的宣传片则向观众展示了南方报业蓬勃发展的现状和充满希望的未来。南方报业在各高校的招聘推介会的一大特色是邀请部分在集团工作的本校校友作为嘉宾，跟大家分享成长的经验，展示南方报人的风采，介绍南方报业各方面的情况。请校友作嘉宾进行推介，引起高校同学的强烈共鸣。由于准备充分，宣传有力，校园推介会取得良好的效果。现场非常热烈，许多外地和外校的学生也纷纷赶来，经常连会场过道都挤满了学生。

简历筛选与笔试

要在短时间内从4万份简历中筛选出3000人参加笔试，确实是一项重大的挑战。我们采取两轮筛选，每份简历都要由两个不同的人员进行筛选，在此基础上确定笔试名单。根据集团的用人标准，按照个人素质和能力、学习情况、社会活动、实习经历以及个性等方面进行综合评定，有效保证了选择的公平性和准确性。

南方报业的招聘笔试，以“题量大、难度高”闻名。我们请来专业咨询公司，针对媒体从业人员的素质要求，结合南方报业的实际情况，进行科学化的命题。有不少同学反映我们的招聘笔试题目非常难，这是有原因的，要在众多高质量的学生里面优中选优，只有具备一定难度的试题才能保证区分度。

面试

根据笔试成绩，采编、经营、管理或者技术等不同岗位按照各自不同标准，最终确定1200名面试学生参加我们的面试。

面试采取无领导小组讨论的形式，以检测考生的逻辑思维、表达能力、心理素质、人际关系等各个方面的能力和素质。面试过程中，面试官从形象、语言、知识、沟通四个方面对考生进行评分，并且做了详细的记录，还给出综合评分，作为取舍的依据。

录用

经过层层把关和精挑细选，我们最终从全国各大知名院校招收了128名优秀毕业生，其中硕士研究生57人，本科生71人，分别在集团职能部门以及各子报子刊从事采编、经营、管理和技术工作。

我们用了两个多月时间，从4万份简历中挑选3000人笔试，再选拔1200人面试，最终精选了128名学生成为集团的员工，相应的比例约是333∶25∶10∶1，可谓名副其实的百里挑一。

在不知道实际操作能力的情况下，当然优先考虑名校名专业的优秀生。不过，招聘主要看应聘者的实际能力，不管你来自何方，只要你有能力，南方报业的大门永远为你敞开。

附录：面试的问题没有标准答案

新京报：学历、学校在南方报业的招聘中起多大的作用？

范以锦：在不知道实际操作能力的情况下，当然优先考虑名校名专业的优秀生。不过，招聘主要看应聘者的实际能力，不管你来自何方，只要你有能力，南方报业的大门永远为你敞开。南方都市报有一个只是高中毕业的农民工，在当送报人的过程中总结了一套发行的经验，就让他当上了发行部门的副经理，还让他给发行人员上课，他还因此出了一本书——《报纸发行培训宝典》。

新京报：南方报业的简历筛选、笔试和面试有什么标准？

范以锦：今年笔试比较特殊，我们没有考查理论方面的知识，相反是采用了一些逻辑推理题、常识题和新闻材料题。

面试也准备了很多题目，针对不同特长的学生我们会采取不同的问题，不过有一点我想说明的是，你的答案可以比考官更圆满，或者说没有一个绝对标准的答案，你甚至可以否定考官的看法，或者想法更超前。

新京报：南方报业2005年的校园招聘计划是什么？

范以锦：我们2005年打算招聘100多名应届毕业生，目前有4万多人报名，专业方向应该是多元化，新闻专业的学生占据的份额不到一半。

新京报：南方报业凭什么来吸引人才？

范以锦：我觉得南方报业吸引人才最大的优势是品牌，南方报业有很多很有影响力的品牌，比如《南方日报》、《南方周末》、《南方都市报》、《21世纪经济报道》等，很多人才是冲着报纸的品牌来的。

品牌塑造与人才聚集是一个互动的关系。人的智慧直接影响着媒体产品的质量，影响着拓展市场的决策。人才优势是最重要的竞争优势，人才及其智慧的发挥会培育出品牌媒体，会形成强大的磁场，会不断把更多的人才吸引过来。

（2004年12月21日《新京报》网络版）

第四章
文化追求与战略形象

一　跳槽员工感慨：南方报业是中国报业的一个奇迹

勘良是一个曾经在南方报业成长、奋斗，后来自主创业的南方报人。1992年他于华南理工大学管理工程专业毕业后，进入南方日报广告科（后升格为广告部、成立广东省南方广告有限公司）工作，1999年28岁时任公司副总经理，是当时南方报业经营系统最年轻的副处级干部。2001年跳槽，现任一家杂志的总监。2005年8月，再一次谈起南方报业传媒集团的崛起并壮大的前景时，我感到他仍然把自己当作南方报人，仍然关注着南方报业的发展，依然为她欢呼为她扼腕，并为自己曾经是南方报人而感到自豪。我把像他这样曾经在集团工作如今在外面闯天下的年轻人，称作南方报业“老”员工。

发展后劲源自人才后劲

范以锦：小勘是1992年进报社的吧，我记得是小平同志视察南方后，报纸为适应新形势扩版，一下子进了你们30多名大学生。报业集团能承前启后发展到今天这个水平，可以说你们前后几年进来的人发挥了突出的作用，一是进来的人多了，二是新生力量派上了用场。如果没有一批批年轻人冲锋在前，没有年轻人新的文风、新的策划、新的办报思路、新的市场理念，我们南方报业应该说很难有今天的局面。这批人现在大都成了集团的中层骨干，当然也有你这样“弃而不舍”、开创了另一番事业的，大家都很成功。

勘良：我从大学毕业刚进入集团的时候，感到十分的迷茫。当时，集团的景况并不好，远远比不上羊城晚报和广州日报。我们一群年轻人很苦闷，一直在想，南方集团的出路在哪里？究竟怎样才能找到南方报业的光明未来？当时，广东最好的一家报业不是我们，而是羊城晚报，后来广州日报又上来了，我们几乎没有与上述两家媲美的实力。1998年，组建了南方日报报业集团，南方报业在中国迅速崛起，发展壮大。在深圳，《南方都市报》的零售量目前也超过了深圳当地报纸。可以说不论圈内还是业外都已经享有盛名。为什么会出现这样的景象呢？我们先分析业外的看法。普通大众看好南方集团，是因为整个集团的公众影响力，而不是和一些别的集团一样，仅仅依靠个别报刊。我想谈谈我自己所认知的南方成功的传奇之路。

提起南方报业的品牌效应，大众所了解南方的开始，应该无外乎《南方日报》、《南方周末》、《南方都市报》、《21世纪经济报道》。但是接下来，将会震撼大众读者，并产生最终效应的是南方报业这艘航空母舰。这个综合的品牌价值才是关键中的关键，南方报业传媒集团的成功因素中最重要的一环，我想是大胆起用了一批年轻人，并且真正地把这些人用到了刀刃上。

范以锦：人才后劲影响发展后劲。20世纪90年代中，南方报业的队伍结构本身客观上存在断层。当时我们这批1970年进报社的中坚力量大都已经四十多快五十了，我们深感适应不了新的新闻竞争；恢复高考后分到报社的人不多，现任总编辑杨兴锋称得上是他们中的优秀代表。这样，年轻人的机会就来了，那个时候磨炼、培养了一大批年轻人。年轻人有冲劲有想法，想打开一番新局面来。我们以前有些记者一条线跑了十几二十年，好的一面就是情况熟悉，不好的就是成了某条战线的代言人。换一个年轻人就不一样了，他用全

报业集团能承前启后发展到今天这个水平，可以说你们前后几年进来的人发挥了突出的作用，一是进来的人多了，二是新生力量派上了用场。如果没有一批批年轻人冲锋在前，没有年轻人新的文风、新的策划、新的办报思路、新的市场理念，我们南方报业应该说很难有今天的局面。

国的视野、跨行业的角度来思考，写出来的东西让人耳目一新。刘红兵就是写出了这样的稿子才当上经济部副主任，获得了公选副厅的资格，最后当上了广电局副局长。

勘良：发展后劲源自人才后劲。传媒业与IT业十分相似，市场机制中的核心竞争力不是资金，而是人才。传媒是一个唯人才论，以人为本的行业，南方报业的成功就证实了这一点。1997、1998年，南方报业大力起用了一批有专业知识、有热情、有想法的年轻人，让他们能够充分地发挥自己的能力。而且经过实践证明，这些年轻人具备的能力和敬业精神带动了南方报业的整体发展。目前与广东所存在的几家大的报业集团对比，南方报业的优势可见一斑。在相同的中层领导干部的岗位上，南方报业的中层干部、骨干力量，普遍只有30多岁，年轻化程度非常高。而相对目前中国传媒的现状，普遍的中层领导是40多岁。不管你有没有能力，有没有激情，先把你放在那里慢慢地等一段时间，时间到了再给你一个位子。但是位子有了的时候，很多东西已经“过期”了，诸如激情、热情、魄力与精力等都几乎被消磨光了。而南方报业努力培养的这批年轻人，有专业知识，有一定的素质，又经受了市场的洗礼，终于成长为集团的骨干力量。这也使南方报业成为中国目前后劲最足的报业集团。

范以锦：要靠用人机制发现人才，靠市场机制培育人才，靠实际操作磨炼人才。应该说南方报业历届班子对人才的培养使用都是重视的，这些年越来越重视。我们起用年轻人也是与时俱进的，竞争最需要什么样的人才我们就培育什么样的人才。20世纪90年代初，善于发掘新闻、驾驭文字的业务骨干成长起来了；到了90年代中，做新闻策划做经营项目的项目高手成长起来；到了1998、1999和2000年，具有综合能力的办报能人成长起来了，《南方周末》、《南方都市报》和《21世纪经济报道》这几个平台，造就了一些全国知名的“办报明星”。现在，我们需要传媒职业经理人，需要能够发现报刊传媒的新价值、引领传媒持久成长发展的传媒企业家。

勘良：有了人才，有了发展的战略方向，才能促进报业旗舰整体的发展。中国今后的传媒领域，我认为是会越来越开放的。在这种形势下，会产生全国性的大的报业传媒集团，我认为南方报业位居前列的可能性是非常大的。

归根结底，发展优势的根源是人才资源。南方报业传媒充分调动了年轻人的锐气，这是很关键的。另外，从人才运营的原理上看，年轻人有锐气，但是在政策上、大局意识上，尤其是在中国现有的环境下，年轻人又是很容易犯错的。这就又涉及到一个如何让老同志把握方向的问题。找领头雁来带队也是非常重要的。南方报业对此把握得比较好，所以才有了比其他报业集团更占优势的人力资源。目前中国传媒用人也开放了很多，但是开这种风气之先的是南方报业集团。

范以锦：有优势没有创新，久而久之就会变成劣势。目前我们还是有一些担心，有一点困惑。一方面是报社每年进一大批人，另一方面是每个月都会有人离开，我最关注的是：新进来的和留下来的人是不是比较优秀的？是不是最适合在集团发展的？另外，现在看起来这些人还是不错的，怎样保证他们持久领先？昨天的优秀人才不是今天的优秀人才，今天的优秀人才也不是明天的优秀人才！现在的几个主编都干了好几年了，再过几年他们还有激情还有锐气吗？懂得资本运营、引领传媒技术革命的优秀人才我们储备非常不够！还有就是成长空间的问题，要不断地创造平台才能留住人才。

南方报业传媒集团的成功因素中最重要的一环，我想是大胆起用了一批年轻人，并且真正地把这些人用到了刀刃上。

南方报业未来发展之路

勘良：就目前局势来说，南方报业集团的发展方向是比较好的。中国现有传媒当前面临一个普遍存在的问题，就是受当地经济政治以及文化影响很深，媒体异地可复制性不强。这是由历史、地理、文化的发展差异所决定的。对于南方报业今后的发展，我个人认为会受到广东政治经济文化发展的影响。南方报业要着眼未来，研究区域性媒体该如何走。

南方报业传媒的走向是对的。如我上面一点所说的，走全国性路线，做全国性媒体，向未来会成为核心地带的区域进军，如北京、上海。这个发展方向是其他报业集团目前可能认识到，但是从人才的角度、从资金的角度无法做到的。未来的十几二十年，中国肯定有世界级的传媒集团，我是说在纸媒方面，南方报业要力争成为世界级的传媒集团。

范以锦：你说得很对。我在南方报业第六次职工代表大会上提出了集团的成长战略。作为中国“报刊结构最合理、读者覆盖最全面、综合运营能力最强”的品牌报业集团，我们最终的使命就是要传播中华文化、承载民族记忆，要用实力、特色和感情来抵御西方文化的冲击，在更高的层次巩固和壮大我们的舆论阵地。我们要从报业做到整个传媒领域，再由传媒业扩展到文化产业，实现理性有序的成长。我们的近期目标，就是要推进从媒体品牌到报业品牌的提升，赢得报业竞争，找准跨媒体和兼容其他文化领域的切入点，并进行积极的探索。具体来说，我们要脚踏实地地集中在报刊传媒业的范围中，进行产品、产业和品牌三个维度的发展和扩张，实现整体立体化的增长。

勘良：南方报业在今后的发展之路，我想提几个方面的建议。首先是有关“零”售价的免费报纸。这种免费报纸最早出现在瑞士，后来打入欧洲市场，继而是美国。香港也在一年多前出现了免费报纸，并且目前已经初步实现利润回收。北京其实现在极其需要一份免费报纸。报纸是一种快速阅读的传媒载体，就如同快餐一般。所以免费报纸一般版面不会多，30个版就足够了，比较多的是引导消费和健康生活的内容。与现在北京所存在的市面报纸不同，如《新京报》，由于它有很多理论性和社会性的评论，所以不适合作为免费报纸。而在国外，广告结构比较合理、成熟，才能为这种免费报纸的发展提供条件。广告商已经不再是房地产、汽车等一家独大，而更多的是健康用品、零售业，甚至新兴的招聘、人才资源等广告为主体。就发行来说，免费报纸比传统报纸也方便得多，摆放在人群相对集中的交通枢纽地带就可以了，如国外是选择地铁和交通车站台。国外这些地方是没有专职保安的，所以只要将报纸放在桌子上让行人自取就可以了。从环保角度出发，甚至有的设立了废纸回收，将回收的报纸当作废品处理，更加减轻了成本压力。在北京这样的城市，如果要做这样一份报纸，最少要有40万的发行量。这种免费报纸的优势在于它可以很快地打开市场，不必像传统报纸那样依靠逐步的努力来做大发行量。当然，这也需要强大的资金作为后盾。我认为从报纸的发展角度来说，这种免费报纸会逐步占据市场。

范以锦：免费方式增加的成本有限。办报纸我们有丰富的经验，这种免费报纸值得我们关注，可以在局部区域尝试。毕竟我们的读者群还非常复杂，公共场所贫困人群的行为不容易控制，很难达到发达国家和地区的效果。办报纸我们还有系列的计划，现在是要在期刊系列化方面探索出一条路子来。杂志和报纸有很多共同的东西但也有很强的个性，它和报纸有不同的出版周期、不同的运营方法、不同的盈利模式。如果杂志方面有了好的发展，起码我们现有的新闻内容就可以作一次增值开发，以后还可以在网络媒体上进行再一次的开发利用。

勘良：网络是一个方向，我们南方报业一定要关注传统的平面媒体向网络传媒方向发展的转型。现在传统传媒，也可以说是纸质传媒，和网络传媒的冲撞正越来越明显。如何调节两者的关系？作为报业集团，如何看待网络呢？我认为应该早一步发展，做好自己的网络传媒平台。目前，南方报业有南方网这个很好的平台，需要的只是改造，这比别的报业集团已经领先了一步。在改造的过程中，我觉得不应该向新浪、搜狐等看齐。毕竟前者在综合性网站方面已经提前走得太多太远，作为后起者，要想超过它们，难度是非常大的。南方网应该在现有资源的基础上，做区域性网络细分市场。我对网络传媒也不是非常有研究，笼统地来说，就是一句话：如果网络受众需要了解珠三角的信息，他第一个想到的是南方网，那我们就很成功了。珠三角是我们的优势，把这种优势发扬光大才是硬道理，并且我们有一个得天独厚的条件。前两者其实只是泛泛地把信息组合在一起，因为它们自身并没有强大的采编队伍在支撑整个平台。而南方网在珠三角，甚至在某种程度的全国范围内，有南方报业的大批采编人员在支撑。整个南方报业的采编平台将会给南方网带来十分雄厚的竞争资本。

我们现在对新媒体的态度是非常明确的，一定要准确切入并建立差异化优势。

网络平台打通后，要很好地利用传统媒体稳定的读者群资源和它们的品牌影响力，寻找传统平面媒体和网络、手机移动媒体三者互动的最佳途径，形成多媒体的发展和共赢。

范以锦：我们现在对新媒体的态度是非常明确的，一定要准确切入并建立差异化优势。当前的问题，是南方网和南方报业网的整合，这主要是管理体制的问题。一个是党和政府的重点网，一个是报网，如果内容、设备和人力资源能够有效整合，是可以协调发展的。网络平台打通后，要很好地利用传统媒体稳定的读者群资源和它们的品牌影响力，寻找传统平面媒体和网络、手机移动媒体三者互动的最佳途径，形成多媒体的发展和共赢。

请“老”南方报人常回家看看

勘良：曾经风风火火多年，为南方报业的事业什么都尝过、熬过、扛过。这些积累对我现在做事有非常大的影响。南方报业是中国报业的一个奇迹，在品牌理念、人力资源、所在环境相结合的特定环境下，走出了中国报业传媒的一条新路，并被公众所接受。我其实依旧是南方报人的一员，由衷希望南方报业能够早日走向更加辉煌的明天，成为全中国的No.1，成为世界级的报业集团。

范以锦：我知道，你们这些先后离开集团的年轻人，不管自己的事业做得多大，一直都还非常关心关注着集团的进一步发展；很多人虽然早已离开了集团，但还在不同的位置上为集团尽心尽力。这让我特别感动！我想“人往高处走，水往低处流”，人才流动是正常现象。我们输出了一批优秀人才，他们在新的舞台做出了新的成就，这对集团来说也是一种资源，一种有利于长远发展的“人脉”资源。人都是有感情的，南方报业的人，特别是1992年和你一起进报社一起成长的人找你勘良，总会比其他不熟悉的人找你容易一些、方便一些。

离开集团的员工是我们特别珍贵的资源，我和集团班子的其他同事一致认为，这是集团向方方面面的延伸，是集团的财富。只要南方报业的品牌在，就有归属感，就有凝聚力。我每次到北京都是匆匆忙忙，请你代我问候在北京的一大批“老”同事，感谢大家对南方报业的关心和支持。有一首歌叫《常回家看看》，哪位“老”同事如果到广州，一定要回集团来看看！

二　合作伙伴心声：我们与南方报业有共同的责任和追求

从报业集团到报业传媒集团，再到文化传播集团、国际文化传播集团，我们的发展方向、成长路径是理清楚了。但是，实际操作起来每一步应该如何把握？从报业集团到报业传媒集团应该巩固和夯实哪些基础、拓展哪些新的领域？在快速发展和提升飞跃过程中，要怎么整合、用什么激励大家不断努力奋斗？这些问题常常迫使我不断学习思考。

南方报业传媒集团挂牌后，我专门带着几位年轻人到复旦大学、解放日报报业集团、上海文广新闻传媒集团学习取经，顺便参加了21世纪报系在上海举行的年会。年会下来，终于有些时间和认识多年的复星集团董事长郭广昌先生见面,我们聊了聊过去几年的愉快合作，展望了未来的发展。本来只是想征求一下合作方对南方报业的看法，没想到和这位年轻干练、思维敏捷的企业家进行了深入交流后，倒是很有一些收获。一方面，复星集团的一些成功经验，使我这个“老报人”更加坚定了报业传媒集团创新发展的思路；另一方面，从民营企业家的气魄和追求中，我也看到了一些中国民营企业产业整合并雄起于世界经济舞台的希望。

战略合作要有机制有眼光有胸怀

范以锦：南方报业和复星集团就21世纪经济报道经营业务的合作，是一个非常成功的战略合作。说它成功，是因为伴随着《21世纪经济报道》在中国财经类媒体中的迅速崛起，南方报业品牌影响力不断增强，复星集团事业也越做越大。现在的报业竞争不单是新闻报道或新闻策划竞争了，单靠一群有经验的记者、编辑把新闻做得很好看，也不一定能赢得媒体的竞争、赢得报业的竞争。要全面赢得竞争必须有强大的实力作后盾，战略合作可以使能力和资源迅速强大起来，用合作双方共同的力量来战胜对手。南方报业做报纸特别是做报道、做内容有一些优势，但是早些年我们报人的市场意识、报刊媒体的市场运作能力相对较弱。完全靠单打独斗、完全靠自我积累，肯定没有21世纪报系的成功，也没有南方报业今天的成就。战略合作可以充分发挥各自的长处，充分利用合作方的资源弥补自身的不足，获得最好的发展。反过来也可以说，要获得更好的发展就要善于合作；正是因为合作，我们才获得了共赢。

郭广昌：合作很重要，我们几个人最初创业的时候就是合作，是一种人生追求的战略合作。复星这些年能够迅速而成功地发展起来，我们觉得是得益于很好的战略布局。看准了的产业、项目，我们就想尽办法上。我们拥有能力和资源的，尽快做强做大抢占先机；能力和资源不足的，就想办法并购重组弥补不足；实在不能并购的，就采用战略投资不同程度地介入，让各种不同的资源为复星集团的成长发展服务。

当时我们在分析了传媒行业、报业的发展状况后，一致认定国内的传媒行业尤其是报业未来有巨大的潜力，决定尝试进入报业和一些新兴传媒产业。21世纪经济报道能够一炮打红，取得如此良好的成绩，确实有一些出乎意料，但又在情理之中。这是因为：我们有资金、有良好的管理经验和市场运作经验的优势，但是缺少办一份报纸最需要的人才资源；而南方报业则具有高度的品牌影响力和读者认同度，拥有一大批优秀的记者和编辑队伍。双方强强联手，自然能够事半功倍。

范以锦：将报业的经营部分剥离出来，与企业共同投资运作，这对我们来说是一个困难的选择，也是对决策能力的考验，在我们办报实践中没有先例，同时面临一定的政策风险。

郭广昌：复星人的头脑非常清醒，目标也非常明确。我们是商人，我们把握机会追求尽可能大的利润，不会有太多不切实际的想法。参与媒体经营业务是看中媒体的竞争强度较低而回报较高，可以说投资21世纪经济报道的经营公司，本身确确实实只是复星的一个尝试。我们最初也只是希望能够赚钱。几年下来我们发现，这个有影响力的财经媒体及一系列的媒体活动，为我们创造了与国内外成功的企业和企业家交流的机会，并提升了复星的能力、丰富了我们的发展资源，这是我们参与媒体经营运作的额外收获。当然，和国内报业行业的老大哥建立良好的合作关系、积累一些传媒运营的人才和重要的人脉关系也很重要。

范以锦：这个合作能够成功，关键是我们首先建立起了良好的合作机制。战略合作机制的设计很重要，我们集团首先要明确什么是可以拿出来合作的，什么样的合作方式更有利于工作的开展。只有明确合作双方的优势劣势，才能够设计出最佳的运作模式来。当时南方报业领导层经过慎重研究，决定在确保南方报业对采编工作的绝对控制权不受影响的前提下，在报纸经营环节与复星集团开展合作，组建合资合作的经营公司，建立现代企业制度。由于办报的核心资源掌握在我们手里，办报的核心团队也是我们组建，所以我们提出复星的出资按照一定比例的溢价进行。

战略合作要有机制也要有眼光，就是要能够选择正确的、最能够与自己互补的合作伙伴。南方报业的优势在于我们办报纸的能力，复星集团的优势在于市场运作，合作是互补的。通过与复星集团的合作，南方报业除了缓解资金压力、共担风险外，复星集团所带来的规范的管理方法，也提高了21世纪报系的运作效率，降低了管理成本。而复星集团的销售渠

现在的报业竞争不单是新闻报道或新闻策划竞争了，单靠一群有经验的记者、编辑把新闻做得很好看，也不一定能赢得媒体的竞争、赢得报业的竞争。要全面赢得竞争必须有强大的实力作后盾，战略合作可以使能力和资源迅速强大起来，用合作双方共同的力量来战胜对手。

道和客户关系，对于早期21世纪经济报道在北京和上海的推广有很大的帮助。

战略合作还要有胸怀，其实很大程度是一个观念的问题。21世纪经济报道运营初期，的确有一些来自集团内部方方面面的不同声音，有的同志对公司的管理体制和运作模式不是十分理解，有的同志担心在经营公司运作过程中集团的利益受损。但是我们要明确合作的目的是为了共赢，不是骗老板的钱来玩，更不要怕被对方分走利益。事业做大了，人家分得多自己分得更多；事业做不大，百分之一百拥有了也没多少，而且亏损起来就得自己百分之一百背着。

郭广昌：21世纪经济报道的成功，还和我们双方良好的沟通密不可分。我们有一个最简单的投资原则：可以亏损，但不能莫名其妙亏损；可以冒风险，但不冒不能承受之风险。我知道风险在哪里，就可以去冒；如果看不清楚，我不知道风险有多大，那就不能做了。对合作也是这样，你再好的东西，不让我看清楚，我是绝对不会做的。事实上，合作中良好的沟通根本就是信息对称，这是成功的关键。

寻找战略合作伙伴要有眼光，促成战略合作要有胸怀，保证合作项目的实施就要有科学的机制，范社长总结得很好。我认为保障一个企业良好运作的前提，就是良好的运作机制。复星讲究制度和规范，主张所有权到位，完善法人治理结构。我们所说的沟通也好协调也好，都是在法律框架内按规范运作，按游戏规则来运作，不存在你控制我我控制你的问题。

集团成长的核心支撑和多元化选择

范以锦：复星集团这几年发展很快，资本运营、产业整合都很成功。记得我们有记者说郭总是在播种“疯狂”收获“理性”。看得出来，在高新技术发展过程中、在国内一些重大产业政策调整过程中，复星都很好地把握住了机会。这是市场竞争的结果，也是民营企业的优势。面对竞争的勇气、把握机遇的能力，我们要向复星好好学习。

不过，目前中国传媒业，特别是报刊传媒业，我们更多的是要播种理性，坚守和巩固阵地，报业传媒集团只能在基于核心能力的前提下理性增长和发展。南方报业的优势在于我们办报纸的能力，通过经营报刊媒体盈利是报业集团最主要的盈利模式。目前报纸行业一方面已经告别了暴利阶段，各报业集团之间的争夺日趋激烈；另一方面面临着国外媒体的渗透以及互联网等新媒体的强大攻势。在巨大的竞争压力下，我们目前需要集中资金和管理力量、明晰我们的核心能力，办出更有优势的报刊产品赢得竞争。

郭广昌：范社长和南方报业集团一向都是勇于改革创新，但又那么踏实稳健。提出基于核心能力的理性增长，就显现出南方报业与其他对手相比的优势。任何竞争力都是比较竞争力，任何商业都是博弈的商业，只有把握市场大势，才能建立起自己的核心竞争力。短期内，一个公司的竞争优势源于现有产品的竞争力，可以说产品优势就是公司的短期竞争优势。但是从长期来看，竞争优势将取决于企业能否以比对手更低的成本和更快的速度构建核心竞争力。管理层有能力把整个公司的技术和生产技能整合成核心竞争力，使各项业务能够及时把握不断变化的机遇，这才是优势的真正所在。

复星在不断成长发展，也在不断地进行产业的整合和调整，但有一点可以肯定，复星整合的产业应该有相当规模，具有高成长性和发展空间，在中国制造，有长期国际竞争力的产业。复星的核心能力在于发现不容易发现、把握不容易把握的价值，当然是大胆设想小心求证地发现价值。我们最早在医药产业中成功，是我们发现了一些高新技术大规模临床应用的价值；我们在钢铁行业获得高额利润，也是我们很早就发现并把握住了当时钢铁行业不容易被发现和把握的价值。

范以锦：集团化发展肯定是要进行专业化、相关多元化和多元化的选择。之所以说我们要播种理性、坚守阵地，除了我们所肩负的责任外，还基于我们资源和能力的不足。我们还不能像复星既搞钢铁又搞医药那样，开展多元化的业务。传媒业特别是报业市场化程度不够，我们的能力只能支持在传媒的专业化和传媒产业的相关多元化上发展。用郭总的理

但是我们要明确合作的目的是为了共赢，不是骗老板的钱来玩，更不要怕被对方分走利益。事业做大了，人家分得多自己分得更多；事业做不大，百分之一百拥有了也没多少，而且亏损起来就得自己百分之一百背着。

目前中国传媒业，特别是报刊传媒业，我们更多的是要播种理性，坚守和巩固阵地，报业传媒集团只能在基于核心能力的前提下理性增长和发展。南方报业的优势在于我们办报纸的能力，通过经营报刊媒体盈利是报业集团最主要的盈利模式。

念来说，就是我们不是特别善于发现传媒产业以外的价值。传媒集团当然也可以考虑多元化发展的道路，但是要谨慎。20世纪90年代有些报社盈利颇丰，于是把利润用作多元化的投资，办起了一批与报业毫不相干的企业，但最终血本无归。那个时候很多国有企业因为体制束缚赚钱都很不易，市场竞争的秩序又还没有建立完善起来，办报人跨行业去揽外行活，怎么会不赔呢？

发展报业相关多元化要从自身优势出发，比如从印刷报纸发展到商务印刷，从发行做到物流，利用现有信息资源加工出版，从单一品牌延伸到商业论坛等等，甚至我们都可以跟名牌大学合作来做新闻和文化传播的教育培训。在做好传媒的基础上进入其他行业并不是不可以，但是要有好的方案。你刚才也说了，传媒是竞争较低而回报较高的行业，既然我们身处这个黄金行业之中，何必去跟别人抢铜板呢？真是有好的资源、好的时机搞非相关多元化也不能什么都亲力亲为，我们要像郭总战略投资21世纪报系那样，学习做好股东。

郭广昌：我很赞同你的看法，所以我们也没有把传媒作为核心业务或重点产业。复星目前主要涉足四大产业，从这个角度来看我们走的是多元化的路子，但是针对每一个产业来说我们都坚持做到专一化。如果选择做一个多元产业公司，要具备的一个非常重要的能力就是形成一个做多元产业的文化。要把握两点：一是保证让最专业的人进公司，二要保证最专业的人能够发挥作用。许多公司都是根据自己现有资产和能力去看待商机，它们会问自己：以我们现在的条件，我们所能做得最好的事情是什么？但是复星不同，我们这样问自己：如果我们一切重新开始，我们会怎么做？我们不会让今天所能做的限制我们的视线，使我们看不到怎么做才能获得明天的成功。我们采取的是一切重新开始的做法。但这并不意味着我们从不利用现有的资产和能力。但更为重要的是，我们在评估商机的时候，不会因为复星某时的状况而抱有偏见或者受到束缚。我们不会觉得，自己已经在某些方面做得不错，就不考虑进入其他行业。

复星针对每一个产业部分的运作原则是，坚持专一化，并且每一块越专一越好。我觉得多元与专业化这两者本身并不是对立矛盾的，多元应该与集中或者专一化对立。多元的意思是我同时做几个产业，对立是只做一个产业，是专一化。而专业化的概念是无论你做多元还是专一，你都要专业化，对这个行业很懂，我有一帮懂的人，我有能力，我做得比别人好。这样看来，专业化和多元化根本不是对立起来的。没有专业化不可能赢，而多元化又可以分散投资风险，这二者是不矛盾的。我们的选择是你可以进行多元投资，但是你要请最专业的人来做专一的事情，可以说我既是多元化积极的辩护者，同时我也是专一化积极的推动者。

范以锦： 你说得也对，但专业的人才储备需要一个过程。复星这些年的产业整合，显现出资本运营的强大力量。报业传媒业发展竞争环境进一步优化后，我相信会有机会学习借鉴复星成功经验。但是，南方报业目前只能做一些资源和影响力的整合，下一步要做产业价值链的整合。报业的产品是报纸，报业生产的最具有价值的资源，实际是用来充实报纸版面的新闻内容和新闻相关信息。中国报业，是新闻信息资源强有力的收集者和新闻内容创造者和拥有者。从资源控制上说，报业就像煤炭和石油的开采，随着市场竞争的纵深推进，肯定会整合形成更强大的向产业链下游讨价还价的筹码，并在恰当的时候重新调整价值链上的利益分配。内容原创的报业在网络和移动传播中不可替代，始终会分享到新媒体发展的更大利益，所以南方报业的目标就是延伸和完善报业价值链，将南方报业打造成为一流的内容资源供应商。

另一方面，南方报业传媒集团麾下的《南方日报》、《南方周末》、《南方都市报》、《21世纪经济报道》在全国影响都很大。由于各报的读者细分市场不同，以前各报系都是相对独立地运作。我们要向复星学习反向整合的理念，既然有不同细分市场的影响力，就存在影响力整合的需求。把几个强势媒体的影响力整合起来，可能会达到比各个媒体简单相加更加强大的效果，可以获得更强的差异化竞争优势。

郭广昌： 复星的目标是要做到最彻底的多元化和最彻底的专业化，关键就是要以投资者的眼光来寻找合适的产业，并保证产业是由最优秀的人、最优秀的团队来整合，整合之后

报业就像煤炭和石油的开采，随着市场竞争的纵深推进，肯定会整合形成更强大的向产业链下游讨价还价的筹码，并在恰当的时候重新调整价值链上的利益分配。内容原创的报业在网络和移动传播中不可替代，始终会分享到新媒体发展的更大利益，

由他们来进行最彻底的专业化工作。

多元化公司就好比一棵大树，树干和几个主要枝杈是核心产品，较纤细的树枝则是业务单元，叶、花与果实则属于最终产品。为大树提供养分和起支撑固定作用的根系就是公司的核心竞争力。

企业是一个生命体，外部经济环境是这一生命体赖以生存的生态体系。经过20多年的快速发展和变革，中国的宏观经济已经发生了很大的变化，经济的生态系统也在发生着深刻的变化，我们就是要在这种变化着的生态系统里寻找一条“最好的发展道路”。

企业家和传媒人共同的责任和追求

范以锦：从某种意义上说，报业集团也是一个生命体。我们说“龙生龙，凤生凤”的多品牌媒体发展，就可以说明报业集团的生生不息。在报业的生态系统里生存发展，就要适应系统的变化，要不断地提升自己来适应变化。

我这一次到上海学习取经，感受最深的就是兄弟集团这几年进步都很快。如果不努力改革创新，我们在观念和体制上的优势很快就会丧失掉。文广传媒集团的传媒战略布局和复星集团的产业布局一样深谋远虑，很值得学习。上海几个传媒集团的班子都很年轻、很有朝气、很有活力，而且很多都在参加像中欧EMBA这样高层次的培训学习，班子里的人对集团事业发展很有共同语言。

郭广昌：经济全球化是竞争全球化，传媒人在努力，但比起企业界确实轻松一些。我们一起创业的几个人，前些年就开始回学校继续读书。我在复旦读了MBA，现在还是感觉不够用。企业要与国际标准接轨，比如我们要到海外上市，需要学习的东西越来越多。走向全球化要不断学习最先进的管理经验，我们要知道美国、日本和欧洲企业家的决策思维逻辑，才能比他们更善于发现价值、把握价值并获得更大的成功。

中国的优势首先在于中国经济良好的增长性。经过了20多年的快速发展，中国的宏观经济发生了很大的变化。随着市场经济的发展，政府的职能越来越明确，法制建设在进一步加强，而且中国有一个庞大的市场，劳动力成本相对优质和低廉，这些都是中国的优势。而最大的劣势在于人均资源很少。如果把企业作为生命体，企业成长的外部环境就是生态系统，企业要在这个生态系统里完好生长，不可能不顾及生态系统本身所具有的优势，像我们复星或是国内的民营企业，立足点在中国，所做的一切首先要充分发挥地缘优势，也就是中国概念的优势要用尽，不足地方尽量避免。

范以锦：中国的民营企业要走向全球，首先要把地缘优势发挥出来，在国内积聚一定的实力。另一方面，很多成功企业的经验也证明，全球化的成长，往往需要强大的本土化能力的支持。伴随着全球经济一体化的发展，伴随着中国企业逐步走向海外，我们说得最多的一个词就是“与国际接轨”，但是这并不代表着我们要放弃我们的一切来迎合所谓的国际标准，实际上是个别西方发达国家的标准。工业制造、金融市场需要国际标准，但传播内容不能搞“国际标准”。在经济全球化的21世纪，新闻信息的传播能力和对新闻传播的控制、影响能力，是一个国家、地区综合实力的重要体现。当全球化消灭了我们的个性，当我们丧失了中华文化特色的时候，我们的文化也就完全沦为标准工业自动化生产中面目模糊的一条流水生产线，也就失去了作为中华文化的独特魅力。

在我们今天享受经济全球化，新闻信息传播全球化带来的方便和乐趣的同时，我们要为后代保留代表我们国家、民族文化的生活方式和精神支持，让他们拥有独立、自主的强大的文化和新闻传播。我们做强做大传媒，也是希望能够牢牢把握传媒对国家和民族的最大价值。从这一点上说，中国报业、中国报人的使命特别重大。中国的传媒、中国的报业，要记录中国的进步，要推动中国经济的发展，要为中国的强盛提供具有实力、特色和感情的新闻信息和新闻传播艺术。21世纪的中国报业，21世纪的中国新闻传播业，要与中国经济的崛起、中国制造业的发展一样，成为全球的重要声音。

郭广昌：现在中国民营企业在制造优势方面已经得到了

在我们今天享受经济全球化，新闻信息传播全球化带来的方便和乐趣的同时，我们要为后代保留代表我们国家、民族文化的生活方式和精神支持，让他们拥有独立、自主的强大的文化和新闻传播。

充分的发挥，这导致产品大量出口和以温州为代表的民营企业的崛起。但是我们也有劣势，技术投入不够，产品质量与国际公司有差距，没有世界性品牌，国际性的分销网建设不够等等。面对这种格局，我们不能被动地等待，而要带全球性的眼光主动性出击。

我认为需要有一批民营企业能站在巨人的肩膀上，尤其是500强的肩膀上，来纵观全世界的资源，并整合全世界资源为我所用。以我为主参与世界竞争，这种被动与主动的转变对于一个企业是非常重要的，对于国家也是很重要的，有一批企业已经具备这种眼光和能力。中国需要强势的本土企业，中国一定要培养一批能在世界舞台上竞技的举足轻重的企业，从而在未来的世界经济舞台上掌握话语权。

只要民营企业发展起来，只要把中国的优势发挥足了，只要我们的资本实力增强了，中国企业就具备整合全球资源的能力，中国的企业不会输，我们需要的是时间、机会和必要的支持。

范以锦：这些年我们看到，很多民营企业家在积累个人财富的同时，他们的企业也在为社会创造着大量的财富。我们期待着更多的民营企业家的成功，期待着更多中国企业在世界经济舞台上掌握更大的话语权。传媒人的梦想和企业家的追求，终极目标都是国家的富强、民族的复兴。

中国经济的发展，也必将孕育中国文化产业的新一轮发展。经济和文化在传播中交融互通，报业不但是文化产业的支柱，更应该是文化产业的龙头，原因有三：第一，报业对市场经济的反应更具有文化的底蕴，报刊产品比其他文化产品更能体现人文关怀；第二，以媒体为核心的报业发展，为出版业、影视业和音像业提供了更新的思路和更丰富的原创内容；第三，报业对地方经济的贡献是多层次的，全方位的，包括报刊产品的消费、从业人员的就业、广告对产品销售的贡献、媒体对产业政策的评估等等。

南方报业以“传播中华文化、承载民族记忆”为使命，在迎接欧美传媒巨头的全球化竞争的同时，我们力争成为全球华人新闻信息的一个重要选择。

附录　专家学者评价

范先生的这部力作，既有完整的战略管理理论分析框架，也有鲜活的企业竞争案例资料；既阐述了中国媒体企业所面临的一般宏观环境和行业环境，也剖析了南方报业传媒集团自身的资源和能力；既展现了该集团引以为傲的多品牌战略形成过程，也袒露了高层管理者在做出战略转移决策时的复杂心路历程（如《南方体育》的无奈休刊）；字里行间既充满了作者对南方报业集团的深深热爱，也丝毫不回避曾经遇到的挫折和失误。

——舒　元

战略理论一直认为，成功的企业都是具有战略高度的组织。南方报业传媒集团也不例外，它的成功发展在于战略的思想力和执行力。本书从南方报业传媒集团的成长战略、品牌战略、整合战略和人才战略几个角度分析品牌媒体创新力量，正是这些战略的制定和实施奠定了集团的竞争力和成长力的基础。

——李新春

纵观范著，充溢着南方报业传媒集团的报人意识的现代感，他们的担当精神、敬业精神与专业精神，为南方报业取得今天的瞩目成就奠立了雄厚的精神基础。这还是中国当今报纸处于转轨时期比较缺乏的精神资源。

——任剑涛

解读中国成功企业管理之道的一部力作

读着范以锦先生所著的《南方报业战略》一书，我有一种情不自禁的欣喜。

作为一名读者，我享受着该书完整的理论框架、翔实的内容资料、精美的装帧设计所带来的愉悦；作为一名学者和商学院院长，我很高兴能够看到中国企业的掌门人的立言之举。我个人认为，由我国成功的企业管理者亲自解读管理之道，会对我国的管理学教育，特别是MBA教育产生深刻的影响。

事实上，西方管理学教育实践的发展已经说明了这一道理。20世纪50年代以来，西方管理学的“理论丛林”中出现了一个“经验主义学派”，其掌门人就是被誉为“大师中的大师”的彼得·德鲁克（Peter F.Drucker）。该学派的主要思想是认为通过总结优秀企业的成功经验、剖析平庸企业的失败教训，企业管理者可以从中学到有用的东西，进而提高自己的管理水平。德鲁克曾经于1942年到通用汽车公司担任顾问工作，切身感受了通用汽车公司在组织管理方面的独到之处，并于1946年写成了现代管理学的奠基之作《公司的概念》。在此之后，《追求卓越》（1982年）、《基业常青》（1994年）、《惠普之路》（1995年）、《从优秀到卓越》（2001年）等经验主义学派的管理著作不断涌现，这些书的作者都是试图在不同的时代来总结企业成功的管理之道。

经验主义学派蓬勃发展所带来的一个实践成果，就是催生并引导了全球范围内的MBA和EMBA教育，诸多具有实际工作经验的学员聚在一起，热烈讨论企业案例成为各大商学院中一道独特的风景线。然而令人遗憾的是，由于诸多原因，中国成功企业的掌门人通过著书立说的方式，来解读其管理之道还很少见。市面上为数不多的几本书，有的理论基础过于薄弱，只是工作总结的汇编；有的立意不高，甚至只是歌功颂德之作。

范先生的这部力作，既有完整的战略管理理论分析框架，也有鲜活的企业竞争案例资料；既阐述了中国媒体企业所面临的一般宏观环境和行业环境，也剖析了南方报业传媒集团自身的资源和能力；既展现了该集团引以为傲的多品牌战略形成过程，也袒露了高层管理者在做出战略转移决策时的复杂心路历程（如《南方体育》的无奈休刊）；字里行间既充满了作者对南方报业集团的深深热爱，也丝毫不回避曾经遇到的挫折和失误。

掂量着手中这本厚达400多页的书稿，我感觉到一种沉甸甸的力量。作者是用心在向读者讲述一家媒体企业的经营战略，同时也是用情在向社会阐释一家成功企业的厚重责任。当这种高质量地解读中国企业成功管理之道的著作更多涌现之时，我们中国商学院的教授就可以就地取材进行教学了，我们的MBA、EMBA学员也就可以更加直接地对本土企业的经营管理问题进行实实在在的讨论了。果真如此的话，乃中国管理教育之大幸也。

舒元（中山大学岭南经济学院院长、教授、博导）

战略决定高度

收到范以锦先生的新著《南方报业战略》,眼前为之一亮。作为一个商学院的教授，我近年一直在讲授“企业战略管理”课程，学生中不乏来自新闻传媒业的报人和管理者，大家都急切地希望探讨传媒业在中国市场环境下的经营管理战略。中国传媒产业的迅速发展和未来广阔的成长前景激动人心，但对于这个产业的发展尤其是报业传媒集团企业的战略，在国内很难找到一本系统的、有深度的著作，对于典型企业案例的研究更是少见。《南方报业战略》一书无疑弥补了这方面的缺憾。全书46万字，既有理论高度的思考，也有对企业个案鞭辟入里的分析，生动的历史、事实和对话，不时闪耀着作者多年实践和思考的智慧。读后为之振奋。范先生作为国内一家深具影响力的报业集团掌门人，繁忙事务之余，能写出这样一本厚重的书，着实是让人敬佩的。这其中，应当是凝聚了他多年的实践和思考，为中国报业的发展给出了一幅历史的画卷和冷静的探索，于理论于实践都是一大贡献，这样说大概是不为过的。

南方报业传媒集团的发展业绩不用在这里多加描述。改革开放二十多年来，南方报业传媒集团从《南方日报》开始，逐步发展出《南方周末》、《南方都市报》、《21世纪经济报道》、《新京报》等在国内有很高知名度、影响力和广泛读者群的报业体系，在国内报业发展中创出了一条道路。这其中有很多经验值得总结提升，《南方报业战略》正是从战略高度对南方报业传媒集团发展做出的总结和分析，相信这对国内其他传媒企业给出了有益的探索和思考。作为报纸，《南方日报》给出的口号是“高度决定影响力”，这是一个富有内涵的品牌理念。

对于这本书来说，我想借这个口号做个概括，就是“战略决定高度”。这也是对这本著作的一个简短的评述。

战略理论一直认为，成功的企业都是具有战略高度的组织。南方报业传媒集团也不例外，它的成功发展在于战略的思想力和执行力。本书从南方报业传媒集团的成长战略、品牌战略、整合战略和人才战略几个角度分析品牌媒体创新力量，正是这些战略的制定和实施奠定了集团的竞争力和成长力的基础。

我非常赞成作者提出的对于市场竞争的三个层次看法：一种是打价格战，只求数量不求质量的低层次竞争；二是以规模、结构、效益为主的中层次竞争；三是以资本、人才、品牌为主的高层次战略竞争。南方报业传媒集团从一开始就明确地定位在第二层次的竞争上，而其根本的目标是朝向以资本、人才和品牌的高层次竞争。实际上，也只有这种竞争定位才可能成为具有战略高度和发展持续竞争力的组织。

作为一个从战略高度运作的组织，其核心是企业家和人才，企业家是战略的灵魂之所在。在具有高成长性和复杂性的市场环境下，中国企业更需要企业家的创新精神。南方报业传媒集团的成长过程有力地证明，具有战略意识和战略行动力的企业家是组织取得成功的关键因素。对于中国报纸传媒产业的发展，我们需要充分地吸收战略的思想和国际经验，并紧密结合中国的实际，创造性地发展企业战略，才能使企业在市场的竞争中不断成长，为社会创造价值。本书给出的南方报业战略为我们昭示了很多值得深入思考的问题。

李新春（中山大学管理学院院长、教授、博导）

报人意识与报业成就

放眼全国报业发展状况，南方报业传媒集团的成就是最为引人瞩目的。这既是从南方报业传媒集团旗下聚集的名满业界与社会的《南方周末》、《21世纪经济报道》、《南方都市报》、《名牌》、《南方人物周刊》等几大报刊取得的公认成绩得出的结论，也是从南方报业传媒集团近几年发出的传媒声音所具有的社会反响上做出的判断，更是从南方报业传媒集团呈现的中国现代传媒发展的健康方向上得出的断语。

思考南方报业传媒集团取得这么不俗的成就的原因，大致有两个方面值得特别强调。一是广东的经济社会发展与地方领导人的开明，以及社会的普遍需要，提供给了南方报业一个优良的外部发展空间。二是南方报业的供职者们齐心协力、同心同德办好报刊的敬业精神，所推动形成的报业内部发展的强劲动力。从后者来具体审视，南方报业的高层领导者具有的现代报人意识，对南方报业取得这样的成就，发挥了直接的引领作用。南方报业传媒集团管委会主任、南方日报社社长范以锦所著的《南方报业战略》一书，印证了笔者的这一看法。

范著的四个部分，点出了南方报业传媒集团发展的四个关键问题，也点出了一个报社社长所应具有的现代报人意识与报业集团发展的四个核心要素:报业的合理定位、报业的品牌意识、报业的营销战略、报业的人才聚集。范以锦以自己在南方报业长期的领导实践为基础，既具经验色彩、又具理论意味地向人们证明了，像南方报业这样成功发展的报业集团，正是以自己对于报纸杂志的现代公共传媒的定位，来为自己找到合理战略目标，发现自己的核心竞争力的。南方周末报系、南方都市报报系、21世纪报系，各自以强烈的社会关注、民生报道和财经分析，凸显了南方报业对于现代报纸多元地影响社会的报业性格。南到深圳、北到京城的扩展战略，为南方报业拓展发展空间提供了新的成长契机。而报业领导的品牌意识主导了报业集团报刊的成功。报业集团的旗舰——南方日报，历经四次改版，终于成为居于主流政经媒体前列的报纸。南方都市报、南方周末、21世纪经济报道在占领报纸改革的高端意识的支持下，凸显的“独特口号”、“打动人心”、“整合营销”的打造品牌媒体的实操技术，与报业整体的“创新内容”相匹配，显现了报业集团的集团优势。至于南方报业传媒集团对于市场力量的有效运用，早就为业界关注——市场的意识、报系的营运、资源的组合、价值的提升，为南方报业注入的活力，已经由今天南方报业的成就提供了成功证明。人才战略对于南方报业取得的成就的支撑作用，更不待言——“承前启后的报人风格”、“泉涌效应”的人才理念、“从人才管理到人才开发”的意识转变，都为南方报业的成功奠定了坚实的人力资源基础。

纵观范著，充溢着南方报业传媒集团的报人意识的现代感，他们的担当精神、敬业精神与专业精神，为南方报业取得今天的瞩目成就奠立了雄厚的精神基础。这还是中国当今报纸处于转轨时期比较缺乏的精神资源。正是在对范著的阅读中，我们理解了南方报业的报人们能够开启中国报刊现代转轨大门的原因。

任剑涛（中山大学政治与公共事务管理学院院长、教授、博导）

后记

就多品牌战略的问题，我在论坛上发表过演说，在集团内部作过讲话，在刊物上也发表过文章。南方日报出版社再三向我约稿，希望就这一主题出一本书。出版社还指定一位编辑负责出书事宜，本想南方日报55周年社庆的时候出，我一拖再拖，直至那位编辑小孩问世休产假去了，我的书稿还未问世。只能说声：对不起了！一拖又是一年，出版社的领导一追再追，这回躲不过去了。

我天生就不太会收藏东西，自己电脑硬盘上竟没有很好地将文章都保存下来，散落在各个角落，只得翻翻书柜，到秘书科查找电脑记录，好在有不少文章网上有记载。在整理的过程中，深感单从多品牌的角度不足以反映南方报业的发展战略，好些文章还涉及南方报业的整体战略问题。搜集到的素材不少，文章也不少，只不过还需从理性方面去提升。还好，这些年因报业竞争激烈，需花较多精力研究宏观决策和实操战术，迫使我阅读了数十本有关战略管理方面的书，还参加了中山大学EMBA的培训。于是，我试图用创新的理论去看待和总结南方报业的发展，虽不能以完整的时间来整理书稿，但兴致一来，咬咬牙，加加班，也就有点一发不可收拾了。尽管每天都是零敲碎打，但集腋成裘，总算完成了书稿的写作。

中国报业是新兴的产业。尽管办报的历史很长，但由于报纸的意识形态属性，长期以来不敢轻易提新闻产业，所以对报业的经营历来不太重视，更谈不上当作产业来发展。实践经验不足，也就鲜有这方面的理论研究。初步的探索，肤浅的认识，书中的一些观点自然是很不成熟的，过若干年回过头来看也许是可笑的。但我只能以目前的认识水平来总结和探索，在我看来，至少目前我们这样做有利有效。比如我们提出“报系结构”的组织运营模式和“龙生龙，凤生凤”的多品牌发展路径，教科书上是没有的，红头文件上也找不到，全凭实践和感知总结出来。我们现在坚持这样做，至于人家怎么看，那是人家的事，拿出来议论，抛砖引玉也是好事。战略因时间、地点、环境的变换而变化，各报有各报的情况，你有你的战略，我有我的战略；今天实现战略目标的路径适合今天的情况，明天后人也许会找到另一条路径，此一时彼一时，当属正常。

南方报业战略的发展，有一个历史形成的过程。我们现在所制订和实施的集团发展战略，凝聚了南方报人的心血和智慧。本书既是我本人对南方报业发展战略的思考，也是南方报业多年来发展的经验总结。在出书之际，我万分感谢曾为南方报业发展而呕心沥血的老一代报人，也万分感谢正在为丰富和发展南方报业战略而辛勤耕耘的新一代报人。正是有了他们的创新智慧凝就的创新力量，南方报业才有存在的价值并变得越来越有价值。由于本书篇幅有限，更由于南方报业的战略仍然随着外部环境和内部资源的不断演变而处于不断发展的过程中，这本书所涉及的内容不可能涵盖南方报业战略管理的全部内容。我希望，能有更多的人研究南方报业的战略，并能不断超越我们，只有超越了，南方报业才大有希望。

作　者

重印说明

《南方报业战略》出版后，反响热烈，被许多媒体、新闻院校、企业作为培训教材，很快脱销。现借重印之机，增补作者与复星集团董事长郭广昌先生的对话，以及中山大学三位知名院长、教授对本书的评价，冀望能够让读者更好地理解作者的报业战略思维。

编　者

2006 年 1 月 17 日